LES INFORTUNES DE LA BELLE AU BOIS DORMANT

ANNE RICE

LES INFORTUNES DE LA BELLE AU BOIS DORMANT

3. LA LIBÉRATION

ROBERT LAFFONT

Titre original :

BEAUTY'S RELEASE

Traduit de l'américain par
Adrien Calmevent

© A.N. Roquelaure (pseudonyme d'Anne Rice), 1984
Traduction française : Éd. Robert Laffont, S.A., Paris, 1998
(édition originale : Penguin Books, New York)
ISBN : 2-266-09210-3

Ce qu'il est advenu de la Belle

Dans Les Infortunes de la Belle au bois dormant
Tome 1 *ou* L'Initiation

Après un paisible sommeil d'un siècle, la Belle au bois dormant ouvrit les yeux au baiser du Prince, pour découvrir ses vêtements ôtés, et son cœur, ainsi que son corps, sous la coupe de celui qui l'avait délivrée. Aussitôt attribuée au Prince, à titre d'esclave nue de ses plaisirs, la Belle devait être emmenée de force dans le Royaume de ce dernier.

Ainsi, avec le consentement reconnaissant de ses parents, éperdue de désir pour le Prince, la Belle fut amenée à la Cour de la Reine Eléonore, la mère du Prince, pour y servir aux côtés de centaines de Princes et Princesses nus, tous en qualité de jouets de la Cour, jusqu'à ce que vienne, avec leur récompense, le temps de les renvoyer dans leurs Royaumes respectifs.

Envoûtée par les rigueurs de la Salle d'Apprentissage, de la Salle des Châtiments, du supplice du Sentier de la Bride abattue, et par sa propre passion de plaire, qui ne faisait qu'aller croissant, la Belle est demeurée la favorite incontestée du Prince et le délice de celle qui fut, un temps, sa Maîtresse, la jeune et jolie Dame Juliana.

Pourtant, elle ne pouvait ignorer son engouement, interdit et secret, pour l'esclave plein de raffinement de la Reine, le Prince Alexis, ni pour cet autre esclave qui avait désobéi, le Prince Tristan.

Ayant entrevu le Prince Tristan parmi les disgraciés du château, la Belle, dans un moment de rébellion apparemment inexplicable, s'attire exactement le même châtiment que celui auquel il est promis : se faire renvoyer de cette Cour de volupté, pour aller subir la déchéance d'un rude labeur au village voisin.

Dans Les Infortunes de la Belle au bois dormant Tome 2 *ou* La Punition

Vendu à l'encan dès l'aube, Tristan se retrouva bientôt ligoté et harnaché à la voiture d'un jeune et beau Maître, Nicolas, le Chroniqueur de la Reine. Et la Belle, mise à la tâche dans l'auberge de Maîtresse Lockley, est devenue le jouet du Capitaine de la Garde, l'hôte de marque de l'Auberge.

Mais au cours de ces quelques jours, le temps d'être séparés l'un de l'autre et vendus, la Belle et Tristan furent tous deux séduits par la discipline de fer du village. Les douces terreurs de la Place du Châtiment Public, de la Boutique des Châtiments, de la Ferme et de l'Écurie, la Nuit des Soldats à l'Auberge les ont autant enflammés qu'effrayés, en suscitant chez eux le plus complet oubli de leur personnalité antérieure.

Même le jugement rigoureux infligé à l'esclave fugitif, le Prince Laurent, qui s'est retrouvé le corps ligoté à une Croix de Pénitence pour être exposé en place publique, n'a servi qu'à les mettre en appétit.

Et puis, alors même que la Belle savourait des châtiments enfin à l'égal de son âme, Tristan tombait désespérément amoureux de son nouveau Maître.

Pourtant, à peine ce duo avait-il fait connaissance, et s'était-il confié mutuellement son bonheur honteux, qu'un fort parti de soldats ennemis avait attaqué le village, enlevant la Belle et Tristan, en même temps que d'autres esclaves de choix, dont le Prince Laurent, pour les emmener, par la mer, vers la terre d'un nouveau Maître, le Sultan.

Dans les quelques heures qui avaient suivi l'attaque, les Princes et les Princesses dérobés à leurs propriétaires avaient appris qu'on ne verserait pas leur rançon. Aux termes d'un accord entre ceux qui étaient désormais leurs souverains, ils avaient été condamnés à servir au palais du Sultan jusqu'à ce que vienne le temps de les restituer, sains et saufs, à leur Reine, afin d'être ultérieurement jugés.

Gardés à l'intérieur de longues cages rectangulaires en or, dans la cale du vaisseau du Sultan, les esclaves se sont résignés à leur nouvelle destinée.

Au moment où nous reprenons notre récit, c'est la nuit à bord du navire endormi, et le long voyage approche de son terme.

Or, Prince Laurent est là, seul avec ses pensées, et il songe à son esclavage...

Captifs en mer

Récit de Laurent

C'est la nuit.

Mais quelque chose a changé. Dès que j'ai ouvert les yeux, j'ai su que nous étions proches de la terre. Même dans la pénombre silencieuse de la cabine, je pouvais respirer les odeurs vivantes de la terre.

Et c'est ainsi, ai-je songé, que notre voyage touche à sa fin. Nous allons enfin savoir ce que nous réserve cette captivité nouvelle, dont le dessein n'est autre que de nous abaisser et de nous avilir plus encore.

J'étais aussi soulagé qu'effrayé, aussi curieux que rempli de crainte.

Et, à la lumière d'une lanterne, j'ai vu Tristan allongé, éveillé, le visage tendu, qui scrutait l'obscurité. Lui aussi, il savait que le voyage était presque achevé.

Les Princesses nues, cependant, dormaient encore, et elles avaient l'air de bêtes exotiques dans leurs cages d'or. La Belle, cette piquante petite créature, était une flamme mordorée dans les ténèbres, la chevelure noire et bouclée de Rosalynde drapait son dos pâle jusqu'à la courbe de ses petites fesses rondes.

Au-dessus d'elles, Elena, longiligne, à l'ossature délicate, était étendue sur le dos, ses cheveux bruns et raides savamment étalés sur son oreiller.

La tendre chair que celle de ces trois-là, nos douces compagnes d'emprisonnement : la Belle était couchée, pelotonnée dans ses draps, et ses bras, ses jambes menus et potelés ne demandaient qu'à se faire pincer ; la tête d'Elena était rejetée en arrière dans l'abandon total du sommeil, ses longues jambes minces, grandes écartées, un genou contre les barreaux de la cage ; quand je l'ai regardée, Rosalynde s'est retournée sur le côté, ses seins lourds sont doucement retombés, les tétons rose foncé, et dressés.

Et puis, tout à fait à ma droite, Dimitri aux cheveux noirs, rivalisant en muscles et en beauté avec le blond Tristan ; dans le sommeil, le visage de Dimitri se parait d'une étrange froideur, lui qui, le jour, était souvent le plus avenant et le plus docile de nous tous. Nous, les Princes, aussi solidement encagés que les femmes, nous n'avions probablement l'air ni plus humains ni moins exotiques.

Et chacun de nous portait à l'entrejambe ce petit pagne en treille d'or qui nous interdisait de rendre la moindre visite à nos organes affamés.

Au cours de ces longues nuits en mer, nous avions fini par très bien nous connaître — quand nos gardes n'étaient pas assez près pour surprendre nos chuchotements. Et, à nos heures perdues de réflexion et de rêverie, peut-être avions-nous fini, aussi, par mieux nous connaître nous-mêmes ?

— Est-ce que vous le sentez aussi, Laurent ? chuchota Tristan. Nous sommes près du rivage.

De nous tous, Tristan était le plus anxieux, celui qui se désolait de la perte de son Maître, Nicolas, et qui en même temps ne cessait de surveiller tout ce qui se passait alentour.

— Oui, ai-je répondu à mi-voix, en lui lançant un long regard. (L'éclair de son œil bleu.) Cela ne devrait plus durer bien longtemps, à présent.

— J'espère seulement que...

— Espérer? ai-je encore fait. Quel espoir nous reste-t-il ici, Tristan?

— ... qu'ils ne vont pas nous séparer.

Je n'ai pas répondu. Je me suis allongé sur le dos et j'ai fermé les yeux. Quelle importance cela avait-il d'en parler, quand, bientôt, toutes choses allaient nous être révélées? D'ailleurs, nous ne pouvions rien faire pour modifier le cours des événements.

— Quoi qu'il arrive, ai-je dit, songeur, je suis heureux que ce soit la fin du voyage. Je suis heureux que nous soyons bientôt à même de nous rendre utiles.

Passé les épreuves initiales auxquelles on avait soumis notre passion, nos ravisseurs n'avaient plus usé de nous. Et, durant une quinzaine de jours, c'étaient nos propres désirs qui nous avaient soumis à la torture, et nos gardiens aux allures de garçonnets s'étaient contentés de nous rire gentiment au nez, pour nous lier prestement les mains dès que nous osions toucher à l'enveloppe délicate, en forme de cône tronqué, qui emprisonnait nos parties intimes.

Nous avions tous souffert également, semblait-il, sans rien d'autre pour nous distraire, au fond de cette cale de navire, que la vision de nos nudités respectives.

Et je ne pouvais m'empêcher de me demander si ces jeunes gardiens, si sérieux à tous égards, étaient au fait de la manière impitoyable dont on nous avait inculqué les appétits de la chair, s'ils n'ignoraient pas comment nos Maîtres et nos Maîtresses, à la Cour de la Reine, nous avaient enseigné tout l'empire du désir, ne fût-ce que le désir impérieux de la gifle du fouet, pour soulager la flamme qui brûlait en nous.

Dans notre ancien état de servitude, pas une demi-journée ne s'était écoulée sans que l'on ait fait soigneusement usage de nos corps, et même le plus obéissant d'entre nous avait reçu de constants châtiments. Quant à ceux que l'on avait envoyés du château pour descendre en pénitence au village, ils n'avaient guère connu plus de repos.

Mais ces mondes-là étaient d'autres mondes, ainsi que nous en étions convenus, Tristan et moi, au cours de nos conversations nocturnes et chuchotées. Tant au village qu'au château, on s'était attendu à ce que nous parlions, ne fût-ce que pour dire : « Oui, mon Seigneur », ou « Oui, ma Dame ». On nous avait donné des ordres formels, et on nous avait envoyés, de temps à autre, effectuer des commissions sans être accompagnés. Tristan avait même longuement conversé avec son maître Nicolas, qu'il chérissait.

Mais avant même de quitter les terres de la Reine, on nous avait tenus avertis que les serviteurs du Sultan nous traiteraient comme si nous n'étions que des animaux dépourvus de l'usage de la parole. Serions-nous en mesure de comprendre leur langue, étrangère et fort singulière, jamais ils ne nous adresseraient la parole. Au pays du Sultan, l'esclave de plaisir le plus vil qui tenterait de prendre la parole s'exposerait aussitôt à une sévère punition.

Tous les avertissements que l'on nous avait délivrés concordaient. Tout au long de ce voyage, on nous avait cajolés, caressés, pincés et guidés dans le silence le plus prévenant et le plus condescendant à la fois.

Quand, à bout de désespoir et d'ennui, la Princesse Elena s'était exclamée, à haute et intelligible voix, pour supplier qu'on la laisse sortir de sa cage, on l'avait promptement bâillonnée, les chevilles et les poignets ligotés dans le bas du dos, et son corps était allé gigoter au bout d'une chaîne, suspendu au plafond de la cabine. Elle était restée là, et nos gardiens, stupéfaits et outrés, lui avaient lancé des réprimandes, jusqu'à ce qu'elle renonce à ses vaines protestations étouffées par le bâillon.

Après cela, avec quelle précaution, et avec quelle gentillesse ne l'avait-on pas redescendue ! On avait baisé ses lèvres silencieuses, ses poignets et ses chevilles endoloris avaient été huilés, jusqu'à ce que les marques rouges laissées par les bracelets de cuir eussent disparu.

Les jeunes garçons en tunique de soie avaient même brossé ses cheveux bruns et lisses, massé ses fesses et son dos de leurs doigts vigoureux, comme si c'était la bonne façon de consoler les petits animaux irascibles que nous étions. Naturellement, à peine s'étaient-ils aperçus que les douces ombres de la toison brune et bouclée, dans l'entrejambe d'Elena, étaient humides, et qu'elle ne pouvait plus se retenir de remuer les hanches contre la soie de la couchette réservée aux soins, tant elle était excitée par leurs attouchements, qu'ils cessèrent de lui prodiguer leurs attentions.

À grand renfort de petits gestes de gronderies et de signes de tête, ils l'avaient amenée à se redresser sur les genoux, et ils avaient continué de lui tenir les poignets tout en ajustant sur son vagin menu la petite treille de métal rigide, dont les chaînes étaient venues lui entourer les cuisses, pour y être étroitement et prestement agrafées. Après quoi, on l'avait fait entrer dans sa cage, les bras et les jambes attachés aux barreaux par le moyen de rubans de satin.

Cet étalage de passion ne les avait nullement mis en colère. Tout au contraire, avant de le recouvrir, ils avaient caressé son sexe humide, ils lui avaient souri, comme pour approuver ses chaleurs, son besoin. Néanmoins, tous les gémissements du monde ne lui avaient pas attiré leur miséricorde.

Nous n'avions fait que regarder, dans un silence lascif, et nos propres organes palpitaient en vain. J'avais eu envie de grimper dans sa cage et d'arracher le bouclier de treille d'or pour planter mon sexe dans le petit nid mouillé qui était taillé pour lui. J'avais eu envie d'ouvrir sa bouche avec ma langue. Envie de comprimer ses seins lourds entre mes mains, de sucer leurs petits tétons couleur de corail, et de la voir écarlate sous les palpitations du plaisir, tandis que je l'aurais chevauchée sans merci. Mais tout cela n'était que pénible rêverie. Elena et moi, nous ne pouvions que nous regarder, et j'espérais que tôt ou tard nous pourrions être autorisés à connaître l'extase de nous retrouver dans les bras l'un de l'autre.

La petite Belle, mignonne à croquer, était elle aussi très troublante, et la pulpeuse Rosalynde, avec ses grands yeux mélancoliques, absolument appétissante, mais c'était Elena qui se montrait pleine d'intelligence et de sombre dédain envers tout ce qui nous était échu. Au cours de nos conversations chuchotées, elle avait ri de notre destin, et, tout en parlant, elle avait eu ce geste pour rejeter sa lourde chevelure brune par-dessus l'épaule.

— Qui s'est jamais vu offrir trois possibilités de choix aussi merveilleuses, Laurent ? avait-elle demandé. Le palais du Sultan, le village, le château.

Je vous le dis, en chacun de ces choix, je suis à même de trouver les délices qui me conviennent.

— Mais, ma chérie, vous ne savez pas à quoi les choses vont ressembler, au palais du Sultan, avais-je dit. La Reine détenait des centaines d'esclaves nus. Au village, nous étions des centaines à la tâche. Et si le Sultan disposait d'un nombre d'esclaves plus grand encore — d'esclaves de tous les royaumes d'Orient et d'Occident, des esclaves si nombreux qu'il peut en user comme de repose-pieds ?

— Pensez-vous que ce soit le cas ? avait-elle demandé, tout excitée. (Son sourire s'était fait insolent de charme. Des lèvres si humides, et des dents exquises.) Alors il faut que nous trouvions quelque moyen de nous distinguer, Laurent. (Elle avait posé le menton dans sa main.) Je ne veux pas être seulement l'une de ces petites Princesses ou de ces petits Princes qui souffrent par milliers. Il faut que nous fassions en sorte que le Sultan sache qui nous sommes.

— Voilà de bien dangereuses pensées, mon amour, quand nous ne pouvons parler, pas plus que l'on ne peut nous adresser la parole, quand on nous dorlote et qu'on nous punit comme de vulgaires petites bêtes.

— Nous trouverons un moyen, Laurent, avait-elle assuré, avec un clin d'œil coquin. Rien ne vous a jamais effrayé jusqu'à présent, n'est-il pas vrai ? Vous vous êtes enfui, à seule fin de savoir quel effet cela ferait d'être capturé, n'est-ce pas ?

— Vous avez l'esprit trop délié, Elena, avais-je répondu. Qu'est-ce qui vous laisse penser que je ne me suis pas enfui sous l'emprise de la peur ?

— Je sais qu'il n'en est rien. Personne ne s'est jamais enfui du château de la Reine sous l'emprise de la peur. Si l'on s'enfuit, c'est toujours par esprit d'aventure. J'en ai fait autant moi-même, voyez-vous. C'est pourquoi j'ai été condamnée au village.

— Et le jeu en valait-il la chandelle, ma chère ? avais-je demandé.

Oh, si seulement j'avais pu l'embrasser, recueillir sa pétulance dans ma bouche, pincer ses petits tétons ! Il était déjà assez cruel de ne jamais m'être trouvé assez proche d'elle, durant tous ces jours que nous avions passés au château.

— Oui, le jeu en valait la chandelle, avait-elle fait, pensive.

Quand la razzia du Sultan s'était abattue sur le village, elle s'y trouvait depuis un an à titre d'esclave femelle, à la ferme du Seigneur Maire ; elle travaillait dans ses vergers, à chercher des mauvaises herbes dans le pré, du bout des dents, à quatre pattes, sous la coupe d'un jardinier, un homme robuste et sévère, et qui jamais ne se démunissait de la lanière de cuir qu'il tenait en main.

— Mais j'étais prête à vivre quelque chose de nouveau, avait-elle confié, en se retournant sur le dos, laissant s'écarter ses jambes, comme à son habitude. (Je ne pouvais m'arrêter de fixer du regard, sous le bouclier d'or tressé, l'épaisse toison brune de son sexe.) Et ensuite, les soldats du Sultan sont arrivés, comme si je les avais convoqués par la seule force de mon imagination. Rappelez-vous, Laurent, il nous faut accomplir quelque chose pour nous distinguer.

J'avais ri à part moi. J'appréciais son caractère.

D'ailleurs, je les aimais tous : Tristan, un séduisant mélange de force et d'envie, qui supportait sa souffrance en silence ; Dimitri et Rosalynde, tous deux contrits et tout entiers consacrés à leur envie de complaire, comme s'ils étaient nés esclaves, et non de sang royal.

Mais Dimitri ne savait pas maîtriser son agitation et son désir de luxure, il était incapable de se tenir tranquille, pour se soumettre à la punition ou à ce qu'on use de lui, alors même que son esprit n'était rempli que de pensées élevées d'amour et de soumission. Le temps de sa peine au village, de courte durée, il l'avait passé au pilori, en Place des Châtiments Publics, à attendre de recevoir des coups de fouet sur la Roue Publique. Rosalynde, pas plus que lui, n'était capable de faire preuve de la moindre maîtrise d'elle-même, à moins d'être assujettie dans les chaînes. Tous deux, ils avaient espéré que le village les purgerait de leurs peurs, qu'il leur permettrait de servir avec la finesse qu'ils admiraient chez les autres.

Quant à la Belle, là, à côté d'Elena, elle était la plus enchanteresse, la moins ordinaire des esclaves. Elle semblait froide, et pourtant d'une indéniable douceur, réfléchie et rebelle. De temps à autre, lors de ces sombres nuits passées en mer, je l'avais vue me dévisager à travers les barreaux de sa cage, avec une expression déroutante sur son petit visage plein de force, et, quand je l'avais regardée, ses lèvres avaient facilement éclos en un sourire.

Quand Tristan avait pleuré, elle avait doucement dit, pour sa défense : « Il aimait son Maître. » Et elle avait haussé les épaules, comme si elle trouvait cela aussi triste qu'incompréhensible.

— Et vous, vous n'avez aimé personne ? lui avais-je demandé, une nuit.

— Non, pas vraiment. Uniquement d'autres esclaves, quelquefois...

Elle m'avait alors lancé ce regard provocant, qui avait aussitôt fait se dresser ma queue. Il y avait en elle quelque chose de sauvage, d'intact, en dépit de toute son apparente fragilité.

Pourtant, de temps à autre, elle semblait ruminer sa propre résistance. « Quel sens cela aurait-il de les aimer ? avait-elle demandé une fois, comme si elle se parlait à elle-même. Quel sens cela aurait-il d'abandonner complètement son cœur ? Les punitions, je les aime. Mais aimer l'un de ces Maîtres ou l'une de ces Maîtresses... » Soudain, cela parut l'effrayer.

— Cela vous trouble, lui avais-je dit, avec compréhension.

Les nuits en mer nous pesaient tous. Tout comme l'isolement.

— Oui. J'ai très envie de quelque chose que je n'ai pas eu, avait-elle chuchoté. Je le nie, mais j'en ai très envie. Peut-être est-ce seulement que je n'ai pas trouvé de Maître ou de Maîtresse qui me convienne...

— Le Prince Héritier, c'est lui qui vous a amenée au Royaume. Assurément, vous devez avoir trouvé en lui un Maître vraiment magnifique.

— Non, point du tout, avait-elle répliqué, dédaigneuse. C'est à peine si je me souviens de lui. Voyez-vous, il n'éveillait en moi aucun intérêt. Qu'arriverait-il si j'étais dominée par quelqu'un qui suscitait en moi un intérêt ?

Et ses yeux se parèrent d'un étrange scintillement, comme s'ils voyaient, pour la première fois, tout un royaume de possibilités inédites.

— Je ne puis vous le dire, lui avais-je répondu, me sentant égaré tout à coup.

Jusqu'à cet instant, j'avais été certain d'avoir aimé ma Maîtresse, Dame Elvera. Mais à présent, je n'en étais plus absolument certain. Peut-être la Belle avait-elle évoqué là un amour plus profond, plus beau que je n'en avais jamais connu.

Le fait était là, oui, la Belle éveillait mon intérêt.

Elle, qui était couchée, hors de ma portée, sur un lit tendu de soie, ses membres nus aussi parfaits qu'une sculpture dans la demi-obscurité, ses yeux pleins de secrets à demi révélés.

Pourtant, en dépit de nos différences, de nos propos sur l'amour, nous étions tous de véritables esclaves. Cela ne faisait aucun doute.

Nous avions été épanouis, irrémédiablement transformés par notre servitude. Peu importaient nos peurs et nos conflits, nous n'étions plus ces êtres rougissants, frappés de terreur, que nous avions été jadis. Nous nagions, chacun à sa propre allure, dans le flot fascinant du tourment érotique.

Et, tandis que je réfléchissais, allongé, je cherchais à comprendre quelles avaient été les différences cruciales entre la vie au château et la vie au village, et à deviner ce que nous promettait cette nouvelle captivité au Sultanat.

Souvenirs du château et du village

Récit de Laurent

J'avais bien servi un an au château, en qualité de propriété de Dame Elvera, qui m'avait fait fouetter tous les matins, comme une chose allant de soi, tout en prenant son petit déjeuner. C'était une femme fière et paisible, aux cheveux noir corbeau et aux yeux gris ardoise, qui passait des heures sur des broderies délicates. J'avais baisé ses pantoufles en remerciement de cette correction par le fouet, dans l'espoir de recevoir une miette de louange — témoignant que j'avais accueilli les coups vaillamment, ou qu'elle me trouvait beau, malgré tout. Il était rare qu'elle prononce une parole, rare aussi qu'elle lève les yeux de son travail d'aiguille.

L'après-midi, elle emportait son ouvrage dans les jardins, et là, pour son amusement, je m'accouplais avec des Princesses. Il fallait tout d'abord que j'attrape ma jolie proie, ce qui supposait une chasse opiniâtre à travers les massifs de fleurs, et puis la petite Princesse rougissante devait être rapportée et déposée aux pieds de ma Dame, pour un examen attentif, après quoi ma véritable prestation débutait et devait être accomplie à la perfection.

Naturellement, j'avais aimé ces moments-là — écouler mes chaleurs dans ce corps farouche et frémissant au-dessous de moi, cette course-poursuite et cette capture qui arrivaient à désarçonner même la plus frivole des Princesses, et tous les deux nous nous consumions sous le regard imperturbable de ma Dame, qui n'en poursuivait pas moins sa couture.

Quel dommage que je n'aie jamais pu couvrir la Belle en ce temps-là. Elle était demeurée la favorite du Prince Héritier, jusqu'à ce qu'elle tombe en disgrâce pour être descendue au village. Seule Dame Juliana était autorisée à la partager. Mais je l'avais aperçue sur le Sentier de la Bride abattue et j'avais brûlé de la tenir au-dessous de moi, haletante. Quelle esclave elle avait été, parfaitement au diapason, même en ces premières journées, quelle allure elle avait quand elle marchait aux côtés du cheval de Dame Juliana, tout à fait impeccable. Ses cheveux d'or étaient comme les blés, ils encadraient son visage en forme de cœur; ses yeux bleus étincelaient de fierté piquée au vif et de passion sans fard. Même la grande Reine était jalouse d'elle.

Mais, en repensant à tout cela aujourd'hui, je n'ai pas douté un seul instant de la Belle quand elle m'a déclaré qu'elle n'avait pas aimé ceux qui avaient prétendu solliciter son affection. J'aurais pu voir, si j'y avais regardé de plus près, que son cœur, alors, ne portait aucune chaîne.

Quel avait donc été le caractère singulier de ma vie, dans les salles du château? Mon cœur à moi, certes, était bel et bien enchaîné. Mais quelle avait été l'essence de mon asservissement?

J'étais un Prince, pourtant destiné à servir — un être de haute naissance temporairement dépossédé de ses privilèges et fait pour subir des épreuves du corps et de l'âme, âpres et sans égales. Oui, telle était la nature de l'humiliation : que je retrouve mes privilèges après que c'en serait fini, que je sois l'égal de ceux qui avaient joui de ma nudité et qui m'avaient sévèrement réprimandé à la moindre démonstration de volonté ou de fierté.

Jamais cela n'avait été aussi clair pour moi que lorsque des Princes d'autres pays étaient venus nous rendre visite et s'émerveiller de cette coutume de garder en captivité des esclaves du plaisir royal. Cela m'avait écorché vif d'être présenté à ces invités-là.

— Mais comment les amenez-vous à servir ? s'étaient-ils enquis, mi-étonnés, mi-enchantés. On ne savait jamais s'ils aspiraient à servir ou à commander. Est-ce que ces deux inclinations se combattent à l'intérieur de tous les êtres ?

La réponse à ces questions timides se résumait inévitablement à une excellente démonstration de la grande finesse de notre apprentissage ; nous devions nous agenouiller devant eux, offrir nos organes nus à leur examen, nos derrières levés pour recevoir le fouet.

— Il s'agit d'un jeu de plaisir, commentait ma Dame, très terre à terre. Et celui-ci, ce Laurent, un Prince merveilleusement bien élevé, m'amuse tout particulièrement. Un jour, il régnera sur un royaume prospère.

Elle me pinçait les tétons, lentement, et puis elle me soulevait la queue et les couilles dans sa main ouverte, pour les exposer à la vue de ses hôtes ébahis.

— Mais tout de même, pourquoi ne se défend-il pas, ne résiste-t-il pas ? demandait le visiteur, masquant peut-être, ce faisant, des sentiments plus profonds.

— Songez donc, répondait ma Dame. Il est tout à fait dépouillé des attributs qui, dans le monde extérieur, feraient de lui un homme, et ce uniquement pour mieux exposer ces autres attributs — de chair —, qui font de lui un homme dévolu à mon service. Vous-même, imaginez-vous, pareillement nu, et sans défense, aussi soigneusement placé sous le joug. Peut-être préféreriez-vous servir, vous aussi, plutôt que de risquer d'en passer par toute une palette de corrections qui vous feraient subir de bien plus fâcheuses ignominies.

Dès lors, avant même la tombée de la nuit, lequel, parmi ces nouveaux venus au château, n'avait pas réclamé d'avoir son propre esclave ?

Le visage écarlate et tremblant, j'avais rampé pour obéir à plus d'un ordre de ces invités-là, un ordre donné d'une voix aussi inconnue qu'inexpérimentée. Et c'étaient là les Seigneurs qu'un jour je devrais recevoir à ma propre Cour. Nous souviendrions-nous, alors, de ces moments-là ? Quiconque oserait-il en faire mention ?

Et il en allait ainsi de tous les Princes et de toutes les Princesses nus du château. Pour cette œuvre de complet avilissement, tout était de premier choix.

— Je pense que Laurent servira au moins trois années supplémentaires, disait Dame Elvera, sur le ton de la désinvolture. Cependant, de telles décisions reviennent à la Reine. Lorsqu'il partira, je pleurerai. Je pense que c'est peut-être sa taille qui m'attire le plus. Il est plus grand que les autres, d'une ossature plus solide, mais il a un visage noble, ne trouvez-vous pas ?

Alors elle claquait des doigts pour que je me rapproche, puis elle laissait courir son pouce jusqu'au bas de ma joue. « Et cet organe, s'écriait-elle, il est extrêmement large, sans être d'une longueur excessive. Voilà qui est important. Comme les petites Princesses se tortillent sous lui ! C'est fort simple, il me faut un Prince puissant. Dites-moi, Laurent, comment pourrais-je vous punir de quelque manière nouvelle, quelque chose à quoi je n'aurais peut-être pas pensé ? »

Oui, un Prince fort, pour une mise sous le joug temporaire, un fils de monarque, avec toutes ses facultés en éveil, envoyé ici comme élève de l'amour et de la douleur.

Mais s'exposer à la colère de la Cour et être envoyé au village ? Voilà un supplice qui était tout à fait différent. Et un supplice auquel j'avais à peine goûté, même si ce qu'il m'avait été donné d'en connaître en avait véritablement été la quintessence.

Deux jours seulement avant ma capture par les brigands du Sultan, je m'étais échappé, de Dame Elvera et du château. Et je ne sais pas pourquoi j'ai fait ça.

J'adorais ma Dame, cela est certain. Je l'adorais. Vraiment, aucun doute là-dessus. J'admirais son impétuosité, ses silences sans fin. M'eût-elle fouetté elle-même plus souvent, plutôt que d'ordonner que cela fût fait par d'autres Princes, qu'elle n'aurait pu me faire plus plaisir.

Même quand elle m'avait livré aux invités des autres Seigneurs et des autres Dames, il y avait là cette joie toute singulière de lui être rendu, d'être ramené dans son lit, d'être autorisé à laper l'étroit triangle de sa toison noire entre ses cuisses blanches, quand elle se tenait adossée à l'oreiller, les cheveux lâchés, les yeux plissés, indifférents. Parvenir à faire fondre son cœur glacial, à lui faire rejeter la tête en arrière, et, enfin, à lui arracher des cris de plaisir, comme la plus lascive des petites Princesses du jardin, voilà quel avait été mon défi.

Et pourtant je m'étais enfui. J'avais agi sous le coup d'une impulsion soudaine — oser faire ça, me lever, tout simplement, et partir dans la forêt, les laisser me rechercher. Naturellement qu'ils allaient me trouver. Je n'en ai jamais douté. Les fugitifs, ils les retrouvent toujours.

Peut-être avais-je vécu trop longtemps dans la peur de commettre cet acte, d'être capturé par les soldats et envoyé au labeur, au village. Soudainement, cela me tentait, comme de plonger d'une haute falaise.

À ce moment-là, j'avais dominé toutes mes autres erreurs ; j'avais atteint à une perfection plutôt ennuyeuse. Je n'avais jamais bronché devant la lanière de cuir. J'avais grandi de telle sorte que j'en avais besoin, à seule fin que ma chair en chaleur tremble rien qu'en la voyant. Et les petites Princesses, lors de ces courses-poursuites dans le jardin, je les attrapais toujours promptement, je les levais bien haut, en les tenant par les poignets, et je les rapportais sur mon épaule, leurs seins tout chauds me martelant le dos avec un bruit sourd. J'avais jugé comme un défi digne d'intérêt d'en dompter deux ou trois en un seul après-midi, avec cette même énergie.

Mais cette affaire-là, m'enfuir... Peut-être avais-je envie de mieux connaître mes Maîtres et mes Maîtresses ! Parce que, en devenant leur fugitif et leur captif, j'allais ressentir leur pouvoir jusque dans la moelle de mes os. J'allais éprouver tout ce qu'ils étaient capables de me faire éprouver, complètement.

Quelle qu'en fût la raison, j'attendis que la Dame se fût enfin endormie dans son fauteuil de jardin, puis je me levai et je courus jusqu'au mur du jardin, que j'escaladai. Je reconnais volontiers n'avoir guère tenté d'attirer l'attention sur moi. Je présenterais cela, indiscutablement, comme une tentative d'évasion. Et, sans jeter un œil en arrière, je filai par les champs fauchés, en direction de la forêt.

Paradoxalement, jamais je ne me sentis aussi nu, aussi complètement esclave que dans ces moments de rébellion.

La moindre feuille, la moindre tige d'herbe haute caressait ma chair exposée. Une honte inédite me laissait abasourdi, alors que j'errais sous le couvert des grands arbres, et me faufilais dans l'ombre des tours de guet du village.

Lorsque survint la nuit, je sentis ma peau nue luire comme une lampe, que la forêt ne me dissimulerait pas. J'appartenais à ce monde imbriqué de pouvoir et de soumission, et j'avais essayé, à tort, de me dérober à ses obligations. Et la forêt le savait. Des ronciers m'accrochaient les chevilles. Au moindre bruit dans les broussailles, ma queue se raffermissait.

Ô, l'horreur finale et le frisson de la capture, quand les soldats me repérèrent dans l'obscurité et me rabattirent à grand renfort de cris, jusqu'à ce qu'ils m'aient encerclé.

Des mains rudes m'empoignèrent par les jambes et par les bras. Je fus porté à ras du sol par quatre de ces hommes, la tête pendante et les membres distendus, tout comme un animal qui leur aurait offert une bonne partie de chasse. Je fus ramené dans le campement, à la lumière des flambeaux, au milieu des vivats, des quolibets et des rires.

Et, dans ce moment ardent d'une justice à laquelle il était impossible d'échapper, tout devint un peu plus clair. Je n'étais plus du tout un Prince de haute naissance. J'étais un objet, vil et borné, qu'il conviendrait de faire fouetter et violer, à répétition, par de fougueux soldats, jusqu'à ce que le Capitaine de la Garde fasse son apparition et ordonne qu'on me ligote à cette Croix du Châtiment taillée dans une solide pièce de bois.

Ce fut lors de ce supplice que je revis la Belle. Elle avait déjà été envoyée au village, et choisie par le Capitaine de la Garde pour lui tenir lieu de petit objet de jeu. Agenouillée dans la boue du campement, elle était la seule femme présente sur les lieux, et sa peau fraîche, rose et laiteuse, avec cette poussière qui s'y accrochait, n'en était que plus délectable. Sous son regard intense, tout ce que j'avais subi s'était trouvé magnifié.

Il n'était guère surprenant que je la fascine de même : j'étais un véritable fugitif, et le seul de nous tous, à bord du vaisseau du Sultan, à avoir mérité la Croix du Châtiment.

Auparavant, au temps du château, j'avais moi-même aperçu des fugitifs pareillement enfourchés. Je les avais vus embarqués sur le chariot qui les menait au village, les jambes écartées toutes grandes sur la traverse de la croix, la tête inclinée en arrière par-dessus le sommet du montant — en sorte qu'ils regardent droit vers le ciel —, la bouche distendue par un bandeau de cuir noir. J'avais été terrifié pour eux, je m'étais émerveillé de voir, même dans cette disgrâce, leur queue aussi dure que le bois auquel leur corps était ligoté.

Et voici que j'étais moi-même ce condamné. J'étais entré dans le tableau, pour être ligoté de cette même et épouvantable manière, les yeux braqués vers le ciel, les bras repliés derrière cette barre d'un bois rugueux, les cuisses ouvertes, écartées, douloureuses, la queue aussi dure que toutes celles que j'avais pu apercevoir auparavant dans la même posture.

Or, la Belle n'était qu'une spectatrice parmi des milliers.

On me fit parader à travers les rues du village, au rythme lent du battement du tambour, pour la foule de ces gens du commun que je pouvais entendre, sans les voir, chaque tour de roue du chariot imprimant une secousse au phallus de bois enfilé dans mon postérieur.

Cela avait été aussi délicieux qu'extrême, la plus profonde de toutes les dégradations. Je m'étais senti m'y abandonner, alors même que le Capitaine de la Garde fouettait ma poitrine nue, mes jambes ouvertes, mon ventre dénudé. Comme il avait été divinement aisé d'implorer, au beau milieu de mes gémissements et des contorsions qui m'agitaient irrépressiblement, en sachant parfaitement bien que jamais on ne me prêterait attention. Et comme cela avait émoustillé mon âme, de savoir qu'il ne me fallait pas espérer la moindre pitié.

Oui, en ces moments-là, j'avais pleinement connu le pouvoir de mes ravisseurs, mais j'avais aussi découvert mon propre pouvoir — celui en vertu duquel nous, qui étions dépouillés de tout privilège, pouvions cependant aiguillonner et guider ceux qui nous punissaient vers des royaumes inédits de chaleur et d'égards amoureux.

Il ne restait plus à présent aucun désir à satisfaire, aucune passion à assouvir. Rien qu'un abandon, inquiet et divin. Sans vergogne, j'avais balancé des hanches sur ce phallus qui saillait sur la croix, qui saillait en moi, j'avais reçu les coups vifs de la lanière de cuir brandie par le Capitaine, comme des baisers. J'avais lutté et pleuré pour contenter mon cœur, en renonçant à la moindre parcelle de dignité.

Le seul défaut à ce tableau, j'imagine, c'était que je ne pouvais voir mes persécuteurs, sauf s'ils se tenaient juste au-dessus de moi, ce qui ne fut que rarement le cas.

Et la nuit, quand je fus dressé en l'air sur la place du village, quand je pus les entendre se rassembler sur l'estrade, là, devant moi — les sentir pincer mon derrière endolori, me claquer la queue — j'aurais voulu être en mesure de lire, sur leurs visages, leur mépris et leur humeur rieuse, et l'expression de leur totale supériorité sur le plus vil des plus vils, celui que j'étais devenu.

J'appréciais d'être condamné. J'appréciais d'être cet objet de démence et de souffrance, exposé, sinistre et effrayant, alors même que je tremblais sous les bruits qui m'annonçaient une nouvelle séance de fouet, et que des larmes irrépressibles m'inondaient le visage.

Voilà qui était infiniment plus riche de sensations que d'être l'objet de jeu, tremblant, à la figure écarlate, de Dame Elvera. Plus agréable même que l'aimable divertissement qui consistait à monter des Princesses dans les jardins.

Et puis en fin de compte, cet angle de vision pénible auquel j'étais astreint comportait aussi ses récompenses, d'un genre bien particulier. Le jeune soldat, après m'avoir fouetté, lorsque neuf heures sonnèrent, était monté à l'échelle jusqu'à ma hauteur, et, plongeant ses yeux dans les miens, il avait baisé ma bouche bâillonnée.

J'avais été incapable de lui montrer combien je l'adorais, incapable même de refermer mes lèvres autour de l'épais bandeau de cuir qui me muselait et me maintenait la tête en place. Mais il m'avait étreint le menton et m'avait sucé la lèvre supérieure, puis la lèvre inférieure ; il avait promené sa langue dans ma bouche, par-dessous le bâillon de cuir, et, dans un souffle, il m'avait promis que je serais de nouveau très bien fouetté à minuit ; il y pourvoirait en personne. Il aimait bien cette tâche de fouetter les mauvais esclaves.

— Tu as déjà la poitrine et le ventre joliment tapissés de marques cramoisies, avait-il remarqué. Mais tu vas être plus joli encore. Ensuite, pour toi, ce sera la Roue en Public au lever du soleil, on te déliera et on te fera mettre à genoux sur l'appareil, et le Maître du Fouet du village œuvrera sur ta personne, pour la foule du matin. Comme ils vont aimer ça, un Prince, grand et fort, comme toi !

De nouveau, il m'embrassa, en me suçant la lèvre inférieure, en promenant sa langue sur mes dents. Je m'étais haussé contre le bois, en tirant sur mes liens, et ma queue était une hampe délicieusement affamée.

J'avais essayé, par tous les moyens tacites que je connaissais, de lui montrer mon amour pour lui, pour ses mots, pour l'affection qu'il me portait.

Comme tout cela était étrange, qu'il ne puisse le comprendre. Mais peu importait. Peu importait que je fusse bâillonné pour toujours, sans pouvoir ne plus jamais en faire part à personne. Ce qui comptait, c'était que j'avais parfaitement trouvé ma place, et que je ne dusse jamais m'élever plus haut. Je devais être l'emblème du pire des châtiments. Si seulement ma queue endolorie, ma queue enflée, pouvait connaître un instant de répit, juste un instant...

Et, comme s'il avait lu dans mes pensées, il me dit :

— Maintenant, j'ai un petit présent pour toi. Après tout, nous voulons conserver ce bel organe en bonne forme, et cela ne se fera pas dans la paresse. (Et j'entendis, tout près, le rire d'une femme.) Le cadeau, c'est l'une des plus jolies filles du village, avait-il repris, en me coiffant les cheveux pour me dégager les yeux. Tu aimerais jeter un bon coup d'œil sur elle d'abord?

Oooh, oui, avais-je tenté de répondre. Alors je vis la figure de la fille au-dessus de moi — ses boucles rousses qui se dandinaient, ses yeux bleus et doux, ses joues écarlates, et ses lèvres qui descendaient sur moi pour m'embrasser.

— Tu vois comme elle est jolie? m'avait-il demandé à l'oreille. (Et, à elle, il avait dit :) Tu peux y aller, très chère.

Je sentis ses jambes m'envelopper, ses jupons amidonnés me démanger les chairs, son entrejambe humide se frotter contre ma queue, puis son petit fourreau velu s'ouvrir, quand elle descendit sur moi, à fond. Je gémis, plus fort que je ne l'aurais cru possible. Le jeune soldat sourit au-dessus de moi, et, de nouveau, il baissa la tête pour m'accorder ses baisers humides, me sucer les lèvres.

Oh, le charmant petit duo en chaleur. Je me débattais en vain sous mes liens de cuir. Mais c'était elle qui marquait la cadence pour nous deux, en me chevauchant; la lourde croix tremblait, et ma queue fit éruption en elle.

Après cela, je n'avais plus rien vu, pas même le ciel.

Je me souvins vaguement du jeune soldat venant m'annoncer qu'il était minuit et qu'il était temps pour moi d'une bonne séance de fouet. Et si, à compter de ce moment, je me comportais en très bon garçon, et si ma queue se tenait bien au garde-à-vous sous chaque coup de fouet, il se pourrait qu'il m'obtienne une autre fille du village, la nuit prochaine. Il était d'avis qu'un fugitif doit avoir une fille assez souvent. Cela ne ferait qu'aggraver ses souffrances.

J'avais souri avec reconnaissance sous le bâillon de cuir noir. Oui, tout, pour aggraver mes souffrances. Est-ce que j'allais être un bon garçon, en gigotant, en me débattant, en émettant force bruits pour témoigner desdites souffrances, et en dardant ma queue affamée dans le vide ? J'avais plus qu'envie de me livrer à cela. J'aurais voulu savoir combien de temps j'allais demeurer exposé. J'aurais voulu pouvoir rester ainsi pour toujours, en guise de symbole permanent de dégradation, uniquement digne de mépris.

Il m'arrivait de penser, pendant que la lanière de cuir me cinglait le ventre et les tétons, à la mine qu'avait faite Dame Elvera quand on m'avait amené aux portes du château, sur la croix.

En levant les yeux, je l'avais vue, en compagnie de la Reine, à la fenêtre ouverte. Et j'avais pleuré de désespoir, je m'étais noyé de larmes. Elle était tellement belle ! Si je la révérais, c'était parce qu'elle me réservait dorénavant le pire.

— Emmenez-le, s'était écriée ma Dame avec une pointe d'ennui, d'une voix qui se répercuta jusqu'à l'autre bout de la cour déserte. Et veillez à ce qu'il soit bien fouetté, et vendu à un bon Maître ou une bonne Maîtresse, bien cruels.

Oui, c'était là un nouveau jeu, une discipline nécessaire, avec de nouvelles règles, dans lesquels je découvrais une soumission d'une profondeur que je n'avais pas soupçonnée, même dans mes rêves.

— Laurent, je descendrai en personne pour vous voir vendu, m'avait-elle lancé, tandis que l'on m'emmenait. Je m'assurerai que l'on vous imposera les corvées les plus pénibles.

Voilà ce que l'amour, mon amour réel pour Dame Elvera, avait mis en lumière. Mais par la suite, les méditations de la Belle dans la cale du navire m'avaient troublé.

Cette passion pour Dame Elvera avait-elle épuisé tout amour possible ? Ou bien était-ce purement et simplement l'amour que l'on était autorisé à éprouver pour toute Maîtresse digne de ce nom ? Y avait-il plus à apprendre dans cette épreuve de chaleur et de sublime douleur mêlées ? Peut-être la Belle était-elle plus judicieuse, plus honnête... plus exigeante.

Tristan lui-même donnait le sentiment d'avoir livré son amour à son Maître, Nicolas, trop vite, trop librement. Est-ce que Nicolas, le Chroniqueur de la Reine, en avait vraiment valu la peine ? Quand Tristan parlait de cet homme, mettait-il en lumière ce qu'il y avait de singulier en lui ? Ce qui transparaissait des lamentations de Tristan, c'était plutôt le fait que cet homme, grâce à des moments de remarquable intimité, l'avait invité à l'amour. Je me demandais si, pour la Belle, en soi, une telle invite aurait suffi.

Pourtant, au village, alors même que je m'étirais et que je me tordais sur la Croix du Châtiment, sous les coups de la lanière de cuir qui faisait son ouvrage, penser à ma Dame Elvera, que j'avais perdue, avait suscité en moi une douce amertume. Mais il n'était pas moins amer et pas moins doux de resonger à cette Princesse, cette coquine, cette Belle, au campement des soldats, qui m'avait dévisagé avec une franche stupéfaction. Était-elle dans le secret ? Que j'avais désiré le sort qui m'était échu ? Elle-même, oserait-elle désirer un sort similaire ? Au château, on avait dit qu'elle avait appelé sur elle le châtiment du village. Oui, même alors, je l'appréciais infiniment, la tendre et hardie petite chérie.

Mais ma vie de fugitif châtié s'était achevée avant

même d'avoir débuté. Je n'avais jamais vu la place des ventes aux enchères.

À peine cette dernière séance de fouet de minuit avait-elle commencé, que l'attaque du village était lancée. Comme le tonnerre, les soldats du Sultan avaient envahi les petites rues pavées.

On trancha mon bâillon et mes liens de cuir et, avant même que j'aie pu apercevoir mon ravisseur, mon corps douloureux fut jeté en travers d'un cheval lancé au grand galop.

Puis ce furent la cale du navire, la petite cabine suspendue, le dais incrusté de pierreries et les lanternes de cuivre.

Et l'huile d'or dont on avait enduit ma peau écorchée, le parfum que l'on avait fait pénétrer dans mes cheveux au moyen d'un peigne, et cette espèce de pagne, cette treille rigide que l'on avait assujettie par des chaînes sur ma queue et mes couilles, afin que je ne puisse les toucher. Et les limites étroites de ma cage. Et les questions timides et respectueuses des autres esclaves captifs : pourquoi m'étais-je enfui et comment avais-je enduré la Croix du Châtiment ?

Alors me revint l'écho de l'avertissement lancé par l'émissaire de la Reine, avant que nous ne quittions le Royaume :

« Au Palais du Sultan... vous ne serez plus traités comme des êtres doués de raison... vous serez éduqués comme on éduque les animaux de prix, et jamais vous ne devrez, le ciel vous en préserve, essayer de parler ou de manifester autre chose qu'une intelligence réduite à son expression la plus sommaire... »

À présent, tandis que nous dérivions vers le large, je me demandais si, sur cette terre étrange, les tourments respectifs du château et du village pourraient se trouver en quelque sorte réconciliés.

Nous avions été asservis sur commandement royal, avant de nous trouver avilis par une condamnation royale. Désormais, dans un monde étranger, loin de ceux qui connaissaient notre histoire et notre rang, nous allions être avilis en raison de notre nature même.

J'ai ouvert les yeux, j'ai revu l'unique petite lanterne de veille suspendue à son crochet de cuivre, au milieu du dais de draperie qui habillait le plafond. Quelque chose avait changé. Nous avions jeté l'ancre.

Il y avait un grand remue-ménage au-dessus de nous. Tout l'équipage était, semblait-il, en proie à l'excitation. Et puis des pas se rapprochaient...

La marche dans la ville et l'entrée au palais

La Belle ouvrit les yeux. Elle n'avait pas dormi, et elle savait, sans avoir à regarder par la fenêtre, que c'était le matin. Dans la cabine, l'air était d'une chaleur inaccoutumée.

Une heure plus tôt, elle avait entendu Tristan et Laurent chuchoter dans l'obscurité, et elle avait compris que le navire avait jeté l'ancre. Elle avait alors ressenti une légère peur.

Après quoi, elle s'était laissée aller au fil de ses rêves érotiques, tout son corps s'éveillant comme un paysage sous le soleil levant. Elle était impatiente d'accoster, impatiente de connaître, dans toute son ampleur, le sort qui allait lui être réservé, de subir des menaces formulées de telle sorte qu'elle puisse les comprendre.

Aussi, lorsqu'elle vit leurs petits gardiens, minces et charmants, envahir la pièce, elle sut de façon certaine qu'ils étaient arrivés au Sultanat. Tout allait bientôt devenir réalité.

Jusqu'alors, ces précieux jeunes garçons — ils ne devaient guère avoir plus de quatorze ou quinze ans, en dépit de leur taille — avaient toujours été richement vêtus, mais ce matin ils portaient des tuniques de soie brodée, et les bandes de tissu étroitement ajustées qui leur tenaient lieu de ceinture étaient tissées dans de splendides étoffes rayées. Leurs cheveux noirs brillaient d'huile, et leurs visages innocents étaient assombris par une inquiétude inhabituelle.

Aussitôt, les autres captifs royaux furent réveillés, chaque esclave fut sorti de sa cage, et chacun fut conduit à sa table de soins.

La Belle s'étira sur la soie, goûtant sa soudaine libération après le confinement ; les muscles de ses jambes la démangeaient. Elle jeta un coup d'œil à Tristan, puis à Laurent. Tristan souffrait visiblement encore trop. Laurent, comme toujours, affichait un air légèrement amusé. Mais il n'était même plus temps, à présent, de se dire adieu. Elle pria pour qu'ils ne soient pas séparés, afin, quel que soit leur sort, qu'il leur soit donné de le supporter ensemble, et que, d'une manière ou d'une autre, leur nouvelle captivité leur accorde des instants où ils pourraient se parler.

Sur-le-champ, les gardiens oignirent la peau de la Belle d'une huile pigmentée d'or, en la faisant bien pénétrer, de leurs doigts énergiques, à l'intérieur de ses cuisses et de ses fesses. Ses longs cheveux furent relevés et brossés de poudre d'or, et puis on la retourna doucement sur le dos.

Des doigts experts lui ouvrirent la bouche. On lui nettoya les dents avec un linge doux. De la pâte d'or, telle une cire, lui fut appliquée sur les lèvres. Et puis on lui fit les cils et les sourcils à la peinture d'or.

Jamais, depuis le premier jour de leur périple, ni elle ni aucun des autres esclaves n'avait été paré avec tant de soin. Et son corps débordait de sensations familières.

Elle songea, dans un brouillard, à son Capitaine

de la Garde, si divinement fruste, à ses élégants persécuteurs à la Cour de la Reine — mais ils n'étaient plus qu'un souvenir lointain —, et elle se sentit désespérer de jamais appartenir à quelqu'un de nouveau, de jamais être punie pour quelqu'un, de jamais être possédée aussi bien que châtiée.

Être possédé par quelqu'un, voilà qui valait la peine d'endurer toutes les humiliations. A bien y songer, quand elle avait été violée, de fond en comble, par la volonté d'autrui, il lui semblait n'avoir été qu'une fleur en pleine éclosion et c'était en souffrant par cette même volonté qu'elle avait découvert son moi véritable.

Mais il lui venait un nouveau rêve, qui prenait lentement corps, un songe qui avait commencé de flamber dans son esprit durant le temps qu'ils avaient passé en mer, et qu'elle n'avait confié qu'au seul Laurent ; ce rêve, c'était de trouver, sur cette terre étrange, ce qu'elle n'avait pas trouvé auparavant : un être qu'elle pourrait vraiment aimer.

Au village, il est vrai, elle avait confié à Tristan que, de cet amour, elle n'avait aucune envie, que c'était seulement de rudesse et de sévérité qu'elle avait le plus ardent besoin. Mais la vérité, c'était que l'amour de Tristan pour son Maître l'avait profondément affectée. Ses mots avaient exercé sur elle une influence, même lorsqu'elle avait exprimé ses contradictions.

Et puis il y avait eu ces nuits solitaires en mer, nuits de désirs ardents et inassouvis, passées à soupeser trop longuement tous les tours et détours du destin et de la fortune. Or, penser à l'amour, ou à livrer le secret de son âme à un Maître ou à une Maîtresse lui avait fait éprouver une étrange fragilité, et l'avait plus ébranlée que jamais.

Le valet passait au peigne de la poussière d'or

dans sa toison pubienne, en tirant sur chaque boucle à petits coups secs pour la faire se torsader. La Belle avait grand-peine à maintenir ses hanches immobiles. Puis elle avisa une poignée de perles fines, qu'on lui présentait pour qu'elle les examine. Ces dernières finirent dans sa toison pubienne, pour y être fixées, à même la peau, par le moyen d'un puissant produit adhésif. De si beaux ornements. Elle sourit.

Elle ferma les yeux le temps d'une seconde, le sexe douloureux — d'être vide. Puis elle jeta un œil vers Laurent, pour découvrir que son visage avait pris, avec la peinture d'or, une allure orientale, les tétons magnifiquement dressés, tout comme sa queue solide et robuste. Son corps était peu à peu paré d'émeraudes de calibre plutôt respectable, de préférence à des perles, ainsi qu'il convenait à sa taille et à sa force.

Laurent souriait au petit garçon qui effectuait le travail, comme s'il le dépouillait, en pensée, des pièces de son déguisement. Et puis, là-dessus, il se tourna vers la Belle, et, en portant languissamment la main jusqu'à ses lèvres, il lui souffla un petit baiser, à l'insu des autres.

Il cligna de l'œil et la Belle sentit le désir brûler plus fort en elle. Laurent était si beau.

— Oh, je vous en prie, ne permettez pas que l'on nous sépare, pria-t-elle.

Non parce qu'elle pensait pouvoir jamais posséder Laurent — cela serait par trop digne d'intérêt —, mais parce que sans les autres elle serait perdue, perdue...

Et puis il y eut une chose qui la frappa pleinement, avec force : elle n'avait aucune idée de ce qui allait advenir d'elle dans le Sultanat et, en l'espèce, ne possédait absolument aucune maîtrise. En allant au village, elle avait su. On le lui avait dit. Même en venant au château, elle avait su. Le Prince Héritier l'avait préparée. Mais ceci, cet endroit, cela dépassait son imagination. Et sous la peinture d'or qui la dissimulait, elle pâlit.

Par des gestes, les valets firent comprendre à ceux dont ils avaient la charge qu'il leur fallait se lever. Alors que les captifs se tenaient en cercle, se faisant face les uns aux autres, les valets firent, comme à leur habitude, des signes de la main, emphatiques et impatients, afin de leur intimer le silence, l'immobilité, l'obéissance.

La Belle sentit qu'on lui levait les mains pour les lui nouer dans le dos, comme si elle n'avait été qu'un petit être stupide, qui n'aurait pu en faire autant tout seul. Son valet lui toucha la nuque et puis, comme elle inclinait complaisamment la tête, lui baisa doucement la joue.

Toutefois, elle pouvait voir les autres distinctement. Les parties intimes de Tristan avaient été elles aussi parées de perles, et il était tout luisant, des pieds à la tête, ses boucles blondes plus dorées encore que sa peau luisante de reflets d'or.

Et, en lançant un regard à Dimitri et Rosalynde, elle vit qu'ils avaient été tous deux ornés de rubis rouges. Leur chevelure noire offrait un contraste magnifique avec leur peau lustrée. Les yeux de Rosalynde, immenses et bleus, avaient l'air de somnoler sous leur frange de cils peints. La poitrine large de Dimitri était bandée comme celle d'une statue, même si ses cuisses fortement musclées étaient parcourues de tremblements irrépressibles.

La Belle tressaillit lorsque son valet ajouta encore un peu de peinture sur chacun de ses tétons. Elle ne pouvait détacher son regard de ses petits doigts bruns, ensorcelée par le soin avec lequel ils œuvraient, et par la manière insoutenable qu'avaient ses tétons de durcir. Elle était à même de sentir chacune des perles accrochées à sa peau. Chacune des heures passées en mer sous l'emprise de la faim aiguisait son désir ardent et silencieux.

Mais les captifs avaient encore une autre petite gâterie qui les attendait. Elle regarda furtivement, la tête toujours inclinée, lorsque les valets sortirent de leurs poches profondes et dissimulées de nouveaux jouets effrayants — des paires de pinces en or, attachées à de longues chaînes formant des liens délicats mais solides.

Les pinces, la Belle les connaissait et les redoutait, naturellement. Mais les chaînes — voilà ce qui la mit réellement en émoi. On eût dit des laisses, et elles étaient munies de petites poignées de cuir.

Son valet lui toucha les lèvres pour lui signifier de se tenir tranquille, et puis, d'un geste vif, il lui caressa le téton droit, en lui pinçant joliment le sein entre les valves d'un petit coquillage en or, avant de le refermer d'un coup sec en le faisant claquer. La pince était garnie d'un peu de fourrure blanche, mais en dépit de cette précaution, la pression était ferme. Et c'était toute sa peau, semblait-il à la Belle, qui éprouvait soudainement le tourment de cette torture mordante. Quand l'autre pince fut aussi bien accrochée à sa place, le valet réunit les poignées des longues chaînes entre ses mains et tira dessus d'un coup sec. C'était ce que la Belle avait le plus redouté. Sèchement, on la fit avancer, et elle eut un halètement.

Aussitôt, le valet gronda, très mécontent de ce son proféré la bouche ouverte, et lui gifla fermement les lèvres avec les doigts. Elle inclina la tête plus bas, s'émerveilla à la vue de ces deux longues chaînes si fines, de la manière qu'elles avaient de s'accrocher à ces parties d'elle-même, ces parties d'une tendresse indicible. Ces chaînes lui donnaient l'impression d'être totalement dominée.

Elle regarda, le cœur serré, la main du valet raffermir encore sa prise, les chaînes auxquelles on imprimait une nouvelle secousse, et une fois encore, elle se retrouva tirée en avant par les tétons. Cette fois, elle gémit, mais elle n'osa pas ouvrir les lèvres ; cela lui valut un baiser approbateur — et, en elle, une pénible éruption de désir.

« Oh, mais on ne peut pas nous conduire à terre comme cela », songea-t-elle. Elle pouvait voir Laurent, en face d'elle, affublé des mêmes pinces, et qui rougit furieusement quand son valet tira d'un coup sec sur les détestables petites chaînes pour le faire avancer. Laurent avait l'air plus désemparé encore qu'au village, sur la Croix du Châtiment.

Le temps d'un instant, toute la délicieuse crudité des châtiments du village lui revint en tête. Et elle n'en ressentit que plus vivement encore la délicatesse de cette entrave, le caractère neuf de cette servitude.

Elle vit le valet de Laurent lui déposer un baiser sur la joue en signe d'approbation. Laurent n'avait pas tressailli, ni crié. Mais sa queue dansait comme un bouchon sur la vague, incontrôlable. Tristan était dans le même état de misère manifeste, et cependant, il avait l'air majestueux, comme toujours.

Les tétons de la Belle palpitaient comme s'ils avaient été fouettés. Le désir rejaillissait dans ses membres, en cascade, la faisant juste danser un peu, sans qu'elle remue les pieds, la tête soudain légère, à nouveau pleine de ses rêves d'un amour neuf et singulier.

Mais l'activité des valets la distrayait. Ils décrochaient des murs leurs longues badines de cuir raide ; et ces dernières, comme tous les autres objets en ce royaume, étaient lourdement serties de pierreries, ce qui en faisait de pesants instruments de punition, même si, telles des tiges d'arbrisseaux, elles étaient de la plus grande souplesse.

Elle sentit leur morsure légère derrière ses chevilles, et on tira sur la double laisse. Il fallait qu'elle prenne la suite derrière Tristan, que l'on avait fait se tourner dans la direction de la porte. Les autres étaient probablement disposés à la suite derrière elle.

Soudain, et pour la première fois en deux semaines, ils allaient quitter la cale du navire. On ouvrit les portes : le valet de Tristan prit la tête dans l'escalier, la badine de cuir jouant sur les chevilles de Tristan pour le faire marcher, et, l'espace d'un instant, la lumière qui se déversa du haut du pont fut aveuglante. Avec elle leur parvint un grand vacarme — des bruits, des cris à distance, émanant d'une foule impressionnante.

La Belle se pressa de monter les marches d'escalier, elle perçut le contact du bois chaud sous ses pieds, et le tiraillement de ses tétons la fit de nouveau gémir. Quel inestimable trait de génie c'était là, lui semblait-il, d'être conduite, et avec tant d'aisance, par des instruments d'un tel raffinement. Comme ces créatures comprenaient bien leurs captifs.

Elle pouvait à peine soutenir la vision des fesses fermes et fortes de Tristan devant elle. Il lui semblait entendre Laurent gémir derrière. Elle eut peur pour Elena, Dimitri et Rosalynde.

Mais elle avait émergé sur le pont et voici qu'elle pouvait voir, de toute part, une foule d'hommes dans de longues tuniques et coiffés de turbans. Et au-delà, le ciel grand ouvert, ainsi que les hautes constructions de brique et de boue séchée de la ville. En fait, ils se trouvaient au beau milieu d'un port grouillant d'activité, et partout, sur la droite, sur la gauche, se dressaient les mâts d'autres navires. Le bruit, comme la lumière, était abrutissant.

« Oh, on ne peut nous conduire à terre comme cela », se répéta-t-elle. Mais, à la suite de Tristan, on lui fit traverser précipitamment le pont du navire, et descendre une passerelle en pente douce. L'air salé de la mer s'épaissit soudainement d'un nuage de chaleur et de poussière, de l'odeur des animaux, de celle des excréments et de la corde de chanvre, et aussi du sable du désert.

En fait, les rochers sur lesquels elle se retrouva subitement, debout, étaient recouverts de sable. Elle ne put s'empêcher de lever la tête pour voir les vastes foules, fermement contenues par des hommes en turban descendus du bateau, des centaines et des centaines de visages sombres qui la scrutaient du regard, elle et les autres captifs. Il y avait là des chameaux et des baudets sur lesquels on avait empilé des pyramides de ferblanterie, des hommes de tous âges en tunique de lin, la plupart avec la tête enturbannée ou voilée, dans des vêtements cette fois plus longs, plus amples, des vêtements du désert.

Le temps d'un instant, la Belle sentit tout son courage l'abandonner. Ce n'était pas le village de la Reine. Non, c'était quelque chose de bien plus réel, quand bien même c'était l'étranger.

Sous les secousses renouvelées des petites pinces, quand on tira dessus d'un coup sec, et quand elle vit ces hommes vêtus de couleurs criardes, qui firent leur apparition par groupes de quatre, chaque groupe portant sur les épaules les longues barres dorées d'une litière ouverte agrémentée de coussins, elle sentit pourtant son âme se dilater.

Immédiatement, on amena l'un de ces coussins

jusqu'à terre devant elle. Et l'on tira de nouveau sur ses tétons, au moyen des petites laisses, en même temps que la badine claquait à hauteur de ses genoux. Elle comprit. Elle s'agenouilla sur le coussin, légèrement éblouie par les motifs d'or richement brodés. Puis elle sentit qu'on la faisait asseoir sur ses talons, les jambes grandes ouvertes, la tête inclinée de nouveau sous la ferme injonction d'une main chaude, qui vint se placer sur sa nuque.

— Il est intolérable, se dit-elle, en gémissant aussi doucement qu'elle le put, que l'on nous porte ainsi par toute la ville. Pourquoi ne nous amènerait-on pas en secret devant Son Altesse le Sultan ? Ne sommes-nous pas des esclaves royaux ?

Mais elle connaissait la réponse. Elle la lut sur ces visages sombres qui se pressaient de tous côtés pour mieux voir.

— Ici, nous ne sommes que des esclaves. Aucune souveraineté ne nous accompagne plus, dorénavant. Nous sommes, purement et simplement, des objets coûteux et délicats, comme n'importe quelle autre marchandise que l'on décharge des cales de ces navires. Comment la Reine a-t-elle pu nous livrer à un tel sort ?

Ce fragile sentiment d'indignation disparut aussitôt, comme dissous dans la chaleur de sa chair nue. Son valet lui poussa sur les genoux, pour les écarter encore plus, et il lui ouvrit les fesses contre ses talons, tandis qu'elle déployait d'immenses efforts pour ne pas se départir de la plus grande docilité.

« Oui, songea-t-elle, le cœur palpitant, humant par tous les pores de sa peau la crainte, teintée de révérence, qu'elle inspirait à cette foule. Une position avantageuse. Ils peuvent voir mon sexe. Ils peuvent voir toutes les parties secrètes de ma personne. » Pourtant, elle dut lutter contre un nouveau réflexe d'inquiétude. Ses laisses en or furent prestement enroulées autour d'un crochet d'or fixé sur le devant du coussin, ce qui les tendit fermement, en maintenant ses tétons dans un état de tension douce amère.

Son cœur battait trop vite. Son petit valet l'effraya encore un peu plus en l'enjoignant, par des gestes désespérés, de rester silencieuse, de bien se tenir. Il fit beaucoup d'embarras en lui touchant les bras. Non, il ne fallait pas qu'elle les bouge. Cela, elle le savait. Lui était-il jamais arrivé de fournir autant d'efforts pour ne laisser échapper aucun mouvement ? Quand son sexe se convulsait, semblable à une bouche prise de suffocation qui aurait cherché à aspirer de l'air, est-ce que la foule pouvait l'apercevoir ?

La litière fut soulevée avec précaution, jusqu'aux épaules des porteurs enturbannés. La conscience d'être exposée à la vue de tous lui tournait presque la tête. En revanche, cela la réconforta un peu de voir Tristan, agenouillé sur son coussin juste devant elle, de se rappeler qu'elle n'était pas seule ici.

La foule tapageuse se fendit pour leur livrer passage. La procession s'avança, traversa une place immense à ciel ouvert, qui s'étendait à partir du port.

Gagnée par la sensation que lui inspirait tout ce décorum, elle n'osait pas bouger un muscle. Néanmoins, elle put voir tout autour d'elle le grand bazar — des marchands avec leurs larges plats en céramique disposés sur des couvertures multicolores ; des rouleaux de soie et de lin empilés ; des objets en cuir et de la vaisselle de cuivre, des parures d'or et d'argent ; des cages pleines d'oiseaux qui voletaient et pépiaient ; et de la nourriture qui cuisait dans des récipients fumants sous des toiles de tente poussiéreuses.

À cet instant, le marché tout entier avait tourné

son attention et ses bavardages vers les captifs qui passaient devant eux. Certains se tenaient debout, muets à côté de leurs chameaux, se contentant de les regarder fixement. D'autres — les jeunes gens, tête nue, à ce qu'il lui semblait — couraient à la hauteur de la Belle, en levant les yeux vers elle, en la montrant du doigt, en parlant à toute vitesse.

Son valet se tenait à sa gauche. De sa longue badine de cuir, il lui rajusta un peu sa longue chevelure ; de temps à autre, il admonestait furieusement la foule, en la repoussant.

La Belle s'efforçait de ne rien voir, sauf les hautes constructions de brique et de boue séchée qui se rapprochaient toujours plus.

On la monta par une rue en pente, mais les porteurs maintenaient la litière en position horizontale. Et elle faisait tous les efforts qu'elle pouvait pour conserver son allure parfaite, même si sa poitrine se soulevait, tirant ainsi sur les méchantes petites pinces, faisant frémir dans la lumière du soleil les longues chaînes d'or qui lui tenaient les tétons.

Ils se trouvaient dans une rue escarpée et, à gauche comme à droite, des fenêtres s'ouvraient, des gens les montraient du doigt et les dévisageaient, et la foule s'étant faufilée le long des murs, leurs cris enflèrent soudain en faisant écho contre la pierre. Les valets les repoussèrent en leur adressant des ordres encore plus nets.

« Ah, que ressentent-ils à nous regarder ainsi ? » se demanda la Belle. Son sexe nu palpitait entre ses jambes. Il semblait se sentir ouvert lui aussi, et de si disgracieuse façon. « Nous sommes pareils à des bêtes, n'est-ce pas ? Et ces individus misérables n'imaginent pas un seul instant qu'un tel sort puisse leur être réservé, pauvres comme ils sont. Ils ne souhaitent qu'une chose, pouvoir nous posséder. »

La peinture d'or se tendait sur sa peau, elle se tendait tout particulièrement sur ses tétons pincés.

Et elle avait beau essayer, elle ne parvenait pas à garder ses hanches complètement immobiles. Son sexe lui semblait bouillonner de désir et soumettre son corps tout entier au mouvement de ce désir. Les coups d'œil de la foule la touchaient, l'allumaient, la faisant souffrir de sa vacuité.

Mais voici qu'ils avaient atteint le bout de la rue. La foule se répandit sur une place à ciel ouvert où des milliers d'autres personnes se tenaient debout, à regarder. Le bruit des voix lui parvenait par vagues. La Belle ne pouvait même pas apercevoir la fin de cette foule, et ils étaient des centaines à se bousculer pour voir la procession de plus près. Elle sentit son cœur cogner encore plus fort, quand elle découvrit les grands dômes d'or d'un palais s'élevant devant elle.

Le soleil l'aveuglait. Il étincelait sur les murs de marbre blanc, sur les arcades mauresques, sur les portes gigantesques dorées à la feuille, sur les tours élancées, et si délicates que la pierre sombre et rudimentaire des châteaux d'Europe paraissait, en comparaison, quelque peu vulgaire et disgracieuse.

La procession exécuta une volte serrée sur la gauche. Et, le temps d'un instant, la Belle aperçut Laurent derrière elle, puis Elena, avec ses longs cheveux bruns flottant dans la brise, et les silhouettes sombres et figées de Dimitri et Rosalynde. Tous obéissants, tous immobiles sur le coussin de leur litière.

Les jeunes garçons dans la foule parurent saisis d'une agitation plus vive encore. Ils lançaient des vivats, allaient et venaient le long de la procession en courant, comme si, en quelque sorte, la proximité du palais accroissait leur excitation.

La Belle vit que la procession était parvenue devant une entrée latérale, et que des gardes enturbannés, armés de grands cimeterres pendus à leur ceinture, refoulaient la populace, tandis que l'on ouvrait deux lourdes portes.

« Oh, silence béni », songea la Belle. Elle vit Tristan que l'on portait sous cette arche, et elle suivit immédiatement derrière lui.

Ils n'étaient pas entrés dans une cour, comme elle s'y était attendue. Bien au contraire, ils se trouvaient dans un large corridor, aux murs couverts de mosaïque dessinant de savants motifs. Même le plafond, au-dessus d'eux, formait une tapisserie de pierre, une composition de fleurs et de spirales. Loin derrière eux, on referma les portes. Et ils furent tous plongés dans la pénombre.

Ce n'est qu'à ce moment que la Belle vit les torches sur les murs, les lampes dans leurs petites niches. Une foule immense de jeunes gens au visage sombre, vêtus exactement de la même manière que les valets du vaisseau, passaient les esclaves en revue, silencieusement.

On abaissa le coussin de la Belle. Aussitôt, son valet prit les laisses à deux mains et la tira en avant pour qu'elle s'agenouille sur le marbre. Les porteurs et les coussins disparurent promptement par des portes que la Belle distinguait à peine. Puis on la poussa à poser les mains au sol, et le pied de son valet fermement posé sur sa nuque la força à plaquer le front contre le dallage de marbre.

La Belle frissonna. Elle perçut, de la part de son valet, une humeur toute différente. Et, tandis que ce pied appuyait plus fort sur sa nuque, presque avec colère, elle se pressa de baiser le sol froid, gagnée par la détresse de ne pouvoir comprendre ce que l'on désirait d'elle.

Mais son geste parut apaiser le petit jeune homme. Elle sentit les tapes approbatrices qu'il lui administra sur les fesses.

À présent, on lui relevait la tête. Quand elle vit que Tristan était agenouillé à quatre pattes devant elle, la vision de son derrière bien moulé ne fit que l'exciter un peu plus.

Tandis qu'elle regardait devant elle, dans un silence interdit, on passa les chaînettes à maillons d'or, pincées sur ses tétons, autour des jambes de Tristan, et par-dessous son ventre.

« Pourquoi ? » se demanda-t-elle, alors même que les pinces la tenaillaient avec plus de fermeté encore.

On lui fit connaître la réponse sur-le-champ. Elle sentit qu'on lui passait une paire de chaînes entre les cuisses, qui lui taquinèrent les lèvres. Puis une main ferme lui saisit le menton et lui ouvrit la bouche, et les poignées de cuir furent enfoncées en elle, tel un mors, qu'elle devait tenir entre ses dents avec fermeté, comme à l'habitude.

Elle s'aperçut qu'il s'agissait de la laisse de Laurent, et elle devait à présent le tirer en avant, au bout de ces détestables chaînes, alors qu'elle-même serait guidée par Tristan. Et si sa tête effectuait le moindre mouvement involontaire, elle ne ferait qu'ajouter au tourment de Laurent, de même que Tristan ne faisait qu'ajouter au sien en tirant sur les chaînes qu'on lui avait passées.

Mais ce fut le spectacle de la chose qui lui fit véritablement honte.

« Nous sommes attachés les uns aux autres, pareils à de petits animaux que l'on mènerait au marché », songea-t-elle. Et elle fut troublée plus encore par les chaînes qui lui caressaient les cuisses et l'extérieur des lèvres pubiennes, et par leur effleurement contre son ventre tendu.

« Les sales petits monstres ! » songea-t-elle, en jetant un coup d'œil à la tunique de soie de son valet. Il se préoccupait fort de ses cheveux, et força la Belle à se redresser dans une position encore plus cambrée, en sorte qu'elle tînt le postérieur plus haut. Elle sentit les dents d'un peigne lui caresser la toison délicate qui lui entourait le pourtour de l'anus, et son visage fut gagné d'une rougeur cuisante.

Et Tristan, allait-il devoir remuer la tête, lui infligeant ainsi de nouvelles douleurs ?

Elle entendit l'un des valets frapper dans ses mains. La badine de cuir vint cingler les chevilles et la plante des pieds nus de Tristan. Il se mit en branle, et elle se pressa immédiatement à sa suite.

Quand elle leva juste un peu la tête pour voir les murs et le plafond, la badine de cuir lui claqua sur la nuque. Puis elle lui fouetta le dessous des pieds, exactement comme l'avaient été ceux de Tristan. Les laisses lui tiraient sur les tétons, comme si elles avaient été douées d'une vie propre.

Et cependant, les badines de cuir frappaient plus vite, et plus fort, exhortant tous les esclaves à se presser. Une babouche la poussa aux fesses. Oui, il fallait qu'ils avancent, et au pas de course. Et, tandis que Tristan pressait l'allure, elle en fit autant ; elle se souvint alors, médusée, comme elle avait couru, jadis, sur le Sentier de la Bride abattue.

« Oui, presse-toi, se dit-elle. Et garde la tête baissée comme il convient. Comment as-tu pu imaginer faire autrement ton entrée dans le Palais du Sultan ? »

La foule massée au-dehors, tous ces gens bouche bée, avaient bien le droit de contempler les esclaves, tout comme il leur arrivait probablement de le faire avec les prisonniers les plus vils. Dans un palais si magnifique, pour des esclaves du sexe, cette position était la seule convenable.

À chaque centimètre qu'elle parcourait, elle se sentait plus abjecte, sa poitrine, à mesure qu'elle perdait le souffle, était envahie d'une chaleur croissante, et son cœur, comme toujours, battait trop vite, trop fort.

Le corridor lui parut s'élargir, le plafond s'élever. L'escorte des valets les flanquait. Et pourtant, elle pouvait quand même apercevoir, sur sa droite comme sur sa gauche, les porches et les salles enténébrées, dallées de ces mêmes marbres aux couleurs somptueuses.

La grandeur et l'impression de solidité qui émanaient de ces lieux exercèrent inévitablement leur influence sur elle. Elle n'était rien qu'une petite chose dans ce vaste monde, et pourtant elle paraissait y détenir sa propre place, plus sûrement qu'elle n'en avait possédé une au château, voire même au village.

Ses tétons la lançaient sans relâche, sous l'étreinte ourlée de fourrure de ses pinces et, çà et là, les éclairs de la lumière du soleil venaient la déranger.

Elle sentit sa gorge se serrer, une faiblesse la submerger. L'odeur de l'encens, du bois de cèdre, des parfums d'Orient, l'enveloppa soudain. Et elle s'aperçut qu'en ce monde de richesse et de splendeur, tout était paisible ; les seuls bruits étaient celui que faisaient les esclaves en filant droit devant, et celui des badines de cuir qui les cinglaient. Même les valets n'émettaient aucun son, à moins de percevoir comme un bruit le chuintement de leurs tuniques de soie. Le silence semblait s'imposer comme un prolongement du palais, un prolongement du pouvoir écrasant qui était en train de les dévorer.

À mesure qu'ils progressaient sans cesse plus profondément dans ce labyrinthe, que l'escorte des valets se laissait un rien distancer, et que se détachait, seul devant, le petit bourreau fort affairé avec sa badine de cuir, tandis que la procession rasait les angles des murs pour déboucher dans de plus larges corridors, la Belle commençait à discerner, du coin de l'œil, des sculptures d'une espèce particulière, disposées dans des niches en guise d'ornementation.

Et, soudain, elle se rendit compte qu'il ne s'agissait pas de statues. C'étaient des esclaves vivants.

À la fin, il lui fallut y regarder franchement, et, en déployant tous ses efforts pour ne pas perdre l'allure, elle fixa ces pauvres créatures du regard, sur sa droite et sur sa gauche.

Oui, des hommes et des femmes, en alternance, des deux côtés du corridor, en position debout, muets, dans chacune de ces niches. Chaque silhouette avait été enveloppée étroitement, depuis le cou jusqu'aux orteils, dans une étoffe de lin teintée d'or, à l'exception de la tête, maintenue droite par une haute pièce d'armature ornementée, et des organes sexuels, mis à nu, exposés dans l'éclat de leur dorure.

La Belle baissa les yeux, tâchant de reprendre son souffle, mais elle ne put s'empêcher de les relever immédiatement. Et ce spectacle lui apparut plus distinctement encore. Les hommes avaient été ligotés, jambes jointes, les parties génitales passées sur le devant, et les femmes, jambes écartées, chaque jambe complètement enveloppée, le sexe laissé en position ouverte.

Tous demeuraient debout, immobiles, leurs longues armatures de cou, galbées et dorées, fixées au mur dans leur dos par une tige qui, apparemment, les maintenait solidement. Certains d'entre eux avaient l'air de dormir, les yeux clos, tandis que d'autres scrutaient le sol, en dépit de la position légèrement relevée que leur visage était contraint d'adopter.

Pour la plupart, ils avaient la peau sombre, comme celle des valets — et offraient au regard leurs cils noirs de gens du désert. Presque aucun d'entre eux n'était blond comme l'étaient la Belle ou Tristan. Tous avaient la peau du corps dorée.

Alors, dans un instant de frayeur silencieuse, la Belle se souvint des mots de l'émissaire de la Reine, qui s'était adressé à eux sur le bateau avant qu'ils ne quittent la terre de leur souveraine : « Le Sultan a beau posséder de nombreux esclaves originaires de son propre pays, vous, les Princes et les Princesses captifs, vous constituez en quelque sorte un mets de choix des plus délicats, et une curiosité des plus grandes. »

« Alors assurément il n'est pas possible que l'on nous ligote et que l'on nous loge dans des niches comme celles-là, songea la Belle, perdus parmi des dizaines et des dizaines d'autres esclaves, à titre de simple pièce d'ornement dans un corridor. »

À ce moment précis, la vérité lui apparut dans toute sa réalité. Ce Sultan possédait un si grand nombre d'esclaves qu'il pouvait arriver n'importe quoi à la Belle et à ses compagnons de captivité.

Tout en se pressant, les genoux et les mains un peu endoloris par le contact du marbre, elle continuait d'examiner ces statues vivantes.

Elle put discerner que chacun d'eux avait les bras repliés derrière le dos, et que les tétons dorés étaient eux aussi exposés, et quelquefois crochetés par des pinces ; tous, les hommes comme les femmes, avaient les cheveux coiffés en arrière, afin que soient exposées leurs oreilles ornées de pierreries.

Comme ces oreilles étaient d'aspect délicat — si semblables à de véritables organes sexuels !

Une vague de terreur submergea la Belle. Et elle frissonna en pensant à ce que Tristan devait ressentir

— Tristan, qui avait besoin lui aussi d'aimer un Maître. Et qu'en était-il de Laurent ? Comment recevrait-il cette vision, après le singulier spectacle de la Croix du Châtiment, au village ?

C'est alors que l'on redonna un coup sec sur leurs chaînettes. Ses tétons la démangeaient. Et la badine de cuir vint folâtrer entre ses jambes, lui caresser l'anus et les lèvres du vagin.

« Espèce de petit démon », songea-t-elle. Et pourtant, traversée tout entière par le chaud picotement de ses sensations, elle arqua le dos, tendit ses fesses vers le haut, et se remit à ramper, avec des mouvements encore plus alertes.

On arriva devant deux portes. Et, non sans un sursaut, elle vit qu'un esclave de sexe masculin était assujetti à l'une des portes, et qu'une esclave de sexe féminin était assujettie à l'autre. Ces deux esclaves n'étaient pas drapés, mais au contraire complètement nus. Des bandeaux d'or autour de la tête, les jambes, la taille, le cou, les chevilles et les poignets maintenus à plat contre la porte, avec les genoux écartés tout grands, les plantes de pied jointes ensemble. Les bras étaient attachés, tendus droit au-dessus de la tête, les paumes vers l'extérieur. Le visage était immobile, les yeux dirigés vers le bas, et la bouche retenait avec adresse des grappes de raisin, arrangées avec leurs feuilles, le tout doré à l'égal des chairs, en sorte que ces créatures avaient tout à fait l'apparence de sculptures.

C'est alors que les portes s'ouvrirent. En un éclair, les esclaves passèrent devant ces deux sentinelles silencieuses.

Et, lorsque la Belle se retrouva dans une immense cour intérieure, pleine de palmiers en pot et de parterres de fleurs bordés de marbres panachés, l'allure se ralentit.

Devant elle, la lumière du soleil mouchetait les dalles. Le parfum des fleurs la rafraîchit soudain. Elle aperçut des rameaux de toutes nuances et, le temps d'un instant, qui la laissa paralysée, elle vit que ce vaste jardin était rempli d'esclaves dorés et encagés, tous ensemble avec d'autres belles créatures attachées sur des socles de marbre, dans des postures théâtrales.

On fit s'arrêter la Belle. On lui retira ses laisses de la bouche. Et elle vit son valet, debout à côté d'elle, rassembler ces chaînettes. La badine de cuir joua avec son entrejambe, la chatouilla, la contraignit à s'ouvrir davantage. Puis une main lui lissa tendrement les cheveux. Elle vit Tristan, sur sa gauche, et Laurent, sur sa droite, et elle s'aperçut que les esclaves avaient été disposés plus ou moins en cercle.

Soudain, toute la foule des valets se mit à rire et à parler, comme s'ils étaient libérés de l'obligation d'observer ce silence forcé. Ils se rapprochèrent des esclaves, en tendant la main dans leur direction, avec des gestes.

La babouche se posa de nouveau sur la nuque de la Belle, et la força à baisser la tête, jusqu'à ce que ses lèvres touchent le marbre. Du coin de l'œil, elle put voir que Laurent et les autres étaient courbés dans la même posture avilissante.

Dans un torrent de couleurs arc-en-ciel, les tuniques de soie des valets les entourèrent. Le vacarme de leurs conversations était pire encore que le bruit de la foule dans les rues. La Belle s'agenouilla en frissonnant lorsqu'elle sentit des mains sur son dos et dans ses cheveux, et la badine de cuir qui lui repoussait les jambes pour qu'elle les écarte plus encore. Les valets en tunique de soie se tenaient debout, entre elle et Tristan, entre elle et Laurent.

Subitement, un silence tomba, qui eut complètement raison du peu d'assurance qu'avait conservée la Belle.

Les valets se retirèrent comme si quelque chose — ou quelqu'un — les eût balayés. Et il n'y eut plus un bruit, excepté le babil des oiseaux, et le tintement des carillons éoliens.

Puis la Belle perçut le bruit feutré de pieds chaussés de babouches, qui s'approchaient.

L'examen dans le jardin

Ce ne fut pas uniquement un homme qui fit son entrée dans le jardin, mais un trio. Toutefois, en signe de déférence, deux d'entre eux se tenaient en retrait du troisième, qui s'avança seul, et avec lenteur.

Dans un silence tendu, la Belle vit ses pieds et l'ourlet de sa tunique, tandis qu'il contournait le cercle que formaient les esclaves. L'étoffe de son vêtement était plus riche, et les babouches de velours avaient leur extrémité recourbée très haut, chacune d'elles étant ornée d'un rubis qui s'y balançait. L'homme se déplaçait à pas lents, comme s'il inspectait toute chose avec soin.

Lorsqu'il s'approcha d'elle, la Belle retint son souffle. Elle lorgna un peu le bout de la babouche couleur lie-de-vin lorsque celle-ci vint lui toucher la joue, et lorsqu'elle se reposa sur sa nuque, avant de suivre la ligne de son échine jusqu'à son extrémité.

Elle frissonna, sans rien y pouvoir, et son gémissement retentit à ses propres oreilles, avec force, ce qui lui parut de la dernière impertinence. Mais on ne lui en fit aucune réprimande.

Elle crut entendre un petit rire. Et puis une phrase prononcée avec douceur lui fit venir de nouveau les larmes aux yeux. Cette voix était si apaisante, et si harmonieuse, que c'en était inhabituel. Peut-être était-ce cette langue inintelligible qui rendait la voix plus lyrique. Et pourtant, elle brûlait d'envie de comprendre les mots prononcés.

Naturellement, ce n'était pas à elle que l'on avait adressé la parole. Ces mots avaient été proférés par l'un des deux autres hommes, et cependant la voix avait attiré son attention, l'avait presque séduite.

Tout à coup, elle sentit que l'on tirait vivement sur ses chaînettes. Ses tétons se raidirent sous l'effet d'un cuisant picotement qui, instantanément, étendit ses tentacules jusqu'au seuil de son entrejambe.

Elle se dressa sur les genoux, hésitante, effrayée, et puis on lui tira dessus pour qu'elle se mette debout, les tétons brûlants, le visage en feu.

L'espace d'un instant, l'immensité du jardin attira son attention. Les esclaves ligotés, les rameaux de fleurs épanouies, le ciel bleu au-dessus d'elle, d'une odieuse clarté, le vaste aréopage de valets qui l'observaient. Et surtout, l'homme qui se tenait debout devant elle.

Que devait-elle faire de ses mains ? Elle les plaça derrière la nuque, et se tint debout, fixant le sol dallé du regard, avec simplement une très vague image du Maître qui lui faisait face.

Il était beaucoup plus grand que les petits jeunes gens — en fait, cet homme était un géant mince, d'élégantes proportions, et son allure impérieuse le faisait paraître plus âgé. Et c'était lui, en personne, qui avait tiré sur les chaînettes, et qui les tenait encore dans ses mains.

Tout à coup, il les fit passer de sa main droite dans la gauche. Et, de la droite, il gifla la Belle dans le creux des seins, la cueillant par surprise. Elle se mordit la lèvre pour réprimer un cri. Mais la chaleur à laquelle son corps s'abandonna l'étonna. Elle palpitait du désir d'être touchée, giflée de nouveau, et de subir même une violence qui l'anéantirait plus encore.

Et, au moment où elle tâchait de reprendre ses esprits, elle aperçut la chevelure sombre et ondulée de l'homme, qui lui tombait presque aux épaules, et ses yeux, si noirs qu'ils semblaient dessinés à l'encre, avec, en guise d'iris, de grandes perles brillantes couleur de jais.

« Comme ces gens du désert peuvent être somptueux », songea-t-elle. Et ses rêves de la cale du navire se dressèrent soudain devant elle, comme pour se moquer d'elle. Aimer cet homme ? Aimer cet homme-là, qui n'est qu'un serviteur comme les autres ?

Pourtant, au travers du voile de sa peur et de son imagination, ce visage lui faisait un effet brûlant. Il lui semblait tout à coup irréel. Un visage presque innocent.

À nouveau, les claques tombèrent, sonores, et, avant d'avoir pu se retenir, elle avait eu un pas de recul. Ses seins irradiaient de chaleur. Aussitôt, de sa badine de cuir, son petit valet lui frappa les jambes, ces jambes qui venaient de désobéir. Elle s'immobilisa, désolée d'avoir failli.

La voix parla de nouveau, et elle était aussi claire qu'auparavant, aussi mélodieuse, presque caressante. Mais elle provoqua chez les valets une agitation débordante.

Elle sentit des doigts très doux, des doigts de soie, à ses chevilles et à ses poignets, et avant d'avoir pu comprendre ce qui lui arrivait, elle fut soulevée, les jambes relevées à angle droit par rapport à son corps, et largement écartées par les valets qui la maintenaient, les bras levés de force, droit dans les airs, le dos et la tête soutenus avec fermeté.

Elle tremblait spasmodiquement, ses cuisses lui faisaient mal, son sexe se trouvait exposé sans ménagement. Puis elle sentit une autre paire de mains lui relever la tête, et elle plongea un regard interrogateur dans les yeux de ce géant mystérieux, de ce Maître qui lui souriait, radieux.

Oh, trop beau, il était trop beau ! Instantanément, elle détourna le regard, les paupières battantes. Les yeux de l'homme étaient relevés à leurs extrémités, ce qui lui donnait un air quelque peu diabolique, et sa bouche était immense, faite pour les baisers. Mais, en dépit de toute l'innocence de sa physionomie, il semblait émaner de lui un caractère de férocité. Elle ressentait une menace en lui. Elle pouvait le sentir à sa manière de la toucher. Et, les jambes largement écartées, elle sombra dans un accès de peur incoercible et silencieuse.

Comme pour confirmer son pouvoir, le Maître, d'un geste vif, lui gifla la face, ce qui la fit geindre avant qu'elle ait pu se retenir. La main s'éleva de nouveau, et cette fois lui gifla la joue droite, puis la gauche une fois encore, jusqu'à ce que, tout à coup, elle se mette à crier distinctement.

« Mais qu'ai-je fait là ? » songea-t-elle. Et, à travers une brume de larmes, elle ne vit sur son visage que de la curiosité. Il était occupé à l'étudier. Ce n'était pas de l'innocence. Elle l'avait mal jugé. C'était purement et simplement de la fascination pour ce qu'il était en train de lui faire, oui, voilà ce qui brûlait en lui.

« C'est donc un examen, pensa-t-elle. Mais comment le passer avec succès, et qu'est-ce que me vaudra d'échouer ? » Et, toute tremblante, elle vit les deux mains s'élever encore.

Il lui rejeta la tête en arrière et lui ouvrit la bouche, lui tâta la langue et les dents. Elle fut prise de frissons glacés. Elle sentit tout son corps se convulser entre les mains de ses valets. Les doigts qui l'exploraient lui tâtèrent les paupières, les sourcils. Ils essuyèrent ses larmes, qui lui dégoulinaient sur la figure, tandis qu'elle fixait du regard le bleu du ciel au-dessus d'elle.

Ensuite elle sentit ces mains sur son sexe mis à nu. Leurs pouces pénétrèrent dans son vagin, et on l'écarta presque à la limite du supportable, tandis que ses hanches basculaient en avant, ce qui lui fit honte.

Elle crut que l'orgasme allait exploser en elle, qu'elle ne pourrait le contenir. Mais était-ce là chose interdite ? Et, si tel était le cas, comment la punirait-on ? Elle secoua la tête d'un côté, de l'autre, en luttant pour se contrôler. Mais ces doigts-là étaient si prévenants, si doux, et ils l'ouvraient en même temps avec une telle fermeté. S'ils venaient à lui toucher le clitoris, elle serait perdue, incapable de se réprimer.

Mais, par miséricorde, ils finirent par la laisser, en tirant d'un coup sec sur sa toison pubienne, et en se contentant de pincer ses lèvres pour les presser l'une contre l'autre, d'un geste rapide.

Dans son hébétude, elle inclina la tête, et la vision de sa nudité la déconcerta complètement. Elle vit le nouveau Maître se retourner et claquer des doigts. Et, à travers l'écheveau de sa propre chevelure, elle entrevit Elena, instantanément hissée par les valets, exactement comme elle-même l'avait été.

Elena déployait tous ses efforts pour conserver une contenance : son sexe rose et humide béait sous la couronne de sa toison brune, les muscles longs et délicats de ses cuisses se contractaient convulsivement. Avec terreur, la Belle regarda le Maître procéder au même examen.

Les seins hauts d'Elena, qui pointaient très écartés, se soulevèrent lorsque le Maître joua avec sa bouche et ses dents. Mais lorsque ce fut le tour des claques, Elena fut totalement silencieuse. Et l'expression que la Belle vit sur le visage du Maître la perturba un peu plus.

Quel intérêt passionné il semblait manifester, comme il paraissait absorbé par ce qu'il faisait ! Même le cruel Maître des Postulants, au château, ne lui avait pas semblé aussi absorbé par sa tâche que celui-ci. En outre, il possédait un charme considérable. Sa tunique, parfaitement coupée dans une riche étoffe de velours, tombait impeccablement sur son dos et ses épaules bien droits. Quand il écarta la bouche pubienne écarlate d'Elena — dont les hanches remuèrent de façon disgracieuse —, ses mains avaient une grâce de mouvement tout à fait captivante.

À la vue du sexe d'Elena, qui devenait plein et humide, et qui, à l'évidence, mourait de faim, le souvenir de la longue disette qu'elle avait connue en mer mit la Belle au désespoir. Et quand le Maître sourit et lissa la longue chevelure d'Elena pour lui dégager le front, lorsqu'il lui examina les yeux, la Belle se sentit enrager de jalousie.

« Non, il serait épouvantable d'aimer l'un de ces êtres-là », songea-t-elle. Elle ne pouvait faire don de son cœur. Elle essaya de ne plus regarder. Ses jambes étaient parcourues d'élancements, les valets les lui maintenaient fermement, comme à l'ordinaire. Et son propre sexe gonflait — c'en était insoutenable.

Mais il y eut encore d'autres spectacles pour son édification. Le Maître revint à Tristan, qui, de la même façon, se retrouva soulevé dans les airs, les jambes grandes écartées. Du coin de l'œil, la Belle vit que les petits valets déployaient de gros efforts pour soutenir le poids de Tristan, dont le beau visage était cramoisi à force d'humiliation, tandis que le Maître soumettait son organe dur et pointé à un minutieux examen.

Les doigts du Maître jouèrent avec le prépuce, avec le gland qui brillait, le pressèrent pour en extraire une goutte, une seule, de sécrétion luisante. La Belle pouvait percevoir toute la tension qui parcourait les membres de Tristan. Mais elle n'osa pas lever les yeux pour revoir son visage, lorsque le Maître tendit la main pour l'examiner.

Dans un brouillard, elle vit le visage du Maître, elle vit ses immenses yeux d'un noir d'encre, et ses cheveux ramenés en arrière par-dessus l'oreille, pour révéler un minuscule anneau d'or qui en perçait le lobe.

Elle l'entendit gifler Tristan, et ferma les yeux de toutes ses forces lorsque Tristan gémit; les claques semblaient résonner dans tout le jardin.

Lorsqu'elle rouvrit les yeux, ce fut parce que le Maître avait ri doucement, pour lui-même, en passant devant elle. Et elle vit sa main se lever, dans un geste presque inconscient, pour lui comprimer légèrement le sein gauche. Les larmes jaillirent de ses yeux, elle accomplit de gros efforts pour comprendre quel était le résultat des examens auxquels il venait de se livrer, pour chasser de son esprit l'idée que cet homme l'attirait plus qu'aucun des êtres humains qui, jusque-là, avaient fait valoir leurs vues sur elle.

À présent, sur sa droite, et à peu près en face d'elle, ce fut au tour de Laurent d'être porté pour subir l'examen du Maître. Et, comme on soulevait ce Prince au corps imposant, elle entendit le Maître lâcher quelques brèves pointes verbales qui déclenchèrent les rires instantanés de tous les autres valets. Personne n'avait besoin de les lui traduire : Laurent était trop puissamment bâti, son organe était trop splendide.

Elle était parfaitement à même de constater qu'il était maintenant en pleine érection, résultat du bel apprentissage auquel il avait été soumis, et la vue de ses cuisses largement écartées, bardées de muscles, fit resurgir en elle ses souvenirs délirants de la Croix du Châtiment. Elle essaya de ne pas regarder ce scrotum énorme, mais elle ne put s'en empêcher.

On eût dit que le Maître s'était ému de la vision de ces attributs superlatifs, jusqu'à en éprouver une excitation inédite. Il frappa Laurent du dos de la main, brutalement et à plusieurs reprises, en une succession de coups d'une rapidité confondante. Le torse massif se contorsionna, et les valets se démenèrent pour le maintenir immobile.

Puis le Maître retira les pinces, les laissa tomber au sol, et tordit les deux tétons de Laurent, qui gémit avec force.

Mais il était en train de se produire quelque chose. La Belle le voyait bien. Laurent avait regardé le Maître droit dans les yeux. Il avait répété ce regard plus d'une fois. Leurs yeux s'étaient croisés. Et voici que ses tétons furent pincés une nouvelle fois, très fort à ce qu'il lui sembla, et le Prince dévisagea le Maître.

« Non, Laurent, songea-t-elle avec désespoir. Ne les brave pas. Ici, tu ne connaîtras rien de semblable à l'éclat du supplice sur la Croix du Châtiment. Ici, tu ne connaîtras que les corridors et la réclusion dans la misère de l'oubli. » Pourtant, elle était absolument fascinée de voir Laurent faire preuve de tant de hardiesse.

Le Maître le contourna, lui et les valets qui le soutenaient, et prit la badine de cuir des mains de l'un des serviteurs pour en cingler les tétons de Laurent, sans relâche. Laurent fut incapable de conserver son immobilité, alors même qu'il avait détourné la tête. Les muscles de sa nuque saillaient comme autant de cordes, ses membres tremblaient.

Le Maître, mû par une curiosité intacte, semblait plus que jamais avide de mener l'examen avec la plus grande minutie. Il s'adressa d'un geste à l'un des valets. Et, sous le regard de la Belle, on apporta au Maître un long gant de cuir doré.

Ce gant était magnifiquement travaillé, avec de savants motifs dessinés sur le cuir, sur toute sa longueur, depuis le bras jusqu'au large poignet, et le tout chatoyait, comme si le gant avait été recouvert d'un onguent.

Lorsque le Maître l'enfila sur sa main, et qu'il le fit remonter le long de son bras, jusqu'à hauteur du coude, la Belle se sentit submergée par une vague de chaleur et d'excitation. Les yeux du Maître avaient presque quelque chose d'enfantin, avec leur air appliqué ; sa bouche, lorsqu'il sourit, était irrésistible ; et la grâce de son corps, maintenant qu'il s'approchait de Laurent, était enivrante.

Il plaça sa main gauche derrière la tête de Laurent, la recueillit dans le creux de sa paume et, lorsque le Prince leva le regard droit vers les cieux, les doigts de l'homme se nouèrent aux cheveux de Laurent. Et, de sa main gantée — la main droite —, il passa lentement entre les jambes ouvertes de Laurent, pénétra son corps : tout d'abord à deux doigts, sous le regard de la Belle, qui fixait la scène des yeux, sans rien perdre de sa contenance.

La respiration de Laurent se fit rauque, rapide. Son visage se rembrunit. Les doigts avaient disparu à l'intérieur de son anus, et on eût dit à présent que c'était la main tout entière qui se frayait un chemin en lui.

Les valets se rapprochèrent timidement, de toutes parts. Et la Belle put voir qu'Elena et Tristan regardaient la scène avec la même attention.

Entre-temps, le Maître paraissait ne voir personne d'autre que Laurent. Il le dévisageait, et le visage du Prince se tordait de plaisir et de douleur, tandis que cette main s'ouvrait un passage dans son corps, remontant sans cesse plus profondément. Elle avait pénétré au-delà du poignet, et les membres de Laurent avaient cessé de trembler. Ils étaient figés. Un long soupir siffla entre ses dents.

D'un geste du pouce de la main gauche, le Maître releva le menton du Prince. Il se pencha sur son visage, jusqu'à ce que son propre visage soit tout près de celui de Laurent. Et, dans un long silence tendu, le bras s'enfonça plus avant en Laurent, qui parut défaillir, la queue droite et immobile, une sécrétion de couleur claire s'en échappant à petites gouttes.

Tout le corps de la Belle se raidit, se détendit, et puis elle se sentit de nouveau au seuil de l'orgasme. Comme elle tentait de refouler son extase, elle se sentit faiblir, privée de toute énergie, et elle eut l'impression que toutes les mains qui contenaient ses mouvements étaient occupées, en réalité, à lui faire l'amour, à la caresser.

Le Maître ramena son bras droit vers l'avant, sans se retirer de Laurent. Et, ce faisant, il repoussa le bassin du Prince vers le haut, révélant encore plus ses couilles énormes, ainsi que le cuir du gant, luisant et doré, quand celui-ci écartela l'anneau rose de l'anus, à un degré qui dépassait les limites du possible.

Un cri subit s'échappa de Laurent. Un halètement

rauque qui ressemblait à un cri de miséricorde. Le Maître le maintint, sans bouger ; leurs lèvres se touchaient presque. La main gauche du Maître relâcha la tête de Laurent et vint se placer sur son visage, lui écarter les lèvres avec un doigt. Alors les larmes jaillirent des yeux de Laurent.

Très vite, le Maître retira son bras et se défit du gant, le jeta de côté, tandis que Laurent était laissé entre les mains des valets, la tête baissée, le visage écarlate.

Le Maître lança une petite remarque, ce qui, de nouveau, divertit fort les valets. L'un d'eux remit en place les pinces de tétons, et Laurent grimaça. Le Maître fit immédiatement un geste pour qu'on dépose le Prince sur le sol et, tout aussitôt, les chaînes de ses laisses furent assujetties à un anneau d'or, sur l'arrière de la pantoufle du Maître.

« Oh, non, cette bête ne peut pas nous l'enlever ! » se dit la Belle. Mais cette réflexion n'exprimait pas ses pensées véritables. Que ce soit Laurent, et Laurent seul, qui ait été choisi par le Maître, voilà qui la terrifiait.

Soudain, on les déposa tous à terre. La Belle se retrouva à quatre pattes, la nuque abaissée par la douce semelle veloutée de la babouche, et elle s'aperçut que Tristan et Elena étaient à côté d'elle et qu'on les tirait tous trois par leurs chaînes de tétons en les fouettant à coups de lanière de cuir, tandis qu'ils sortaient du jardin.

Elle voyait l'ourlet de la tunique du Maître à sa droite et, derrière lui, la silhouette de Laurent, qui se démenait pour suivre l'allure de ses grandes enjambées, les chaînes qui partaient de ses tétons crochetées comme des ancres au pied du Maître, ses cheveux bruns lui jetant sur la face un voile de . miséricorde.

Où étaient Dimitri et Rosalynde ? Pourquoi avaient-ils été écartés du lot ? L'un des hommes qui étaient entrés dans le jardin en compagnie du Maître les avait-il emmenés avec lui ?

Elle n'était pas en mesure de le savoir. Et ce corridor semblait ne pas avoir de fin.

Mais de Dimitri et Rosalynde, elle ne se souciait pas vraiment. Tout ce qui comptait véritablement, c'était qu'elle, Tristan, Laurent et Elena demeurent ensemble. Et, naturellement, que lui, ce Maître mystérieux, cette créature à la haute stature, à l'élégance irréelle, marche à ses côtés.

Quand il prit les devants pour aller se placer en tête, Laurent se démenant pour se maintenir dans sa foulée, sa tunique brodée lui effleura l'épaule.

Les badines de cuir lui cinglaient le derrière, le pubis, et elle se précipitait à leur suite.

Enfin, ils arrivèrent devant deux portes, et les badines de cuir les enjoignirent de les franchir pour pénétrer dans une vaste salle éclairée de lampes. Une fois de plus, par une ferme pression sur la nuque, on la pria de s'arrêter, et elle s'aperçut que tous les valets s'étaient retirés et que la porte avait été refermée derrière eux.

Le seul bruit perceptible était celui de la respiration oppressée des Princes et des Princesses. Le Maître dépassa la Belle pour se rendre à la porte. On tira un loquet, on tourna une clef. Silence.

Puis elle entendit de nouveau la voix mélodieuse, douce et feutrée, et cette fois, cette voix parlait, elle prononçait des syllabes à l'accent charmant, dans son langage à elle :

— Eh bien, mes très chers, vous pouvez tous vous avancer et vous agenouiller devant moi. J'ai beaucoup à vous dire.

Un Maître mystérieux

Quelle émotion bouleversante ce fut de s'entendre adresser la parole.

Sur-le-champ, le groupe des esclaves obéit, en venant s'agenouiller en cercle devant le Maître, les laisses d'or traînant au sol. Même Laurent était à présent libéré de la babouche du Maître, et vint prendre sa place parmi les autres.

Dès qu'ils furent tous immobiles, agenouillés, les mains croisées sur la nuque, le Maître dit :

— Regardez-moi.

Sans hésitation, la Belle s'exécuta. Elle leva les yeux sur son visage et le trouva aussi attirant et aussi déroutant à présent qu'il l'avait été dans le jardin. C'était un visage mieux proportionné qu'elle ne s'y était attendue, la bouche, pleine et plaisante, joliment dessinée, le nez long et délicat, les yeux bien espacés et irradiant le sens de la domination. Mais, encore une fois, c'était l'esprit du personnage qui l'aimantait.

Tandis que le regard du Maître passait d'un captif à l'autre, la Belle pouvait percevoir toute l'excitation qui parcourait le groupe, et se sentir elle-même transportée d'allégresse.

« Oh, oui, une créature splendide », songea-t-elle.

Et les souvenirs qu'elle conservait du Prince Héritier, qui avait amené la Belle sur les terres de la Reine — et du fruste Capitaine de la Garde, au village —, furent soudain menacés de s'évaporer tout à fait.

— Précieux esclaves, commença-t-il, les yeux posés fixement sur elle un bref instant, un instant électrique. Vous savez où vous vous trouvez et pourquoi vous êtes ici. Les soldats vous ont amenés ici de force pour servir votre Seigneur et Maître. (Cette voix si douce à ses oreilles, ce visage si immédiatement chaleureux.) Et vous allez servir, en toutes circonstances, vous le savez, dans le plus parfait silence. Des créatures muettes, voilà ce que vous êtes pour les valets qui se chargent de vous. Mais, quant à moi, intendant du Sultan, je n'entretiens pas cette illusion selon laquelle la sensualité oblitérerait toute raison supérieure.

« Bien sûr que non », se dit la Belle. Mais elle n'osa pas formuler ses pensées à voix haute. Son intérêt pour cet homme était en train de mûrir en elle, rapidement, dangereusement.

— Ces quelques esclaves que j'ai retirés du lot, poursuivit-il, balayant derechef le groupe du regard, ceux que je choisis pour les rendre parfaits avant de les offrir à la Cour du Sultan, sont toujours instruits de mes visées, de mes demandes, et des dangers inhérents à mon caractère. Mais cela n'est vrai que dans le secret de cette salle. Ici, je veux que l'on comprenne mes méthodes. Et que mes attentes soient bien claires.

Il se rapprocha, dominant la Belle de toute sa stature, et sa main se tendit vers son sein, l'enserra comme déjà une fois auparavant, juste un peu trop fort, et un frisson brûlant gagna immédiatement le sexe de la Belle. De l'autre main, il caressa la joue de Laurent, et lorsque la Belle, s'oubliant totalement, se retourna vers son voisin pour regarder, son pouce vint lui effleurer la lèvre.

— Ce geste-là, Princesse, vous veillerez à ne point le refaire, fit-il. (Et, à ces mots, il la gifla violemment, ce qui lui fit courber la tête ; le visage lui cuisait.) Vous voudrez bien ne pas cesser de me regarder, jusqu'à ce que je vous dise d'en user autrement.

Aussitôt jaillirent les larmes de la Belle. Comment avait-elle pu se montrer si sotte ?

Toutefois, il n'y avait nulle colère dans la voix du Maître, rien qu'une douce indulgence. Tendrement, il lui releva le menton. Elle le fixa du regard, à travers ses larmes.

— Savez-vous ce que je veux de vous, Belle ? Répondez-moi.

— Non, Maître, fit-elle vivement.

Sa propre voix lui était comme étrangère.

— Que vous soyez parfaite, pour moi ! fit-il avec gentillesse, d'une voix qui semblait tout empreinte de raison, de logique. Cela, c'est ce que je veux de vous tous. Que vous soyez des êtres sans pareils, au milieu de ce vaste et sauvage troupeau d'esclaves, au sein duquel on pourrait vous égarer, telle une poignée de diamants dans l'océan. Que vous brilliez non seulement par votre docilité, mais aussi grâce à votre passion, intense et singulière. Vous allez vous élever par vous-mêmes au-dessus de la masse de ces esclaves qui vous entourent. Vous allez séduire vos Maîtres et vos Maîtresses, et avec un éclat qui éclipsera tous les autres ! Me comprenez-vous ?

La Belle lutta pour ne pas sangloter d'angoisse, ses yeux attachés aux siens, comme si elle avait été incapable de les détourner, quand bien même elle l'aurait souhaité. Jamais elle n'avait éprouvé un aussi irrésistible désir d'obéissance. Le timbre impérieux de sa voix était complètement différent du ton de ceux qui l'avaient éduquée au château, ou châtiée au village. Elle se sentait peu à peu dépossédée de sa personnalité. Elle était doucement en train de fondre.

— Et cela, c'est pour moi que vous le ferez, reprit-il, sa voix devenant encore plus douce, plus persuasive, plus sonore. Vous allez le faire autant pour moi que pour les Seigneuries de rang royal que vous servirez. Car tel est le désir que je nourris pour vous. (Il referma la main sur la gorge de la Belle.) Permettez-moi de vous entendre parler, une fois encore, petite fille. Dans mes appartements, vous me parlerez, pour me dire que vous souhaitez me complaire.

— Oui, Maître, acquiesça-t-elle.

Et sa voix, de nouveau, lui parut étrange, pleine d'émotions qu'elle n'avait jamais vraiment connues auparavant. Ces doigts chauds lui caressaient la gorge, ils lui semblaient caresser les mots qu'elle avait prononcés, les lui soutirer à force de cajoleries, et modeler leur timbre.

— Voyez-vous, nous avons ici des centaines de valets, poursuivit-il, en plissant les paupières. (Il détourna les yeux pour regarder les autres, sans lâcher la gorge de la Belle.) Des centaines, chargés de préparer de succulentes perdrix pour Notre Seigneurie le Sultan, ou de jeunes chevreuils et de jeunes cerfs bien musclés, avec lesquels il puisse jouer. Moi, Lexius, je suis le seul et unique Grand Intendant des Valets. Et il est de mon devoir de choisir et de présenter les objets de jeux les plus gracieux.

Même ces derniers propos furent tenus sans la moindre colère ni insistance.

Mais quand son regard revint se poser sur la

Belle, il s'agrandit et se fit plus intense. L'apparence de sa colère la terrifia. Cependant, les doigts prévenants lui massaient la nuque, et le pouce lui caressait la gorge.

— Oui, Maître, chuchota-t-elle soudain.

— Oui, absolument, mon petit amour, fit-il, en fredonnant à son intention.

Sur ce, il redevint grave, et sa voix prit un ton retenu, comme s'il voulait, en prononçant ces paroles avec simplicité, inspirer encore plus de respect.

— Il est absolument hors de question que vous ne vous distinguiez pas, et qu'un seul et unique aperçu de vos personnes n'inspire pas aux grandes lumières de cette maison le geste de tendre la main, pour vous cueillir comme l'on cueille un fruit mûr, et qu'ils ne me complimentent pas pour votre beauté, votre chaleur, votre passion dévorante et silencieuse.

Les larmes de la Belle inondèrent à nouveau ses joues.

Lentement, il retira sa main. Soudain, elle eut froid, elle se sentit abandonnée. Un sanglot se coinça dans sa gorge ; mais il avait entendu.

Amoureusement, presque tristement, il lui sourit. Son visage s'était assombri et s'était fait étrangement vulnérable.

— Divine petite Princesse, chuchota-t-il. Nous sommes tous des égarés, voyez-vous, à moins que l'on ne nous remarque.

— Oui, Maître, chuchota-t-elle à son tour.

Elle aurait donné n'importe quoi pour faire en sorte qu'il la touche encore, qu'il la tienne.

La profonde note de tristesse qu'elle percevait en lui la laissa stupéfaite, l'enchanta. Oh, si seulement elle pouvait lui baiser les pieds !

Et, mue par une impulsion subite, c'est ce qu'elle

fit. Elle se coucha contre le marbre et, de ses lèvres, elle toucha la babouche. Elle le fit, encore, et encore. Et elle s'étonna que ce mot — « égarés » — l'ait tant ravie.

Comme elle se relevait, en recroisant les mains derrière la nuque, elle abaissa les yeux, en signe de résignation. Pour ce qu'elle venait de faire, elle aurait dû être giflée. La pièce — ce marbre blanc, ces portes chargées de dorures — revêtait l'aspect des mille et une facettes de la lumière. Pourquoi cet homme produisait-il sur elle un tel effet ? Pourquoi ?...

« Égarés. » Ce mot répercuta son écho musical au-dedans de son âme.

Les longs doigts du Maître à la peau sombre surgirent et lui touchèrent les lèvres. Et elle le vit sourire.

— Vous allez me trouver dur, vous allez me trouver d'une invraisemblable dureté, reconnut-il avec douceur. Mais désormais vous savez pourquoi. Désormais, vous me comprenez. Vous appartenez à Lexius, le Grand Intendant. Vous ne devez pas lui faire défaut. Parlez. Tous autant que vous êtes.

Il s'entendit répondre par un chœur de « Oui, Maître ». La Belle perçut même la voix de Laurent, le fugitif, qui répondit avec autant de promptitude que les autres.

— Et maintenant, jeunes gens, je vais vous confier une autre vérité, reprit-il. Il se peut que vous apparteniez à Sa très Haute Seigneurie, à la Sultane, au Harem des Belles et Vertueuses Épouses Royales... (Il marqua un temps, comme pour les laisser se pénétrer de ses paroles.) Mais vous m'appartenez aussi ! fit-il, tout aussi réellement qu'à n'importe qui d'autre ! Et je me délecte de chacune des punitions que j'inflige. Je m'en délecte. Telle est ma nature, comme la vôtre est de servir — au chapitre des esclaves, j'ai tout à fait les mêmes goûts que mes Maîtres. Dites-moi que vous me comprenez.

— Oui, Maître.

Ces mots s'échappèrent de la Belle comme le souffle d'une déflagration. Elle était médusée par tout ce qu'il venait de dire.

Elle le regarda intensément, alors même qu'il se tournait vers Elena, et son âme se racornit, sans même qu'elle eût à tourner la tête, fût-ce d'une fraction de centimètre, ni qu'elle détachât de lui son regard captivé. Pourtant, elle le vit pétrir les jolis seins d'Elena. Comme la Belle enviait ces seins hauts et saillants ! Ces tétons couleur d'abricot. Elle eut plus mal encore en entendant Elena gémir de si ravissante façon.

— Oui, oui, exactement, fit le Maître, d'une voix aussi intime qu'elle l'avait été avec la Belle. Vous allez vous tordre sous mes attouchements. Vous allez vous tordre sous les attouchements de tous vos Maîtres et Maîtresses. Vous livrerez votre âme à ceux qui vous lanceront le moindre regard. Vous brûlerez comme des lampes dans l'obscurité !

De nouveau, il y eut un chœur de « Oui, Maître ».

— Avez-vous vu cette multitude d'esclaves qui composent les pièces d'ornement de cette maison ?

— Oui, Maître.

— Par votre passion, par votre obéissance, en passant docilement sous silence le tonnerre assourdissant de vos sentiments, allez-vous vous distinguer de ce troupeau paré de dorures ?

— Oui, Maître !

— Allons, maintenant, commençons. Vous allez être purifiés comme il convient. Puis vous vous mettrez à la tâche sur-le-champ. La Cour sait que de nouveaux esclaves sont arrivés. Vous êtes attendus.

Et vos lèvres, derechef, resteront scellées. Lorsque vous vous trouverez à part avec eux, vous n'émettrez aucun son, même sous le plus sévère des châtiments. Vous ramperez à quatre pattes, le derrière levé et le front tout près du sol, presque à le toucher, à moins que l'on ne vous ordonne d'en user autrement.

Il passa en revue la rangée d'esclaves. Une fois de plus, il examina et caressa chacun d'entre eux, en s'attardant longuement sur Laurent. Puis, d'un geste brusque, il ordonna à ce dernier de gagner la porte. Laurent partit en rampant comme on le lui avait dit, le front effleurant le marbre. Le Maître toucha le loquet de sa badine de cuir. Aussitôt, Laurent le fit coulisser en arrière.

Le Maître tira le cordon de sonnette tout proche.

Les rites de purification

Aussitôt, les jeunes valets firent leur apparition et, en silence, prirent les esclaves par la main, en les contraignant à se mettre promptement à quatre pattes, pour leur faire franchir un autre seuil de porte qui leur donna accès à une salle spacieuse et chaude, réservée aux bains.

Au milieu de délicates plantes tropicales en fleurs et de palmiers alanguis, la Belle avisa la vapeur qui s'élevait de bassins peu profonds creusés à même le sol de marbre, et elle sentit la fragrance des herbes et de parfums épicés.

Mais on ne lui laissa pas le loisir de s'attarder devant tout cela, on la fit avancer pour la conduire dans une petite pièce à l'écart. Et là, on la contraignit à se mettre à genoux, les jambes très écartées, au-dessus d'un bassin rond et profond, où de l'eau se déversait par des sources cachées pour s'écouler au fur et à mesure par un trop-plein.

Une fois encore, on lui fit baisser le front jusqu'à terre, les mains nouées sur la nuque. L'air alentour était chaud et humide. Et immédiatement, à grand renfort d'eau chaude et de douces brosses de toilette, on se mit à l'ouvrage.

Tout cela fut rondement mené, avec bien plus de

célérité que le bain au château. En quelques instants, elle fut ointe et parfumée et, lorsque les serviettes moelleuses la caressèrent, son sexe palpitait d'excitation.

Mais on ne lui ordonna pas encore de se lever. Au contraire, d'un ferme tapotement de la main sur la tête, elle fut priée de rester immobile, et elle entendit, au-dessus d'elle, des sons étranges.

Puis elle sentit une canule de métal lui pénétrer le vagin. Immédiatement, ses sucs s'écoulèrent sous l'effet de cette intromission tant attendue, si embarrassante fût-elle. Elle comprit que cela n'avait d'autre but que de la laver — on le lui avait déjà fait à maintes reprises — et elle accueillit volontiers cette source, cette eau qui s'écoulait régulièrement et qui soudain bouillonnait à l'intérieur de son corps, en exerçant une pression délicieuse.

Mais ce qui la stupéfia, ce fut cet attouchement inaccoutumé de ces doigts sur son anus. On l'avait ointe à cet endroit, et son corps se tendit, son désir redoublant d'ardeur. Des mains vives et décidées lui empoignèrent la plante des pieds pour la maintenir fermement en place. Elle entendit les valets rire doucement et puis échanger des commentaires.

Puis, quelque chose de petit et dur entra dans son anus et se força un passage en profondeur ; elle laissa échapper un petit tressaillement, resserrant étroitement les lèvres l'une contre l'autre. Ses muscles se contractèrent pour combattre cette invasion, mais cela ne fit que propager de nouvelles ondes de plaisir dans tout son corps. Le flot de l'eau dans son vagin s'était interrompu. Et ce qui advint alors ne laissait pas la place au doute : un jet d'eau chaude lui était injecté dans le rectum. Et il ne s'écoulait pas au-dehors d'elle, comme cela avait été le cas des fluides qui l'avaient douchée. Il la remplissait sans cesse avec plus de force, et une main puissante lui enserrait les fesses pour les comprimer l'une contre l'autre, comme pour l'enjoindre de ne pas relâcher cette eau.

Il lui semblait que toute une nouvelle région de son corps s'éveillait à la vie, une partie d'elle qui n'avait jamais été ni punie ni même réellement examinée. Son esprit protestait contre cette ultime façon de se faire envahir, d'en être réduite à semblable désarroi.

Elle sentit, si elle ne laissait pas la chose ressortir, qu'elle allait éclater. Elle avait envie d'expulser cette petite canule, cette eau. Mais elle n'osait pas, elle ne le pouvait pas. Il fallait qu'arrive ce qui lui arrivait, là, maintenant, et elle s'y résignait. Cela faisait partie de ce royaume de plaisirs et de mœurs plus raffinés. De quel droit oserait-elle protester ? Elle commença de geindre doucement, prise entre un plaisir neuf et une sensation, neuve elle aussi, de viol.

Mais la partie la plus débilitante et la plus éprouvante restait encore à venir, et elle la redoutait. Juste au moment où elle crut ne plus être capable de supporter ce qu'on lui infligeait, car elle avait la sensation d'être pleine à en déborder, on la releva en la tirant par les bras pour la redresser, on lui écarta encore plus largement les jambes, et la petite canule dans son anus, fichée en elle, la mit à la torture.

Les valets la considérèrent en souriant, tout en lui maintenant les bras. Et elle leva les yeux, craintivement, timidement, redoutant l'humiliation totale d'un relâchement soudain, qui s'annonçait comme inévitable. Puis on fit glisser la canule pour la lui extraire, on lui écarta les fesses, et ses intestins se vidèrent diligemment.

Elle ferma fort les yeux. Elle sentit l'eau chaude

que l'on versait sur ses parties intimes, devant et derrière, elle entendit le reflux sonore et plein de l'eau dans le bassin. Elle fut envahie par quelque chose qui ressemblait à de la honte. Mais ce n'était pas de la honte. On lui avait retiré toute intimité et toute faculté de choix. Il était entendu que même cet acte-ci ne devait plus lui appartenir tout à fait. Et les frissons qui lui traversèrent le corps, accompagnant chacun de ses spasmes de relâchement, l'enfermèrent dans une délicieuse sensation d'impuissance. Elle se livra à ceux qui la commandaient, le corps pantelant et incapable de protestation. Elle fit jouer ses muscles pour aider son corps à se vider, pour en parachever l'écoulement.

« Oui, pour être purifiée », songea-t-elle. Et, au beau milieu de ses frissons, elle éprouva un grand et indéniable soulagement, la conscience de son corps en train de se nettoyer par lui-même confinant à l'exquis.

L'eau continuait de s'écouler, sur elle, sur ses fesses, son ventre, et pour finir dans le bassin, emportant avec elle toute souillure. Et elle se sentait se dissoudre dans une extase absolue qui, à elle seule, ressemblait à une forme de jouissance. Mais ce n'était pas cela non plus. L'orgasme, il était juste à sa portée. Et lorsqu'elle sentit sa bouche s'ouvrir sur un halètement sourd, elle oscilla, sur le seuil de cet orgasme, son corps implorant silencieusement et vainement ceux qui la maintenaient. Tous les nœuds invisibles de son esprit s'étaient évanouis. Il ne lui restait plus la moindre force, et elle était dans la plus complète dépendance des valets qui la soutenaient.

Ils lui caressèrent les cheveux vers l'arrière, pour lui dégager le front. L'eau chaude la lavait, sans relâche.

Et puis elle vit, lorsqu'elle osa ouvrir les yeux,

que le Maître en personne était présent. Il se tenait debout à l'entrée de la pièce et il lui souriait. Il s'avança et il la souleva, l'arrachant ainsi à cet instant de faiblesse indescriptible.

Elle le fixa du regard, stupéfaite que ce soit lui qui la soutienne pendant que les autres l'enveloppaient à nouveau dans des serviettes.

Elle se sentit sans défense, comme jamais elle ne l'avait été, et cela lui sembla une invraisemblable récompense qu'il la conduise, en personne, à l'extérieur de cette salle. Si seulement elle pouvait l'embrasser, si seulement elle pouvait trouver sa queue sous sa tunique, si seulement... L'exaltation qu'elle ressentit à se trouver à côté de lui gagna en intensité sur-le-champ, jusqu'à se changer en douleur.

« Oh, s'il vous plaît, on nous a laissés sur notre faim, on nous a affamés », avait-elle envie de lui dire. Mais elle se contenta sagement de baisser le regard, et elle sentit sur son bras la pression de ses doigts. Ces mots-là, qui lui venaient en tête, c'était l'ancienne Belle qui, mentalement, les prononçait, n'est-ce pas ? La nouvelle Belle n'avait envie de dire qu'un seul mot : « Maître ».

Et dire que, à peine quelques instants plus tôt, elle avait envisagé de l'aimer. En fait, elle l'aimait déjà. Lorsqu'il la fit se retourner et la dirigea droit devant elle, elle huma la fragrance de sa peau, et put presque entendre le battement de son cœur. Ses doigts lui enserrèrent sa nuque aussi fermement qu'auparavant.

Pourquoi l'emmenait-il ?

Les autres s'en étaient allés. On l'installa sur l'une des tables. Elle frissonna de bonheur et d'incrédulité, lorsqu'il se mit à l'oindre lui-même d'huile parfumée. Cette fois-ci, il n'y aurait pas de voile de peinture d'or. Sa chair nue allait reluire, mais sous l'huile. Des deux mains, il lui pinça les joues pour leur donner un peu de couleur, tandis qu'elle reposait, les fesses sur les talons, les yeux humides de vapeur et de larmes, à l'observer, rêveuse.

Il paraissait profondément absorbé par son travail, les sourcils noirs froncés, la bouche à demi ouverte. Et, quand il appliqua les pinces aux laisses d'or sur ses tétons, il les serra fort un instant. Pleinement concentré, il eut une légère moue — un pincement de lèvres, qui eut pour effet d'accroître les sensations de la Belle. Puis il lui baisa le front, laissant ses lèvres s'attarder et ses cheveux lui effleurer la joue.

« Lexius », songea-t-elle. C'était un nom magnifique.

Lorsqu'il lui coiffa les cheveux, ses coups de brosse étaient empreints d'une sorte de fureur, pleins d'irritation, et elle se consuma de frissons glacés. Il la coiffa en lui relevant la chevelure et la lui enroula au sommet de la tête. Elle entrevit les épingles montées de perles qu'il utilisa pour la fixer. À présent, elle avait la nuque dénudée, comme le reste de sa personne.

Lorsqu'il enfila les boucles d'oreilles par les trous de ses lobes, elle en profita pour étudier la peau douce et sombre de son visage, ses cils noirs qui battaient. Il était comme un bel objet soigneusement lustré, les ongles de ses doigts polis pour revêtir l'apparence du verre, ses dents parfaites. Il la manipulait avec tant d'adresse et de délicatesse à la fois !

Tout cela fut trop vite achevé, et, en même temps, pas assez vite. Combien de temps allait-elle pouvoir se contorsionner de la sorte, à rêver d'orgasme ? Elle cria, parce qu'il lui fallait s'octroyer quelque soulagement, et quand il la déposa sur le sol, il lui sembla que son corps la faisait souffrir comme jamais auparavant.

Doucement, il tira sur les deux laisses. Elle s'inclina, le front à terre, rampant dans cette position, et il lui sembla n'avoir jamais été si complètement esclave.

En sortant des bains à sa suite, elle pensa — si tant est qu'elle eût encore possédé la moindre faculté de penser —, elle pensa qu'elle était incapable de se rappeler le temps où elle avait porté des vêtements, où elle avait marché et parlé avec ceux qui en portaient aussi, où elle avait donné des ordres à quelqu'un. Sa nudité et son dénuement lui étaient devenus naturels, plus naturels encore ici, dans ces vastes salles de marbre, que partout ailleurs, et elle savait, sans l'ombre d'un doute, qu'elle aimerait ce Maître de la façon la plus absolue.

Elle aurait pu prétendre qu'il s'agissait là, de sa part, d'un acte de volonté, qu'elle s'y était résolue après avoir parlé avec Tristan, tout simplement. Mais cet homme possédait en lui quelque chose de trop unique, jusque dans la manière délicate qu'il avait eue de la toiletter, lui-même et en personne. Et ces lieux mêmes exerçaient sur elle comme une magie. Dire qu'elle avait cru aimer la rudesse du village !

Pour quelle raison fallait-il à présent qu'il la trahisse ? Qu'il l'emmène auprès des autres ? Mais il était malséant de s'interroger...

Ils remontaient ensemble les longs corridors, et pour la première fois, elle entendit la respiration et les soupirs feutrés de ces esclaves qui tenaient lieu de pièces d'ornement dans leurs niches, le long des murs, de part et d'autre de ces corridors. Ils donnaient l'impression de former un chœur muet, un chœur d'une parfaite dévotion.

Et elle perdit toute notion du temps et de l'espace.

La première épreuve d'obéissance

Lorsqu'ils firent halte devant une porte, elle osa baiser sa babouche. Et, pour ce geste, il la remercia en lui touchant les cheveux, et chuchota, à mi-voix :

— Petit lapin, vous me faites grand plaisir. Mais voici maintenant venir la première véritable épreuve. Veillez à éclipser ceux qui l'ont subie avant vous.

Son cœur s'emballa. Et quand elle l'entendit frapper à la porte devant elle, elle retint son souffle tout à fait.

Dans l'instant, la porte s'ouvrit. Deux serviteurs de sexe masculin les firent entrer, elle et son Maître. Et voici qu'une fois encore, elle traversait à vive allure un sol ciré ; un bruit distant et assourdi la déconcerta.

Des voix de femmes, des rires. Qui lui parvenaient par vagues. Tout à coup, cela lui glaça le cœur.

D'une légère traction sur les rênes, son Maître l'avait arrêtée. Il conversait avec les deux serviteurs, sur un ton badin. Comme tout cela paraissait civilisé. Comme si elle n'avait pas été là, agenouillée, avec ces pinces accrochées aux tétons, la chevelure relevée pour exposer sa nuque, le visage brûlant.

Combien d'esclaves semblables ces hommes

avaient-ils vus? Et qui était cet autre esclave sans nom, qui peut-être ne possédait rien de bien remarquable, n'était sa blondeur inhabituelle?

Mais la conversation touchait à sa fin. Le Maître donna une nouvelle secousse aux chaînettes et conduisit la Belle en direction d'un mur, où elle vit, tout à coup, une ouverture ménagée juste devant elle.

C'était un passage, où l'on ne pouvait pénétrer qu'à quatre pattes; à l'autre extrémité, elle pouvait apercevoir la lumière éclatante du soleil. Par ce passage qu'ils emplissaient de leurs échos sonores, lui parvenaient des rires et des bavardages féminins. Elle recula, effrayée. C'était le harem. Cela ne faisait aucun doute. Comment l'avait-il appelé? Le Harem des Belles et Vertueuses Épouses Royales? Et il fallait qu'elle y pénètre de cette façon, seule, sans le Maître? Comme une petite bête lâchée dans l'arène?

Pourquoi, pour ce faire, avait-il porté son choix sur elle? Pourquoi? Soudain, elle était paralysée de peur. Elle avait peur de ces femmes, une peur qui allait au-delà de l'explicable. Après tout, elles n'étaient ni des Princesses de son rang, ni des Maîtresses dures à la tâche qui l'auraient traitée rudement par simple nécessité. Elle n'avait aucune idée de qui elles étaient au juste, à ceci près qu'elles ne ressemblaient à rien de ce qu'elle avait connu auparavant. Qu'allaient-elles lui faire, qu'allaient-elles attendre d'elle?

Cela lui causait la plus horrible des humiliations, de devoir être livrée de la sorte à ces femmes — des femmes que l'on tenait là, voilées et recluses pour le seul plaisir de leur époux. Et pourtant, elles semblaient plus dangereuses encore que les hommes du palais. Il y avait là pour elle quelque chose d'insondable.

Elle se déroba, prise d'un mouvement de recul encore plus marqué, et elle entendit les deux hommes qui riaient au-dessus d'elle. Aussitôt, le Maître se pencha et lui plaça les deux poignées des deux laisses, d'un cuir moelleux, dans la bouche. Il lui ajusta la tête, remit une mèche en place, lui pinça la joue.

Elle essaya de ne pas crier.

Sur ce, avec fermeté, avec assurance, il lui poussa les fesses en avant, d'une main très forte, très chaude au contact des fines zébrures que lui avait laissées cette badine de cuir si délicate et fragile, et elle déploya tous les efforts possibles pour lui obéir, en sanglotant silencieusement, avec le petit bâillon des poignées de cuir entre les dents.

Elle n'avait guère le choix. Ne lui avait-il pas confié ce qu'il attendait d'elle ? Et puis, une fois entrée dans le passage, elle ne pourrait plus s'arrêter. Ce serait vraiment trop déshonorant.

Mais, au moment même où le courage allait à nouveau lui manquer, à l'instant même où une vague sonore particulièrement bruyante déferlait dans le passage, elle sentit les lèvres de son Maître contre sa joue. Il vint, en personne, s'agenouiller à côté d'elle. Il glissa ses mains sous ses seins, les réunit tendrement entre ses longs doigts. Puis il lui chuchota dans l'oreille :

— Ne me faites pas défaut, ma toute belle.

Alors, rompant la chaleur de son attouchement, elle pénétra sur-le-champ dans l'ouverture. Sous le feu de l'humiliation, ses joues la picotaient, lorsqu'elle prit conscience qu'elle tenait ses propres laisses dans sa bouche, qu'elle était en train de ramper de son propre gré à travers ce profond passage de pierre polie — polie par d'autres mains et d'autres genoux avant les siens, assurément —, et

91

qu'elle était ainsi contrainte de faire son apparition de l'autre côté de si vile façon.

Pourtant, elle avançait de plus en plus vite, vers la lumière et vers les voix. Et puis, confusément, un espoir se fit jour en elle : aussi redoutable que soit cette épreuve, la passion qui l'habitait pourrait être, d'une manière ou d'une autre, employée à son propre avantage. Son sexe gonflait, palpitait de vie. Si seulement elles n'étaient pas si nombreuses, oh, si nombreuses... Quand l'avait-on jamais livrée à tant de gens à la fois ?

En quelques secondes, elle émergea dans la lumière.

Elle sortit, en rampant sur le sol, et se trouva prise dans l'enclos de ce cercle étourdissant de rires et de mots.

De tous côtés, des pieds nus se rapprochèrent d'elle. Et les longs voiles qui retombèrent tout autour d'elle étaient arachnéens et frémissants, la lumière du soleil éclatait sur les bracelets de chevilles en or et sur les anneaux d'orteils incrustés d'émeraudes et de rubis.

La Belle s'accroupit jusqu'au sol, effrayée par tant d'agitation, mais instantanément, une dizaine de mains menues s'assurèrent de sa personne et la soulevèrent pour la redresser et la mettre debout. Tout autour d'elle, il n'y avait que des femmes somptueuses. Elle entrevit des visages à la peau couleur d'olive, les yeux maquillés de khôl, des tresses cascadant sur des épaules nues. Les culottes bouffantes qu'elles portaient étaient presque transparentes, seule la partie inférieure de l'entrejambe étant couverte d'une étoffe plus sombre et plus épaisse. Les corsets ajustés de soie lourde voilaient à peine leurs poitrines pleines, leurs sombres tétons. Mais la partie la plus attirante de leur costume, c'étaient les larges ceintures étroitement serrées qui paraissaient leur emprisonner la taille, et brider toute la sensualité qui couvait sous cette enveloppe translucide et colorée.

Elles avaient des bras magnifiquement tournés, rehaussés de bracelets torsadés, en forme de serpents ; elles portaient des bagues aux doigts, comme aux orteils, et là, à l'abri de la courbe délicate d'une narine menue, un bijou brillait de mille feux.

Comme ces créatures charmantes étaient enchanteresses — à l'égal, avec leur œil félin, des hommes minces et gracieux. Mais cela ne faisait que les rendre plus traîtresses et plus effrayantes aux yeux de la Belle. Elles paraissaient farouchement licencieuses, comparées aux femmes d'Europe toujours vêtues de lourds drapés. Prêtes pour le lit, voilà de quoi elles avaient l'air ; pourtant en cet instant où elle se tenait debout, à leur merci, la Belle se sentit complètement nue, et cette pensée la frappa.

Elles refermèrent le cercle sur elle.

Ses poignets furent liés dans son dos, la tête tournée de côté, et des mains se faufilèrent entre ses jambes pour les lui écarter, tandis que des rires et des récitatifs de cris perçants l'assourdissaient.

Et partout, au moindre coup d'œil qu'elle risquait, elle apercevait de grands yeux noirs, d'épais sourcils, de longues boucles retombant sur des épaules à demi nues.

Mais elles ne lui laissèrent guère le temps d'observer leur allure. Car aussitôt on fureta autour de ses oreilles, on lui toucha les seins, le ventre.

Et, quand les femmes de cette petite troupe, leurs longues culottes lui chatouillant les jambes, dans la précipitation, la pressèrent d'avancer vers le centre de la pièce inondée de soleil, là où ses rayons noyaient des piles de coussins houssés de soie et de couchettes basses et confortablement rembourrées, elle haleta et sanglota, le souffle court.

Cette pièce était un antre d'opulence et de plaisir. Quel besoin avaient-elles de la tourmenter ?

L'instant d'après, elle fut projetée sur le dos, étendue sur l'une de ces couches, les bras étirés au-dessus de la tête. Et les femmes se rassemblèrent, à genoux, pour l'entourer. Une fois encore, des mains se faufilèrent pour lui écarter les jambes, et un coussin lui fut calé entre les fesses pour qu'on l'examine.

Elle était aussi impuissante qu'elle l'avait été auparavant entre les mains des valets, mais sur ces visages féminins qui la scrutaient, avec un intérêt mêlé d'étonnement, elle lut l'expression d'une jubilation débridée. Des paroles d'excitation volaient en tous sens. Des doigts lui caressaient les seins. Frappée de terreur, incapable de se protéger, elle leva les yeux pour rencontrer des regards pleins d'attente.

Et, alors qu'on lui ouvrait les jambes en les lui repliant, les genoux maintenus bien à plat, elle sentit des doigts remonter à son sexe, l'ouvrir une fois de plus, l'élargir.

Elle déploya les plus grands efforts pour demeurer tranquille, mais son sexe était à la torture, il débordait. Ses hanches astiquaient le coussin écarlate, et les femmes n'en piaillaient que plus fort. Elle était incapable de compter les mains qui lui agrippaient l'intérieur des cuisses, et la moindre caresse d'un doigt l'affolait un peu plus. De longues chevelures défaites venaient flotter sur ses seins nus, et sur son ventre.

Il lui semblait que ces voix légères et chantantes la caressaient aussi, augmentant sa souffrance.

« Mais pourquoi la fixer ainsi du regard ? » se demanda-t-elle. N'avaient-elles jamais vu les organes intimes d'une femme auparavant ? N'avaient-elles jamais vu les leurs ? Inutile d'essayer de comprendre. Celles qui ne pouvaient s'approcher assez pour venir y regarder de près restaient debout et se penchaient par-dessus les épaules des autres.

Et, tout en se tordant entre les mains qui la maintenaient, elle vit que quelques-unes d'entre elles avaient placé un miroir en face de son sexe, et le reflet de ses régions très privées et très secrètes l'ébranla.

C'est alors que l'une des femmes poussa les autres à s'écarter et, se saisissant des grandes lèvres de la Belle, elle les retroussa sans ménagement. La Belle gigota et cambra le dos. Elle se sentait retournée comme un gant. Et, quand les doigts lui pincèrent le clitoris, en le dégageant du petit capuchon de chair qui le coiffait, elle gémit. C'était à peine si la Belle pouvait encore se dominer. Elle sanglotait, et ses hanches se soulevèrent de la soie du coussin et demeurèrent suspendues en l'air sous l'effet de la tension qui s'accumulait en elle.

Fascinée, la foule des femmes parut se calmer. Soudain, l'une des épouses prit le sein gauche de la Belle dans sa main et en retira la petite pince d'or, puis elle gratta les marques que cette dernière avait laissées sur la peau pour jouer ensuite avec le téton, avec brutalité.

La Belle ferma les yeux. Son corps ne pesait plus. Il était devenu pure sensation. Elle contracta les membres entre les mains qui la tenaient, mais ce n'était pas véritablement un mouvement. Tout n'était que pure sensation.

Elle sentit la chevelure de la femme retomber sur sa poitrine nue. Puis, une autre femme lui ayant retiré la pince accrochée à son sein droit, elle sentit des doigts chauds et joueurs l'examiner également à cet endroit.

Entre-temps, la main qui avait écarté son vagin continuait de la tâter, de la toucher en dessous du clitoris, de tirer dessus. Ses sucs éclataient en elle, la Belle les sentit dégouliner, et elle sentit les doigts chauds palper son humidité.

Soudain, une bouche mouillée se referma sur son sein gauche. Et une autre sur le droit. Les deux femmes suçaient ferme, tandis que les doigts pinçaient ses lèvres pubiennes. La Belle n'était plus consciente de rien, sauf de ce désir exquis qui s'acheminait vers un orgasme longtemps attendu.

Enfin, elle franchit la limite, le visage et les seins palpitant sous ce feu, et elle sentit ses hanches se raidir, en suspens, son vagin se convulser sur le vide qu'elle conservait en elle, s'agripper aux doigts qui caressaient son clitoris, qui durcissait sans répit.

Elle lâcha un cri — un long cri rauque. Et l'orgasme déferla, prolongé par les bouches qui la suçaient et les doigts qui la caressaient.

Il lui semblait qu'elle allait flotter pour toujours sur cette mer de tendresse, cette mer, ce viol de délicatesse. Et, alors qu'elle sanglotait sans retenue, incapable désormais de saisir distinctement qu'on l'enjoignait de se tenir tranquille, elle sentit une bouche se refermer sur la sienne, et ses cris étouffés par une autre bouche.

Oui, oui, dit-elle muettement de tout son corps — la langue de la femme plongea dans sa bouche — ses seins explosèrent sous les morsures et les coups de langues, et ses hanches s'offrirent comme pour avaler les doigts qui la palpaient.

Lorsque tout déborda, lorsque tout s'écoula d'elle en mille et une ondes répercutées, elle se sentit étreinte par les bras les plus soyeux, baisée par les lèvres les plus douces, et de longues tresses délicates l'enveloppaient d'un voile.

96

Elle respira profondément, et lança dans un souffle : « Oui, oui, je vous aime, je vous aime toutes. » Mais la bouche n'en finissait pas de l'embrasser, et personne n'entendit ses paroles ; ces mots, comme tout le reste, étaient le pur reflet d'une sensualité éclatante.

Mais ses maîtresses n'étaient pas satisfaites. Elles n'allaient pas la laisser en paix.

Elles lui retirèrent les épingles qui maintenaient ses cheveux et elles la soulevèrent.

— Où m'emmenez-vous ? s'écria-t-elle avant d'avoir pu se retenir.

Elle leva les yeux, s'efforçant désespérément de rattraper les lèvres qui venaient juste de quitter sa bouche. Mais elle ne vit que des visages souriants.

On la porta à travers la chambre, le corps encore palpitant d'émoi, les seins douloureux, réclamant de nouveaux baisers.

Dans l'instant, elle vit la réponse à sa question. Une statue de bronze finement ouvragé miroitait au milieu du jardin : la statue d'un dieu, apparemment, les genoux repliés et les bras déployés sur le côté, la tête rejetée en arrière, dans un rire. De l'entrejambe dénudé saillait un dard, et la Belle comprit que leur intention était de l'empaler dessus.

Elle en rit presque de bonheur. Soutenue par des dizaines de mains douces et menues, elle sentit qu'on la déposait en place sur le bronze dur, lisse, chauffé par le soleil. Elle sentit le dard pénétrer son vagin humide, ses jambes s'enroulèrent autour des cuisses de bronze, ses bras remontèrent, enserrèrent la nuque de la divinité. La queue la remplit, se planta à l'embouchure de son utérus et déclencha en elle une nouvelle contraction de plaisir. Elle poussa pour descendre sur l'organe, sa vulve se scella contre le bronze, chevaucha la queue, et l'orgasme monta en elle de nouveau.

— Oui, oui, cria-t-elle, en se découvrant partout entourée de visages ravis. (Elle rejeta la tête en arrière.) Embrassez-moi ! s'écria-t-elle.

Et elle ouvrit la bouche, affamée. Aussitôt, elles lui répondirent, comme si elles la comprenaient. Les lèvres trouvèrent sa bouche, ses seins, les boucles de cheveux la taquinèrent, et elle bascula en arrière, dans leurs bras, loin du dieu, son seul pubis encore scellé à lui : en effet, pendant qu'on la suçait, elle n'avait besoin que de sa queue.

L'orgasme fut aveuglant, dévastateur. Ses mains se tenaient fermement aux bras doux et soyeux, aux nuques chaudes et tendres. Ses doigts étaient emmêlés aux cheveux longs et fins. Elle était nouée dans les chairs, noyée dans le bonheur.

Quand ce fut fini, qu'elle fut incapable de supporter cela plus longtemps, et qu'on la retira du dieu, elle retomba sur les coussins de soie, le corps humide et fiévreux, la vue troublée, les créatures du harem roucoulant et chuchotant, sans cesser de la baiser et de la caresser.

Pour l'amour du Maître

Récit de Laurent

Tristan et moi, nous les avions vus administrer une purge à Elena et la Belle. Et j'avais pensé : « Ils ne peuvent pas nous faire cela à nous aussi. » Mais tel fut pourtant le cas.

Après nous avoir rasé le visage et les jambes, ils nous conduisirent, ensemble, dans la chambre des bains. La Belle était déjà partie. Le Maître l'avait emmenée.

Tristan et moi, nous savions ce qui allait suivre. Mais je me suis demandé si nous tourmenter ne les ravissait pas davantage que de tourmenter les femmes. Ils nous firent nous agenouiller l'un en face de l'autre, et nous enlacer, comme s'ils goûtaient ce tableau. Comme s'il convenait de ne pas nous séparer, au nom de la délicatesse. Ils ne permettraient cependant pas que nos queues se touchent. À peine nous y fûmes-nous risqués, qu'ils nous fouettèrent avec ces petites badines qui, ô humiliation, n'auraient pas fait de mal à une mouche. Tout l'effet qu'eurent ces badines, ce fut de me rappeler à quoi cela ressemblait d'être battu pour de bon.

Et pourtant ils entretinrent le feu qui nous brûlait, comme si tenir Tristan enlacé ne suffisait pas.

Par-dessus son épaule, je regardais le valet baisser le tuyau de cuivre et en insérer l'extrémité dans son postérieur. Et, au même moment, je sentis la canule me pénétrer. Tristan se tendit, ses intestins se remplissaient en même temps que les miens, et je me tenais à lui, en tâchant de l'aider à garder son calme.

J'avais envie de lui dire que j'en étais déjà passé par là, une fois, au château, sur la requête d'un invité royal, à l'orée d'une nuit de jeux humiliants, et, si la chose était quelque peu déconcertante, cela n'avait rien de bien terrible. Mais naturellement, je n'osai même pas lui chuchoter à l'oreille. Je me contentai de le maintenir et d'attendre, pénétré par le jet d'eau chaude, avec ces valets occupés à nous laver de part en part, comme si de rien n'était, comme si cette autre affaire, ce nettoyage de nos intérieurs, n'était pas en cours.

Je caressai la nuque de Tristan et l'embrassai sous l'oreille lorsque survint le pire moment, quand les canules nous furent retirées et que nous nous vidâmes. Son corps tout entier se raidit contre moi, mais lui aussi il m'embrassait la nuque, en me mordant un peu les chairs, et nos queues se frottaient et se caressaient l'une l'autre.

Or, les valets étaient si affairés à verser de l'eau chaude sur nos postérieurs et à nous laver de nos déjections que, le temps d'un instant, ils ne s'aperçurent pas de ce que nous faisions. Je pressai Tristan contre moi, je sentis son ventre contre le mien, sa queue gonflée contre moi, et c'est alors que je jouis presque, sans plus me soucier de ce qu'ils nous voulaient, tous autant qu'ils étaient.

Mais ils nous séparèrent. Ils nous forcèrent à nous arracher l'un à l'autre et nous gardèrent éloignés pendant que nous continuions de nous vider, et que l'eau ruisselait sur nos corps. Je me sentais transi de faiblesse, j'avais l'impression de leur appartenir, de l'intérieur et de l'extérieur, d'appartenir au fracas de l'eau qui résonnait dans cette pièce, une véritable chambre d'écho, d'appartenir à leurs mains, à tout ce cérémonial et à la manière dont il était mené, comme si l'on s'y était livré mille et une fois avant de nous le faire subir à notre tour.

S'ils nous punissaient pour nous être touchés, eh bien, ce serait ma faute. Et j'aurais voulu pouvoir dire à Tristan que je regrettais de lui avoir causé ce désagrément.

Mais apparemment, ils étaient trop affairés pour songer à nous punir.

Une purge ne suffisait pas, pas plus que cela n'avait suffi pour les femmes. Il fallait que nous en subissions une autre, et une fois encore ils nous permirent de nous tenir l'un à l'autre, les canules nous pénétrèrent, l'eau vint me pomper les entrailles, et l'un des valets me fouetta un peu la queue de sa badine, tandis que la purge continuait.

Ma bouche était tout près de la bouche de Tristan. Et il se remit à m'embrasser, ce qui était charmant. Je songeai : « Je ne puis supporter cette privation plus longtemps. C'est pire que tout ce qu'ils nous ont infligé. » Et j'aurais bien été capable de commettre encore quelque acte d'imprudence, comme de simplement pousser mon dard contre son ventre, ou n'importe quoi de cet ordre.

Mais alors apparut notre nouveau Seigneur et Maître, Lexius, et quand je le vis sur le seuil, je connus un petit émoi.

C'était de la peur. Qui, au château, m'avait jamais inspiré une telle peur ? C'était à en perdre la raison. Il se tenait debout, les mains croisées dans le dos, il nous surveillait tandis que l'on achevait de nous sécher avec des serviettes, et son visage affichait une expression de satisfaction froide, comme s'il était fier du choix de ses spécimens.

Lorsque je portai le regard droit sur lui, il ne manifesta pas la moindre désapprobation. Et, en levant les yeux pour les plonger dans les siens, je pensai à ce gant me pénétrant le derrière — la sensation d'être ouvert et empalé sur son bras, à la vue de tous.

Et cela, mêlé à la honte d'avoir été purgé, c'était presque plus que je n'en pouvais supporter.

Ce n'était pas seulement de la peur, la peur qu'il enfile de nouveau un gant et qu'il recommence ; c'était la fierté condamnable qu'il n'ait fait cela qu'à moi, et que j'aie été le seul à être attaché à sa babouche.

J'avais envie de complaire au diable, c'était là toute l'horreur. Et qu'il ait jeté le même maléfice sur les autres, cela ne faisait qu'aggraver les choses. D'Elena, il avait fait une vierge tremblante, à ses ordres. Quant à la Belle, il l'avait réduite à un état évident d'adoration.

Maintenant, si les valets lui rapportaient que Tristan et moi, nous nous étions touchés... Mais ils s'en abstinrent. Ils achevèrent de nous sécher. Ils nous brossèrent les cheveux. Le Maître lança une sorte de petit commandement, et on nous fit nous mettre à quatre pattes, pour le suivre à nouveau dans le grand bain. Là, d'un geste, il nous enjoignit de nous agenouiller devant lui.

Je sentis ses yeux se poser sur moi, je le vis observer Tristan des pieds à la tête. Puis survint un autre commandement — sa voix me caressait les chairs, telle un fouet — et, sans se faire prier, les valets produisirent les pièces d'ornements de cuir et d'or. Ils me soulevèrent les couilles et m'attachèrent autour de la queue, par une boucle, un large anneau incrusté de pierreries, sans cesser de me maintenir les couilles ramenées en avant.

On m'avait déjà fait cela auparavant, au château, mais jamais je n'avais été si affamé.

Et puis ce furent de nouveau les pinces, pour les tétons, mais sans laisses cette fois. Elles étaient petites, elles me serraient fort, et de légers poids y étaient suspendus.

Lorsqu'on me les fixa, je ne pus m'empêcher de tressaillir. Et cela, Lexius le vit, il l'entendit. Je n'osai pas lever les yeux, mais je l'aperçus qui se tournait vers moi, et je sentis soudain sa main posée sur ma tête. Il me caressa les cheveux. Puis il tapota sur le poids qui pendait à mon téton gauche, le fit se balancer au bout de son crochet, et une fois encore je tressaillis, je rougis, me souvenant de ce qu'il avait déclaré à propos du silence qu'il nous faudrait observer en montrant notre passion.

Cette consigne n'était pas difficile à respecter. Je me sentais propre et nettoyé, à l'intérieur comme à l'extérieur, et privé de tout moyen de combattre le pouvoir qu'il exerçait sur moi. La passion me tenaillait l'entrejambe et, subitement, les larmes vinrent à couler sur ma figure.

Il appuya le dos de sa main contre mes lèvres, et je la baisai immédiatement. Puis il fit de même avec Tristan, et il me sembla que Tristan eut un geste, pour ce baiser, empreint de plus d'art et de grâce encore, car tout son corps s'y abandonnait. Je sentis mes larmes abonder, plus vives, plus chaudes.

Que m'arrivait-il donc, dans cet étrange palais ? Pourquoi, alors que nous n'en étions qu'au stade des simples préliminaires, en étais-je réduit à ressentir les choses de la sorte ? Après tout, le fugitif, le rebelle, c'était moi.

Et pourtant voilà, j'étais là, sur un ordre émis en silence, à me jeter à quatre pattes aux côtés de Tristan, nos deux fronts contre le sol, et voici que nous suivions tous deux Lexius hors de la chambre de bains, pour gagner le corridor.

Nous débouchâmes dans un grand jardin planté de figuiers aux basses branches et de parterres fleuris, et je vis immédiatement ce qui allait nous arriver. Mais, pour s'assurer que nous avions bien compris, Lexius nous toucha le dessous du menton du bout de sa badine afin de nous faire redresser la tête et de nous faire regarder droit devant nous, puis il nous invita à accomplir, toujours à quatre pattes, un petit périple par un sentier, ce qui nous laissa tout loisir d'étudier plus en détail les esclaves qui, dans ce jardin, servaient de pièces d'ornement.

C'étaient des esclaves mâles, une vingtaine au moins, leur carnation naturelle n'avait point été modifiée, chacun d'eux était juché sur une croix en bois poli qui était plantée en terre, dans l'herbe, parmi les fleurs, sous les basses branches des arbres.

Mais ces croix n'étaient pas semblables à la Croix du Châtiment, celle du village. Elles étaient constituées de hautes traverses qui passaient sous les bras des esclaves, eux-mêmes ligotés par en dessous. De larges crochets en cuivre, incurvés et bien briqués, soutenaient le poids de leurs cuisses grandes écartées, et les plantes de pieds de chacun étaient réunies, plaquées l'une contre l'autre, leurs chevilles ligotées ensemble.

Leur tête pendait vers l'avant, de sorte qu'ils pouvaient pencher le regard sur leur queue en érection, et leurs poignets étaient attachés à la croix, parderrière, au moyen de chaînes reliées à de grands phallus dorés qui dépassaient de leur postérieur. Pas un ne leva les yeux ni n'osa esquisser un geste, pendant que nous accomplissions notre petite promenade en ce jardin.

J'avisai alors des serviteurs silencieux, vêtus de lourdes tuniques, qui se déplaçaient avec une lenteur pleine d'obséquiosité, et étaient occupés à déployer sur l'herbe des tapis aux couleurs éclatantes et à disposer des tables basses sur ces tapis, comme pour les préparatifs d'un banquet. On suspendait aux arbres des lampes de cuivre et des torches furent placées le long des murs qui ceinturaient les lieux.

Çà et là, on jeta des coussins. Des pichets d'or et d'argent remplis de vin étaient déjà en place, et on avait installé sur les tables des plateaux chargés de verres. Il était clair qu'à la nuit tombée, on allait servir ici un repas.

J'étais capable de deviner quelle sensation ce serait que d'avoir la traverse de ces croix passée sous mes bras, de m'imaginer le cuivre lisse et froid des crochets recourbés autour de mes jambes, et la pénétration du phallus. La vision de ces esclaves montés sur leurs croix promettait d'être étonnante, à la lumière des lampes. Ici même, les Seigneurs allaient dîner, avec ces sculptures offertes à leur ravissement, si jamais il leur arrivait de lever les yeux sur elles — et qu'allait-il s'ensuivre ? Allait-on nous humilier, nous violer ?

Mais la tombée de la nuit était encore très loin. Je n'avais pas envie de me retrouver sur la croix, à souffrir, à attendre — à entrevoir les torses luisants des autres, leurs queues turgescentes —, non, c'était plus que je n'en pouvais supporter, me dis-je. Cela, je ne puis le tolérer.

Notre Maître, du haut de sa superbe élégance, nous conduisit jusqu'au centre proprement dit du jardin. L'air était chaud et doux, avec juste un soupçon de brise. Il y avait là Dimitri, déjà monté en croix ; et

105

un autre, un esclave européen, à la peau superbe, aux cheveux d'un roux sombre, probablement un Prince soustrait à la bienveillance de notre Reine ; deux croix vacantes attendaient, pour Tristan et pour moi.

Les valets firent leur apparition et, sous mes yeux, soulevèrent Tristan, puis le juchèrent là-haut, avec autant d'efficacité que de célérité. Ils n'introduisirent pas le phallus avant de lui avoir confortablement installé les cuisses dans le berceau incurvé des crochets de cuivre, et quand je vis la taille du phallus, je tressaillis. En un instant, on lui enchaîna les poignets aux extrémités du dispositif, avec le montant de bois de la croix passé entre ces derniers. Sa queue n'aurait pu faire montre de plus de fermeté.

Pendant que les valets se mettaient en devoir de lui peigner les cheveux et de lui lier les pieds, je m'aperçus que je n'avais que quelques secondes pour me risquer à un geste de témérité, si telle était mon intention. Je levai les yeux sur le visage impassible du Maître. Ses lèvres étaient entrouvertes, et il examinait Tristan. Ses joues étaient légèrement empourprées.

J'étais encore à quatre pattes. Je me rapprochai de lui jusqu'à me trouver tout contre sa tunique, et alors lentement, délibérément, je m'assis sur les chevilles et je levai le regard vers lui. Une expression étrange lui traversa le visage, un prélude à la rage de me voir oser une chose pareille. Je chuchotai, sans remuer les lèvres, de manière que les valets ne puissent m'entendre.

— Qu'est-ce que vous avez, sous cette tunique, dis-je, pour nous tourmenter de la sorte ? Vous êtes un eunuque, c'est cela ? Je ne vois pas de poils, sur ce joli minois. Alors, c'est bien cela, non ?

J'ai cru voir ses cheveux se dresser sur sa tête. Les valets étaient en train de lustrer les muscles de Tristan avec une huile et d'essuyer soigneusement l'excédent que la peau n'absorbait pas. Mais ce ne fut là qu'une image fugitive, aperçue du coin de l'œil.

Les yeux levés, je dévisageai mon Maître.

— Alors, êtes-vous un eunuque ? chuchotai-je, en remuant à peine les lèvres. Ou bien possédez-vous quelque chose, sous ces tuniques de déguisement, qui ait assez de consistance pour me défoncer !

Je ris, lèvres closes, un rire aux accents franchement méchants. Je me divertissais, réellement. Et je compris que les choses pouvaient virer à l'aigre, tout aussi réellement. Mais l'expression de son visage — une expression de pure stupeur — en valait la peine.

Il se para d'une couleur magnifique, dans un accès de rage qu'il maîtrisa aussitôt. Ses yeux se plissèrent.

— Vous savez, eunuque ou pas, vous êtes un bien joli salopard ! sifflai-je.

— Silence ! tonna-t-il.

Les valets restèrent interdits. Le mot fit écho dans tout le jardin. Puis, d'une voix crépitante, il lâcha quelques ordres brefs. Les valets, terrifiés, en finirent avec Tristan avant de se retirer promptement.

J'avais incliné la tête, mais maintenant je relevai les yeux.

— Vous osez ! chuchota-t-il.

Et ce fut un moment intéressant, parce qu'il chuchotait, exactement comme j'avais chuchoté moi-même. Il n'osait plus me parler à voix haute, pas plus que je ne pouvais moi-même lui adresser la parole.

Je souris. Ma queue se gorgeait de sucs, toute prête à se répandre.

— Si vous préférez, je vais m'occuper de vous couvrir ! chuchotai-je. Je veux dire : si cette chose que vous avez là ne fonctionne pas...

La gifle s'abattit si vite que je ne la vis pas. Il me frappa à m'en faire perdre l'équilibre. J'étais de nouveau à quatre pattes. J'entendis un bruit de sifflement, quelque chose qui inspirait la peur, pour des raisons que j'étais incapable de me remémorer. Je lançai un coup d'œil au-dessus de moi, et je vis qu'il tirait une longue laisse de cuir de sa ceinture. Elle était enroulée autour de la taille, dissimulée dans les plis du velours. À son extrémité, se trouvait une petite boucle, juste assez large pour une queue ordinaire, mais à mon avis pas assez pour la mienne.

Il m'empoigna par les cheveux et tira dessus pour me faire lever. Je sentis la douleur comme une brûlure. Il me frappa deux fois, violemment, je ne vis plus le jardin que dans un éclair de couleurs, et la tête me tourna. Émoi au paradis. Je sentis ses doigts me ratisser les couilles, les soulever, et cette mèche à queue s'enroula autour de mon dard, et y fut solidement fixée. La bonne taille, en fait. Sur ce, la laisse tira tout mon bassin en avant, mes genoux raclèrent l'herbe, et je tentai de reprendre l'équilibre.

Il me contraignit à baisser la tête, jusqu'à ce qu'il puisse poser sa babouche toute-puissante sur ma nuque, et je me retrouvai de nouveau contre terre, en dépit de la laisse qui courait sous ma poitrine ; il tira brutalement, pour me forcer à le suivre, dans la précipitation, à quatre pattes.

J'aurais voulu pouvoir jeter un œil en arrière sur Tristan. J'avais l'impression de l'avoir trahi. Et je pensai tout à coup que je venais de commettre une terrible erreur, que j'allais finir au fond de l'un de ces corridors, ou pire encore. Mais à présent il était trop tard. La lanière de cuir se resserrait sur ma queue, à mesure qu'il tirait de plus en plus brutalement, en direction des portes du palais.

La spectatrice

La Belle se réveilla à moitié en pâmoison. Elles étaient toutes réunies autour d'elle, immobiles, les épouses du harem, qui bavardaient avec nonchalance.

Elles avaient dans la main de longues et belles plumes — des plumes de paon et d'autres aux couleurs vives, avec lesquelles, de temps à autre, elles lui caressaient les seins et les parties intimes.

Son sexe humide palpitait d'une pulsation légère. Elle sentit les plumes s'attarder sur ses seins, puis lui caresser le sexe avec plus de rudesse, mais lentement.

N'avaient-elles envie de rien, ces aimables créatures? Le sommeil la reprit, et puis de nouveau la libéra de son emprise.

Elle ouvrit les yeux, elle vit la lumière du soleil se répandre par les hautes fenêtres grillagées, et le dais au-dessus d'elle, une nuée de pièces de broderies, de petits morceaux de miroir, de fils d'or. Elle vit leurs visages tout près d'elle, leurs dents blanches, leurs lèvres douces et d'un rose sombre; elle percevait leurs propos vifs et feutrés, leurs rires. Un parfum montait des plis de leurs vêtements. Les plumes continuaient de jouer avec elle comme si elle était un jouet, un objet d'amusement, que l'on taquine sans y songer.

Et, peu à peu, au milieu de cette forêt de belles créatures, son regard s'attacha sur une figure majestueuse — une femme qui se tenait debout, à l'écart des autres, le corps à demi dissimulé par un grand paravent d'ornement, une main refermée sur le cadre en cèdre, et qui, le regard posé sur la Belle, la considérait.

La Belle baissa les paupières, s'abandonnant à la chaleur du soleil, au lit de coussins, aux plumes. Puis elle rouvrit les yeux.

La femme était toujours là. Qui était-elle ? L'avait-elle déjà vue auparavant ?

Un visage remarquable, même au milieu de cette mer de visages remarquables. Une bouche pleine, un nez petit, et des yeux flamboyants qui différaient quelque peu du regard des autres. Ses cheveux d'un brun profond étaient divisés par le milieu, et ils retombaient au-dessous de ses épaules en vagues lourdes et bouclées qui formaient un triangle sombre autour de son visage ; seules quelques anglaises sur le front suggéraient la confusion, l'imperfection humaine. Un mince bandeau d'or lui ceignait le front pour maintenir en place un long voile de couleur rose qui paraissait flotter au-dessus de sa chevelure noire et retomber derrière son dos, dessinant autour de sa silhouette un halo rose.

Le visage était en forme de cœur, et pourtant il était sévère, très sévère. L'expression trahissait un semblant de rage, presque d'amertume.

Il est des visages, se dit la Belle, qui, entachés d'une expression semblable, seraient monstrueux, mais ce visage-là était mis en valeur par cette intensité. Et les yeux — eh bien, ils étaient d'un gris violet. C'était cela qui était si étrange. Ils n'étaient pas noirs. Et pourtant ce n'était pas des yeux clairs ; ils étaient vibrants, aux aguets et soudain remplis d'une expression de conflit lorsque la Belle leva le regard sur eux.

La femme se retira un petit peu derrière le paravent, comme si la Belle l'y avait repoussée. Mais ce mouvement manqua son but. À présent, toutes les têtes se tournaient pour la voir. Tout d'abord, personne ne fit le moindre bruit. Puis les femmes se levèrent et s'inclinèrent pour la saluer. Chacune, dans la pièce — sauf la Belle, qui n'osait pas faire un geste —, s'inclina devant la femme.

« Ce doit être la Sultane », se dit la Belle, et elle sentit sa gorge se serrer à la vue de ces yeux violets qui concentraient leur regard sur elle avec tant d'acuité. La Belle n'y avait pas prêté attention auparavant, mais elle était fort richement vêtue. Et ses boucles d'oreilles — deux immenses parures ovales lourdement sculptées d'émaux violets en relief —, comme elles étaient belles.

La femme ne bougea pas, ne répondit pas aux salutations qui lui étaient murmurées. Elle demeurait à demi dissimulée derrière le paravent, et elle dévisageait la Belle !

Peu à peu, les femmes reprenaient leurs places. Elles s'assirent aux côtés de la Belle, et posèrent une fois encore leurs plumes sur elle, l'en caressèrent. L'une d'elles se coucha contre elle, chaude et parfumée comme un chat gigantesque, et elle laissa ses doigts jouer paresseusement avec les petites boucles serrées de son pubis. La Belle rougit, et lorsqu'elle regarda la femme qui se tenait à l'écart, ses yeux se voilèrent. Mais elle remuait les lèvres et, quand les plumes se remirent à la caresser, elle se prit à gémir, trop pleinement consciente du regard de cette femme posé sur elle.

« Sortez de là, avait envie de dire la Belle. Cessez de faire la farouche. » Cette femme l'attirait. Elle remua les hanches avec encore plus de vivacité, la plume de paon s'attardait à ses caresses. Elle sentit d'autres plumes la chatouiller entre les jambes. Les sensations délicates se démultipliaient, s'accentuaient.

Puis une ombre passa devant ses yeux. Elle sentit des lèvres la baiser à nouveau. C'était fini, la femme étrange qui la regardait, elle ne pouvait plus la voir.

La Belle se réveilla au crépuscule. Dans les ombres bleu d'azur et la lumière vacillante des lampes. L'odeur du cèdre, des roses. Les épouses la caressaient, tout en la portant vers le passage. Elle n'avait pas envie de partir, son corps s'éveillait à nouveau aux sensations, mais alors elle songea à Lexius. Assurément, ces femmes tiendraient Lexius informé de ce qu'elle leur avait plu. Elle se mit à genoux, obéissante.

Mais juste avant d'entrer dans le passage, elle jeta un coup d'œil en arrière, sur la pièce plongée dans la pénombre, et elle vit la spectatrice, debout dans l'angle. Cette fois, il n'y avait pas de paravent pour la dissimuler. Elle était vêtue de soie violette, violette comme ses yeux, et sa ceinture plaquée d'une fine couche d'or, qu'elle portait haut, avait l'air d'une pièce d'armure enfermant sa taille étroite. Le voile rosâtre flottait autour d'elle comme s'il était une chose vivante, une aura.

« Comment ouvrez-vous cette ceinture ? Ôtez-la donc », se dit la Belle. La femme tenait sa tête un peu inclinée sur le côté, comme si elle s'efforçait de dissimuler sa fascination pour la Belle, et ses seins ne paraissaient que trop gonflés sous le fin corsage d'étoffe brodée, qui ressemblait également à une pièce d'armure. Les anneaux ovales suspendus à ses oreilles semblaient trembler, comme s'ils trahissaient l'excitation secrète de cette femme, que, sans cela, elle ne révélerait à personne.

Peut-être la lumière était-elle trop flatteuse — la Belle était incapable de le savoir — mais cette femme paraissait posséder infiniment plus d'allure que les autres, telle une grande fleur tropicale pourpre dans un parterre de lys.

Les femmes pressèrent la Belle d'avancer, non sans la couvrir de baisers. Il fallait qu'elle parte. Elle inclina la tête et pénétra dans le passage ; ses chairs, après leurs attouchements, la démangeaient toujours, et elle passa promptement de l'autre côté, où deux serviteurs mâles l'attendaient.

C'était le soir, et, aux bains, tous les flambeaux étaient allumés. Après que l'on eut huilé la Belle et parfumé ses cheveux bien coiffés, trois valets la conduisirent dans le large corridor qu'elle avait déjà vu, un couloir décoré de façon si splendide, avec ces esclaves ligotés et ces mosaïques, qu'il dégageait une formidable impression de puissance.

Alors la frayeur de la Belle alla croissant. Où était Lexius ? Où l'emmenait-on ? Les valets portaient avec eux un coffret. Elle ne redoutait que trop de savoir ce qui se trouvait à l'intérieur.

Enfin, ils atteignirent une pièce, où s'ouvraient, sur la droite, deux portes massives, une espèce de vestibule, au plafond ouvert sur le ciel. La Belle put apercevoir les étoiles, sentir l'air chaud.

Mais quand elle vit la niche dans le mur, la seule niche de la pièce, située exactement face aux portes, elle fut prise de terreur. Les valets déposèrent le coffret et en retirèrent prestement un collier en or — et la masse de soierie dans laquelle ce dernier était emballé.

Devinant sa peur, ils se contentèrent de sourire.

Ils la placèrent debout dans la niche, lui replièrent les bras derrière le dos, et, d'un geste vif, ils lui refermèrent autour du cou, avec un claquement, le haut collier d'or doublé de fourrure : le large bord de cet instrument, en lui relevant légèrement le menton, servait de reposoir à sa mâchoire. Elle ne pouvait ni tourner la tête, ni regarder par terre. Le collier fut accroché au mur derrière elle. Même si elle levait les pieds du sol, l'appareil l'aurait retenue.

Ils lui relevèrent alors les pieds, en les entourant l'un et l'autre de longues bandes de soie. Ils remontèrent ainsi jusqu'en haut de ses jambes, serrèrent cette enveloppe de soie toujours plus étroitement, tout en lui laissant le sexe nu. En un tournemain, les bandages lui avaient enserré le ventre et la taille, et scellé les bras dans le dos, en s'entrecroisant autour de ses seins pour les laisser exposés.

Chaque fois que l'on tirait sur la soie, elle se retrouvait un peu plus ligotée, un peu mieux ajustée. Elle avait largement assez d'espace pour respirer, et pourtant son corps était complètement raide, complètement enfermé ; une fois encore, elle se sentait chaude, dense et sans poids. On eût dit qu'elle flottait dans cette niche, comme une pauvre chose toute serrée et désemparée, incapable de protéger son sexe nu ou ses seins, ni même le carré de chair nue visible là où ses fesses étaient maintenues ensemble.

Ses pieds étaient maintenant placés très écartés, et des attaches les maintenaient au sol. Une dernière fois, on lui ajusta le haut collier de métal et son crochet.

La Belle frissonna de tout son corps, geignit. Les valets lui prêtaient à peine attention. Ils se dépêchaient. Ils lui brossèrent les cheveux, les lissèrent jusqu'aux épaules, déposèrent une touche finale de cire sur ses lèvres. Ils lui peignèrent les poils pubiens, en ignorant ses gémissements. Puis elle reçut une dernière série de baisers sur les lèvres, une dernière série d'admonestations pour l'avertir de garder le plus complet silence.

Là-dessus, ils s'en furent dans le corridor, en la laissant dans cette alcôve éclairée par des flambeaux, à l'état de pur élément d'architecture, à l'instar de centaines d'autres, tous ceux qu'elle avait vus précédemment dans les couloirs.

Elle se tint immobile, il lui semblait grandir à l'intérieur de son enveloppe de bandages, qu'elle paraissait remplir, et elle eut l'impression que son corps engoncé exerçait une poussée sur chaque centimètre de cette enveloppe, comme pour l'en faire sortir. Le silence tintait à ses oreilles.

Les flambeaux, qui jetaient leurs feux juste en face d'elle, de part et d'autre des portes, lui donnaient l'impression d'être des objets doués de vie.

Elle tâcha de demeurer immobile, tranquille, mais soudain elle perdit la bataille. Et son corps tout entier se démena pour reconquérir sa liberté. Elle secoua les cheveux, tenta de dégager ses membres. Elle ne parvint pas à apporter le moindre changement à la petite sculpture que l'on avait faite d'elle.

Et puis, alors que les larmes lui dégoulinaient sur la figure, elle éprouva une sensation d'abandon empreint de merveilleux et de tristesse. Elle appartenait au Sultan, au palais, à ce moment silencieux et inévitable.

Et c'était un grand honneur, réellement, de s'être vu attribuer cet emplacement très particulier, et de ne pas se retrouver en rang avec les autres. Elle regarda les portes. Elle constata, avec un sentiment de reconnaissance, que ces portes ne comportaient pas d'esclaves ligotés en guise de décoration. Et elle savait, si elles s'ouvraient, et quand elles s'ouvriraient, qu'elle serait capable de baisser les yeux et de tâcher de faire preuve d'un total asservissement, comme on l'attendait d'elle.

Elle se délectait d'être dans les liens, en dépit de la frustration — cela, elle ne l'ignorait point —, que la nuit lui apporterait, car son sexe, déjà, se remémorait les attouchements des femmes du harem. Tout en restant éveillée, elle se prit à rêver de Lexius et de cette femme étrange, la Sultane peut-être, qui l'avait regardée — la seule à ne pas l'avoir touchée.

Ses yeux étaient clos, lorsqu'elle entendit un bruit étouffé. Quelqu'un venait. Quelqu'un venait, qui allait passer devant elle, dans l'ombre. Quelqu'un qui n'allait prêter aucune attention à sa présence. Les pas se rapprochèrent et, sous l'étreinte serrée des bandages, elle respira avec anxiété.

Enfin, les silhouettes annoncées par ces pas pénétrèrent dans son champ de vision : deux Seigneurs du désert magnifiquement vêtus, avec des coiffes blanches et chatoyantes, le front ceint d'or tressé, l'étoffe de lin formant des plis nets autour de leur visage et aux épaules. Ils conversaient. Ils ne lui jetèrent pas même un coup d'œil. À leur suite marchait un serviteur, les mains croisées dans le dos, la tête baissée, ses pieds touchant silencieusement le sol. Il avait l'air effrayé, intimidé.

Le couloir retomba dans le silence, et son cœur ralentit, sa respiration redevint normale. De petits bruits lui parvenaient, mais ils lui venaient de très loin — des rires, de la musique, trop discrets pour la déranger ou la rasséréner.

Elle était presque tombée dans un état somnolent lorsque le bruit d'un cliquetis sec la réveilla. Elle scruta la pénombre devant elle et vit que la porte à deux battants avait bougé. Quelqu'un l'avait ouverte, à peine. Quelqu'un, derrière ces portes, était en train de la surveiller. Pourquoi cette personne ne se montrait-elle pas?

Elle tenta de garder son calme. Après tout, elle était sans défense, non? Mais les larmes perlèrent de ses yeux et, sous les bandages, son corps devint fébrile. Qui que ce soit, rien ne l'empêcherait de sortir, de venir la tourmenter. Son sexe nu était assez facile à atteindre, à taquiner, quelle que soit la manière dont il choisirait d'en user. Ses seins nus frissonnaient. Pourquoi demeurait-il là? Elle pouvait presque percevoir sa respiration. Et l'idée lui traversa l'esprit que ce pourrait être l'un des serviteurs, qui avait tout loisir de passer une heure ainsi, à jouer avec elle, ni vu ni connu.

Comme rien ne se produisait, et que la porte restait simplement entrebâillée, elle pleura doucement, aveuglée par la lumière, avec la perspective d'une longue nuit devant elle; c'était bien pire que tous les coups de fouet qu'elle avait reçus, et les larmes coulèrent sur ses joues, en silence.

Une leçon de soumission

Récit de Laurent

Nous étions de retour au palais, dans la fraîcheur obscure des corridors, avec l'odeur de l'huile et de la résine des flambeaux qui brûlaient. Pas un bruit, si ce n'est les pas lourds de Lexius, et mes mains et mes pieds sur le marbre.

Je sus, lorsqu'il claqua la porte et qu'il la verrouilla, que nous étions de retour dans ses appartements. Je pouvais percevoir sa colère. Je pris une profonde inspiration, en fixant des yeux le motif en étoiles dans le marbre. Je n'en avais gardé aucun souvenir. De belles étoiles vertes et rouges, avec des cercles à l'intérieur. La lumière du soleil réchauffait le marbre. Toute la pièce était chaude et tranquille. Du coin de l'œil, je vis le lit — je n'en avais gardé aucun souvenir non plus. Tendu de soie rouge, avec une profusion de coussins, des lampes et des chaînes suspendues de chaque côté.

Il avait traversé la pièce, amené jusqu'au sol une longue lanière de cuir. Bien. À présent, nous avions de quoi nous occuper. Il n'était plus question de ces badines stupides. Je m'agenouillai de nouveau sur

119

les talons, et ma queue durcit dans le cercle étroitement noué de la lanière qui la maintenait.

Il se retourna : il tenait la lanière dans les mains. Elle pesait son poids. Elle allait me faire joliment mal. Je le regardai posément. « Tu vas me couvrir, sans quoi, avant notre départ d'ici, c'est moi qui te couvrirai, songeai-je. Je t'en fais le pari, mon jeune Maître élégant à la langue si déliée. »

Mais je me contentai de lui sourire. Il s'immobilisa, en me fixant du regard, le visage soudain frappé de stupeur, comme s'il ne pouvait se résoudre à admettre que j'étais en train de lui sourire.

— Dans ce palais, il vous est interdit de parler ! s'écria-t-il entre ses dents serrées. Vous n'aurez pas l'audace de recommencer !

— Est-ce qu'il vous arrive ou non de châtrer ? demandai-je. (Je haussai les sourcils.) Allons, mon Maître. (Je lui souris encore, avec lenteur.) Vous pouvez me le confier. Je ne le répéterai à personne.

Il donnait l'impression de chercher à reprendre une contenance. Il prit une profonde inspiration. Peut-être cherchait-il un châtiment pire que le fouet, et peut-être m'étais-je montré trop peu avisé. J'en avais envie, moi, de ce fouet !

Tout autour de lui, dans ce soleil oblique, la petite pièce parut s'embraser — le sol à motifs, le lit de soie rouge, le monceau de coussins. Les fenêtres étaient masquées de moucharabiehs émaillés et ouvragés, qui se transformaient à leur tour en milliers de fenêtres minuscules. Lui-même, avec son étroite tunique de velours, ses cheveux noirs plaqués derrière ses oreilles, ses boucles d'oreilles scintillantes, avait tout à fait l'air d'appartenir à ce décor.

— Vous croyez détenir le pouvoir de me provoquer, afin que je vous prenne ? chuchota-t-il.

Ses lèvres tremblaient légèrement, révélant de

quelle tension — ou de quelle excitation — il était la proie. Difficile de trancher. Mais à vrai dire, quelle différence cela faisait-il que la source de la lumière soit de l'huile qui brûle ou du bois qui brûle ? Ce qui compte, c'est la lumière.

Je ne prononçai pas un mot. Toutefois, mon corps, lui, se prononçait. Je le regardai des pieds à la tête, cet homme, long comme un roseau, et la manière qu'avait sa peau fine et souple de se plisser délicatement aux commissures des lèvres.

Sa main se déplaça. Elle descendit à hauteur de sa ceinture et la déboucla. L'objet tomba au sol et la tunique, d'une étoffe très lourde, s'écarta ; les deux pans du vêtement demeurèrent ouverts et, dessous, je vis sa poitrine nue, la toison noire et bouclée de son entrejambe, et sa queue dressée comme une lance, légèrement courbée. Son scrotum, très imposant, était enveloppé de boucles fines et sombres, telle de la dentelle.

— Venez ici, fit-il. À quatre pattes.

J'attendis le temps d'un battement de cœur ou deux, avant de répondre. Puis je me remis à quatre pattes, les yeux toujours sur lui, et je traversai l'espace qui nous séparait. Je m'assis de nouveau sur les talons, sans attendre qu'il m'y ait autorisé, et je humai le parfum de cèdre et d'épice qu'exhalait sa tunique, son odeur âpre et masculine, et je levai les yeux pour voir, sous le revers de son habit, ses tétons couleur lie-de-vin. Je songeai aux pinces que les valets m'avaient posées, et comme leurs laisses avaient tiré dessus.

— Maintenant nous allons voir si votre langue sait faire autre chose que cracher des impertinences, s'écria-t-il. (En dépit de sa voix de silex, il ne pouvait empêcher sa poitrine de se soulever, ni son corps de le trahir.) Léchez, commanda-t-il d'une voix feutrée.

Je ris sous cape. Je m'agenouillai de nouveau, me rapprochai de lui et, en veillant à ne pas toucher ses vêtements, je ne lui léchai pas la queue, mais le scrotum. Je le léchai par-dessous, en y plaquant la bouche, en lui repoussant un peu les couilles vers le haut, avec ma langue, en le lardant de petits coups de langue, puis je le léchai sous les couilles, jusqu'à atteindre la chair tapie, là, juste en dessous. Je le sentis partir un peu vers l'avant. Je l'entendis soupirer. Je savais qu'il voulait que je prenne ses couilles dans ma bouche, ou que je m'en occupe de manière plus volontaire, mais je me bornai à lui faire exactement ce qu'il m'avait dit de faire. S'il en voulait plus, il lui faudrait demander.

— Dans la bouche, commanda-t-il.

Je ris tout seul, une fois encore.

— Avec joie, Maître, acquiesçai-je.

Devant cette impertinence, il se raidit. Mais ma bouche ouverte était tout contre son scrotum et je lui suçais les couilles, l'une et puis l'autre, en essayant de les attraper toutes les deux dans ma bouche, mais elles étaient trop grosses. Ma propre queue était au seuil du supplice. Je gigotais des hanches, je les faisais mouliner, et le plaisir s'activait en moi, sourdait en moi, jusqu'au bord de la douleur. J'ouvris la bouche plus grande et j'engouffrai son scrotum.

— La queue, chuchota-t-il.

Enfin, j'eus ce que je désirais. Il la poussa contre mon palais, puis tout au fond de ma gorge, et je la suçai, à coups de longues caresses puissantes, en faisant courir ma langue tout du long, en laissant mes dents racler légèrement. La tête me tournait. Mon propre bassin était tout raide, et les muscles de mes jambes étaient si tendus qu'ils en seraient douloureux, après. Il s'avança, en appuyant son entrejambe contre mon visage, et je sentis sa main contre ma nuque. D'une seconde à l'autre, il allait jouir. Je battis en retraite, et lui léchai le bout de la queue, pour le taquiner, volontairement. Sa main raffermit sa prise, mais il ne dit rien. Je lui léchai la queue avec lenteur, en jouant avec le bout. Je glissai les mains sous sa tunique. L'étoffe en était fraîche et douce, mais la soie véritable, c'était la chair de son postérieur. Je refermai les mains sur cette chair, je la pinçai, et je laissai mes deux petits doigts se faufiler en direction de son anus.

Il tendit la main pour extraire mes bras de sa tunique. Il lâcha la lanière de cuir.

Alors je me levai et je le balançai en arrière, vers le lit, en le faisant trébucher, si bien qu'il en perdit l'équilibre. D'un mouvement brusque, je tirai sur son bras droit, ce qui le fit tomber la face en avant, et j'entrepris de lui ôter sa tunique.

Il était fort, très fort, et il se débattit violemment. Mais j'étais bien plus fort et considérablement plus grand. En outre, il avait les bras pris dans sa tunique et, en l'espace d'un instant, j'avais fait en sorte de la lui arracher et l'avais jetée à l'écart.

— Maudit ! Arrêtez cela. Maudit ! s'écria-t-il.

Et puis ce fut un chapelet de menaces et de malédictions prononcées dans sa propre langue, mais il n'osait pas s'exclamer à voix haute. D'ailleurs, la porte était verrouillée. Comment pourrait-on entrer pour lui venir en aide ?

Je ris. Je le poussai contre le matelas de soie, je le maintins avec mes mains et mes genoux repliés, et je le regardai, lui, son dos long et lisse, sa peau au grain parfait, et ce postérieur, ce postérieur musclé, impuni, qui n'attendait que moi.

Il se débattait comme un dément. Je lui rentrai presque dedans. Mais j'avais envie de m'y prendre différemment.

— Pour cela, Prince stupide et fou, vous serez puni, lança-t-il.

La menace était convaincante, et j'aimais entendre ça. Mais je lui répondis :

— Tiens ta langue !

Et il se tint silencieux, avec une aisance déconcertante. Il rassembla de nouveau ses forces et poussa sur le lit.

Je me relevai juste assez pour le soulever et le flanquer sur le dos. Je l'enfourchai et, quand il essaya de se redresser, je le frappai, comme il m'avait frappé. À cette seconde, alors qu'il était étendu, abasourdi, j'attrapai l'un des oreillers et j'en arrachai la taie de soie.

Cela me fit un long bandeau de jolie soie rouge, suffisant pour lui lier les mains. Je les lui empoignai, je le giflai de nouveau à deux reprises, je lui liai les poignets ; la soie était si fine qu'elle forma de solides petits nœuds et, en se débattant, il ne fit que les resserrer.

Une autre taie déchirée, et j'eus de quoi le bâillonner. Il ouvrit la bouche pour lâcher une nouvelle bordée de jurons, tout en essayant de me frapper de ses mains liées, ses mains que j'écartais à la volée pour aussitôt lui passer le bâillon de soie en travers de la bouche, avant de le lui attacher derrière la tête. En ouvrant ainsi la bouche, il me facilitait la tâche, et je n'eus aucune peine à l'assujettir, à le maintenir en place ; quand il essaya de me frapper à nouveau, je le giflai une fois encore, sans relâche, avec lenteur, jusqu'à ce qu'il cesse.

Naturellement, mes gifles n'avaient pas beaucoup de force. Moi, elles ne m'auraient guère atteint. Mais, sur lui, elles exerçaient leur effet à merveille. Je n'ignorais pas, sous ces gifles, comment la tête lui tournait. Après tout, à peine quelques instants auparavant, ne m'avait-il pas fouetté, dans le jardin ?

Il était couché, immobile, ses mains ligotées au-dessus de la tête, bien haut. Il avait le visage cra-moisi, et le bâillon de soie le marquait d'une entaille d'un rouge plus clair, les lèvres closes par-dessus. Mais le plus délicat, c'étaient ses yeux, noirs, immenses, qui me fixaient.

— Vous êtes une belle créature, vous savez, dis-je. (Je pouvais sentir sa queue me chatouiller les couilles. Je l'enfourchais encore. Je tendis la main vers le bas et j'en éprouvai toute la longueur, toute la chaleur, la moiteur de son extrémité.) Vous êtes presque trop beau. Cela me donne envie de sortir de ces lieux en cachette, avec vous, nu, sanglé en tra-vers de ma selle, tout comme les soldats de votre Sultan m'ont enlevé. Je vous emmènerais là-bas dans le désert, je ferais de vous mon serviteur, je vous battrais avec le cuir épais de votre ceinture, pendant que vous feriez boire les chevaux, que vous entretiendriez le feu, que vous prépareriez mon dîner.

Son corps frissonna de partout. Ses joues s'em-pourprèrent, malgré la couleur sombre de sa peau. Je pouvais presque entendre son cœur.

Je me mis à terre et m'agenouillai entre ses jambes. Désormais, il ne remuait plus un muscle pour me résister. Sa queue dansait comme un bou-chon sur la vague. Mais j'en avais fini de jouer avec lui. Maintenant, il fallait que je l'aie. Après quoi, je pourrais goûter à d'autres jeux épicés — lui punir les fesses.

Je lui soulevai les cuisses, je passai mes bras à demi repliés par en dessous, et puis, de force, je lui plaçai les jambes sur mes épaules, lui décollant ainsi le bassin du lit.

Il gémit, et ses yeux, lorsqu'il me jeta un regard furieux, vacillèrent comme deux flammes. Je sentis son anus, charmant et sec, et je me touchai la queue, je me la touchai pour la première fois, après toutes ces journées de torture ; j'étalai sur mon gland la moiteur qui s'en écoulait, jusqu'à bien l'humidifier, et sur ce, je le pénétrai.

Il était étroit, sans l'être trop. Il était incapable de se refermer pour me rejeter. Il gémit à nouveau et j'entrai plus profondément en lui, en franchissant cet anneau de muscles qui m'arrachait le membre et me rendait fou, jusqu'à ce que je me trouve bien au-dedans de lui. Alors je me plaquai contre ses cuisses pour descendre au fond, le forçant à basculer les jambes en arrière, à les replier tout contre son corps, jusqu'à ce que ses genoux reposent au-dessus de mes épaules, puis je me mis à l'astiquer, bien fort. Je laissais ma queue glisser, presque jusqu'à ressortir, et je plongeais en avant, puis je ressortais presque ; il soupirait sous son bâillon, dont la soie se mouillait, et ses yeux se firent vitreux, ses sourcils magnifiquement dessinés se contractèrent. À tâtons, ma main vint chercher sa queue, la trouva, et commença de la caresser, en cadence avec mes coups de boutoir.

— Voilà ce que tu mérites, dis-je entre mes dents. Voilà vraiment ce que tu mérites. Tu es mon esclave, ici, tout de suite, et au diable tous les autres, au diable le Sultan, et le palais tout entier.

Il respirait de plus en plus vite, et puis je jouis, loin à l'intérieur de lui, mes doigts se resserrèrent fermement autour de sa queue et je sentis le liquide jaillir, bouillonner en véritables giclées, et lui, il gémissait, à pleine gorge. Cela me parut durer un long moment, toute la misère de ces nuits passées en mer se vidait en lui. J'appuyai de mon pouce sur le gland de son dard. Je le pressai de plus en plus fort, jusqu'à ce que tout le plaisir se soit échappé de moi, jusqu'à ce que je me sois véritablement, complètement dépensé, et c'est alors que je me retirai de lui.

Je roulai sur le côté et m'étendis sur le dos, je fermai les yeux, un long moment. Avec lui, je n'en avais pas fini.

Il régnait dans la chambre une chaleur merveilleuse. Aucun feu ne peut dispenser la chaleur du soleil en un lieu clos. Il était couché, les yeux fermés, les mains au-dessus de la tête, immobile, la respiration calme et profonde.

Il avait détendu sa jambe et sa cuisse reposait contre la mienne.

Après un long moment, je dis :

— Oui, quel bon esclave vous feriez.

Je lâchai un petit rire. Il ouvrit les yeux et regarda le plafond. Soudain, il fit mine de bouger, et je fus de nouveau sur lui, pour lui maintenir les mains attachées l'une à l'autre.

Il ne tenta pas de se défendre. Je me levai, me tins à côté du lit et je lui commandai de se retourner, face tournée vers l'avant. Il hésita un instant. Puis il obéit.

Je ramassai la longue lanière. Je regardai ses fesses, et ses muscles se contractèrent, comme s'il sentait mon regard. Il fit légèrement glisser ses fesses sur la soie. Il avait la tête tournée vers moi, mais ses yeux fixaient un point au-delà de moi.

— Dressez-vous, à quatre pattes, ordonnai-je.

Il obéit avec une espèce de grâce volontaire, et il s'agenouilla, la tête relevée, les mains toujours ligotées, le corps composant une fort belle image. Bien plus délié que le mien. Mais d'une grâce merveilleuse. Il était comme un bel étalon fait pour la course, rien du destrier capable de supporter le poids d'un chevalier, mais tout de l'animal nerveux qui emporte l'estafette. Il donnait l'impression de recevoir le bâillon de soie rouge comme une superbe insulte. Et pourtant il se tenait agenouillé, tranquillement, sans résistance. Sans essayer de l'arracher pour s'en libérer, ce qu'il aurait pu faire, même avec les poignets liés.

Afin de doubler la lanière, j'y fis une boucle et je lui assenai une raclée sur les fesses. Il se raidit. Je lui en assenai une autre raclée. Il referma les jambes pour les tenir étroitement jointes. Voilà qui était acceptable, me dis-je. Pourvu qu'il se montre obéissant, s'agissant de tout le reste.

Je le fouettai avec violence, encore et encore, en m'émerveillant de voir sa chair, malgré ce ton olivâtre si charmant, se colorer peu à peu. Il n'émettait pas un son. Je gagnai le pied du lit, afin de pouvoir mieux armer mon bras avant de frapper. En un rien de temps, j'obtins, sur ses chairs, de ravissants croisillons d'un rose sombre. Et je le cinglai, de plus en plus fort. Je me remémorais ma première séance de fouet, au château, comme cela m'avait fait mal, comme je m'étais débattu et comme j'avais geint, sans jamais pour autant vraiment gigoter. Comme j'avais tenté de deviner le sens de cette douleur, de comprendre pourquoi il me fallait demeurer dans une posture d'abaissement, à seule fin d'être fouetté pour le plaisir d'un autre.

Je trouvai, à le fouetter, une liberté extatique, non par goût de revanche, non, ce n'était là rien d'aussi sot, rien d'aussi réfléchi. Non, il s'agissait purement et simplement de l'achèvement d'un cycle. J'aimais le bruit de la lanière qui le frappait, j'aimais la manière dont ses fesses s'étaient mises à danser imperceptiblement, en dépit de tous les efforts qu'il déployait pour se maîtriser.

Il commençait à changer, du tout au tout. Encore une autre série de coups, et sa tête retomba, son dos se cambra, comme s'il essayait de rétracter le postérieur. Absolument inutile. Après quoi, il se remit à saillir du postérieur, à danser, à osciller. Il gémit. Il ne pouvait plus se retenir. Son corps tout entier se balançait, dansait, ondoyait en réponse à la lanière.

Je savais que je devais avoir réagi de semblable manière lorsqu'on m'avait fouetté, un bon millier de fois, mais à mon insu. Je m'étais toujours égaré dans le bruit, dans les chaudes et douces déflagrations de la douleur, toujours abandonné à la démangeaison soudaine, juste avant que la lanière ne s'abatte. Je lui administrai une volée de coups francs et rapides, et il gémit, en cadence, sous chaque coup. En fait, il avait renoncé à se contenir. Son corps était luisant de moiteur, comme animé d'une rougeur vivante qui courait à la surface de la peau, et il était constamment en mouvement, un mouvement plein d'élégance.

Sous le bâillon, j'entendis un sanglot. Pas mal. Je m'interrompis, je contournai le lit et contemplai son visage. Jolie démonstration de larmes. Mais il n'y avait nulle impertinence là-dedans. Je lui déliai les mains.

— Descendez par terre, les mains au sol, devant vous, et étirez les jambes, ordonnai-je.

Lentement, la tête courbée, il obéit. J'aimais la manière dont ses cheveux lui retombaient dans les yeux, et le bâillon qui retenait le reste de sa chevelure. Il était à présent châtié comme il convenait. Et son postérieur était joli et chaud, d'une chaleur brûlante.

Je le lui levai bien haut, des deux mains et je le fis marcher à quatre pattes, dans cette posture, le derrière en l'air, levé à la hauteur de mon bassin, et je marchai à sa suite. Je pris du champ et je le fouettai violemment, afin de lui faire décrire un cercle parfait tout autour de la pièce ; je lui fis presser l'allure. La sueur dégoulinait de ses bras. Son postérieur écarlate lui aurait valu tous les éloges du château.

— Viens ici, tiens-toi tranquille, dis-je.

Je me replaçai entre ses jambes, et je le pénétrai, ce qui le fit sursauter, à telle enseigne qu'il lâcha un cri sous son bâillon.

Je tendis la main et je dénouai le nœud qui lui retenait le bâillon derrière sa tête, mais je tins les deux pièces de soie comme les rênes d'un cheval, en lui tirant la tête en l'air. Je l'astiquai de fond en comble, en le propulsant en avant, sa tête joliment relevée, retenue par les rênes. Il sanglotait, mais j'étais incapable de démêler si c'était d'humiliation, de douleur — ou des deux. Son postérieur était si chaud contre moi, si délicieux, et il était si resserré.

Je jouis une fois encore, je giclai en lui, avec de violentes secousses. Il supporta la chose, sans oser rabaisser la tête, et je tenais le bâillon de soie bien tendu entre mes mains.

Quand ce fut fait, je lui passai la main sous le ventre et lui tâtai la queue. Dure. C'était un bon esclave.

Je ris doucement. Je laissai le bâillon filer. Et je le contournai, pour venir me poster face à lui.

— Lève-toi, dis-je. J'en ai fini avec toi.

Il obéit. Il luisait de tout son corps. Même sur ses cheveux noirs de jais flottait le chatoiement d'un reflet. Ses yeux possédaient un regard profond et velouté, et sa bouche était appétissante. Nous nous dévisagions fixement, droit dans les yeux.

— Vous pouvez faire de moi ce qu'il vous plaira, maintenant, dis-je. Je veux croire que vous vous êtes gagné ce privilège.

Mais sa bouche — pourquoi ne l'avais-je pas embrassée ? — je me penchai en avant — nous étions de la même taille — et, oui, je l'embrassai. Je l'embrassai très tendrement, et il ne fit pas un geste pour me résister. Sa bouche, il me l'ouvrit.

130

Ma queue se redressa. En fait, le plaisir me balaya de nouveau. Le plaisir se mit à me ronger. Mais sans plus me faire aucun mal. Le plaisir était doux, le plaisir durcissait, durcissait, et je l'embrassais, ce géant soyeux.

Je le laissai libre. Je levai la main en l'air et je sentis le contour de sa mâchoire, là où les poils d'une barbe, lorsqu'elle est bien rasée, pointent en premier, comme il arrive aux dernières heures de la journée. Je tâtai le poil au-dessus de sa lèvre, sur son menton.

Ses yeux avaient un éclat indescriptible. C'était l'âme, mais l'âme au travers d'un voile de beauté, un voile perturbant.

Je pliai les bras, je marchai vers la porte pour m'en rapprocher, et là, je m'agenouillai.

Que se déchaînent tous les feux de l'enfer, pensai-je. Je l'entendis bouger, je vis, du coin de l'œil, qu'il était en train de s'habiller, de se passer un peigne dans les cheveux, de remettre ses vêtements en ordre, avec des gestes vifs et colériques.

Je le savais troublé. Mais je l'étais aussi. Jamais auparavant je n'avais fait pareille chose, à personne, et jamais je n'avais rêvé que j'allais aimer cela à ce point, que j'allais avoir un tel désir de le faire. Tout à coup, j'eus envie de pleurer. Je me sentais terrifié et triste ; et à moitié amoureux de lui ; et je le haïssais, à cause de tout ce qu'il venait de me révéler ; et je me sentais triomphant — tout cela à la fois.

De mystérieuses coutumes

Un quart d'heure peut-être s'était écoulé, et la porte à double battant ne s'était toujours pas refermée. Par instants, les battants avaient bougé, en grinçant un peu sur leurs gonds, l'ouverture de l'entrebâillement s'était rétrécie, puis élargie. La Belle, frissonnante, en pleurs, prise dans ses étroits bandages d'or, savait que quelqu'un la surveillait. Elle s'efforçait d'apaiser le tumulte de son esprit, mais elle n'y parvenait pas. Et, quand la peur panique la submergea de nouveau, elle se débattit violemment, mais en vain, car ses liens la retenaient très fermement.

La porte s'ouvrit plus grande. Et elle crut que son cœur s'arrêtait complètement de battre. Elle baissa le regard, autant qu'elle le put, en dépit de son menton rehaussé par le collier. Ses larmes fondirent tout dans une lueur mordorée, à travers laquelle elle entrevit un Seigneur richement vêtu, qui s'approchait d'elle. Sa tête était recouverte d'une capuche de velours vert émeraude, brodée d'or, sa cape le couvrait jusqu'à terre, et son visage était complètement voilé d'ombre.

Soudain, la Belle sentit une main sur son sexe humide, et elle ravala un sanglot lorsque la main tira sur ses poils pubiens et lui pinça les lèvres, pour ensuite les écarter, à deux doigts. Elle haleta, se mordit la lèvre, tâcha de conserver son calme. Les doigts lui pincèrent le clitoris et tirèrent dessus, comme pour l'allonger. Elle gémit à voix haute, en oubliant de clore les lèvres, les larmes coulèrent sur ses joues, plus abondantes encore qu'auparavant, et un halètement lui resta dans la gorge, avec un bruit sourd et étranglé.

La main se retira. Elle ferma les yeux, en attendant que l'homme passe son chemin, qu'il emprunte le corridor comme les autres, en direction de cette musique dont on percevait les sons distants. Mais il demeurait là, juste devant elle, et il la regardait. Dans cette alcôve de marbre, les cris feutrés de la Belle résonnaient affreusement.

Jamais auparavant elle n'avait été si étroitement ligotée, si désemparée. Et jamais elle n'avait connu de tension silencieuse comparable, avec cette silhouette qui se tenait, là, debout devant elle, sans rien lui faire.

C'est alors que, subitement, elle entendit une petite voix, une voix timide, lui adresser la parole. Cette voix prononça des mots qu'elle était incapable de comprendre, et ensuite le nom « Inanna ». Avec stupeur, la Belle se rendit compte qu'il s'agissait d'une voix de femme. Cette créature vêtue d'une cape émeraude, c'était une femme — qui prononçait son nom —, et point du tout un Seigneur, comme la Belle l'avait cru. Bien plutôt, c'était la femme du harem, la femme aux yeux violets.

— Inanna, répéta la femme.

Et elle porta son doigt à ses lèvres, pour l'enjoindre à garder le silence. Toutefois, son expression n'était nullement craintive. Elle était déterminée.

La vue de cette femme, drapée dans cette splendide tunique verte, subjugua la Belle et l'excita d'étrange manière. « Inanna, songea-t-elle. Quel joli nom. Mais qu'est-ce que cette créature, cette Inanna, veut de moi ? » À son tour, nullement décontenancée, elle dévisagea Inanna qui avait le regard levé sur elle. Des yeux féroces, voilà de quoi avaient l'air ces yeux-là, maintenant, et la bouche, douce amère, et le sang qui affluait sous cette peau olivâtre, tout comme il devait affluer sur le visage de la Belle. Le silence entre elles était chargé d'émotion.

Puis Inanna plongea la main sous ses tuniques et en tira une large paire de ciseaux d'or. Sur-le-champ, elle ouvrit les ciseaux et les glissa sous les bandages de soie qui se croisaient sur le ventre de la Belle ; elle trancha le tissu avec des mouvements de lames amples et lents, en ouvrant un chemin au métal froid, jusqu'à la chair de la Belle, et l'étoffe tomba sans tarder.

La Belle ne pouvait rien voir de ce qui se passait, à cause du haut collier. Mais elle le ressentait plus vivement ; elle sentit la lame des ciseaux ramper jusqu'en bas de sa jambe gauche, et puis tout en bas de sa jambe droite, et la soie étroitement serrée tomber en morceaux, sans un bruit, pour enfin la libérer. En l'espace d'un instant, elle fut libre de toute enveloppe et elle put remuer les bras ; seul le collier la retenait encore. Mais Inanna monta dans la niche, défit le crochet, et, libérant la Belle de son collier, elle la fit descendre de la niche pour la conduire vers le seuil de la porte à double battant.

La Belle jeta un coup d'œil derrière elle, en direction du collier ouvert et de la soie laissée à l'abandon. Assurément, les autres allaient découvrir la scène. Mais que pouvait-elle faire ? Cette femme n'était-elle pas sa Maîtresse ? Elle hésita, mais

Inanna ouvrit sa cape et en couvrit la Belle, puis, franchissant les portes, la fit pénétrer dans une vaste chambre.

À travers un mur ajouré, la Belle aperçut un lit et un bassin, mais Inanna l'attira à elle, pour l'emmener plus loin, après une autre porte, au bout d'un étroit corridor, sans doute destiné au seul usage des serviteurs. Alors que la Belle pressait le pas, la cape la drapant sans la couvrir, elle put fort bien sentir le corps d'Inanna à côté du sien, l'étoffe épaisse qui habillait ses seins, ses hanches, son bras. La Belle était excitée, effrayée, et à demi amusée par ce qui était en train de se passer.

Lorsqu'elles atteignirent une autre porte, Inanna l'ouvrit et, immédiatement, la verrouilla derrière elles. Elles s'avancèrent jusqu'à un paravent, derrière lequel se trouvait une autre chambre à coucher. Toutes les portes étaient verrouillées.

Aux yeux de la Belle, la chambre était d'allure royale, parce qu'elle était immense, avec des murs ornés de délicates mosaïques à motifs floraux, des fenêtres masquées et drapées d'étoffe d'or pur, un grand lit blanc parsemé de coussins de satin or. De grosses chandelles blanches brûlaient sur leurs supports. La lumière était uniforme et l'air chaud, et la pièce tout entière, en dépit de son aspect grandiose, était réconfortante, accueillante.

Inanna laissa la Belle et avança vers le lit. En tournant le dos à la Belle, elle retira la tunique et le capuchon émeraude, puis elle s'agenouilla et les dissimula sous le lit, en prenant soin ensuite de lisser la draperie blanche.

Elle se retourna, et les deux femmes se regardèrent. Le spectacle de la beauté d'Inanna laissa la Belle interdite : ses yeux d'un violet profond lançaient des flammes, par contraste avec ses vêtements violets et son corsage d'une étoffe lourde, très ajusté, qui révélait à la perfection le contour de ses tétons. La ceinture était de métal doré et placée plus haut, attachée plus serrée que celle qu'elle portait dans le harem : elle lui arrivait jusqu'au-dessous des seins, et descendait presque à hauteur de son sexe, qui était recouvert de petites culottes étroites, d'une étoffe aussi lourde que celle du corsage. Ses pantalons larges flottaient et voilaient ses jambes nues jusqu'aux parements des chevilles.

La Belle fut attentive à tout cela, dans les moindres détails, elle avisa la chevelure noire d'Inanna et les bijoux qui la constellaient, et cette façon qu'avaient les yeux d'Inanna de la fixer, de la considérer. Mais le regard de la Belle revenait sans cesse à cette ceinture. Elle avait envie d'ouvrir cette longue rangée de petits crochets de métal pour libérer le corps qui se trouvait enserré là, à l'intérieur. Comme il était terrible de constater que les épouses du Sultan étaient comme des esclaves, et portaient cette parure qui n'était qu'un instrument de contrainte et de punition.

Elle pensa aux femmes du harem qui avaient joué avec elle, lui avaient donné du plaisir, l'avaient manipulée comme une poupée désarticulée, et qui pourtant n'avaient jamais rien révélé d'elles-mêmes. Leur refusait-on le plaisir ?

Elle regardait Inanna et, en silence, de toute son âme, prononça ces paroles : « Que voulez-vous de moi ? »

Son propre corps était rempli de désir, de curiosité et d'une vigueur renouvelée.

Inanna s'avança et regarda la Belle : c'était sa nudité qu'elle regardait. La Belle se sentait soudainement naturelle et libre. Elle tendit la main, hésitante, et sentit le contact dur et métallique des bandeaux qui composaient la ceinture. Oui, la chose était en fait, elle s'en aperçut, munie de charnières sur les côtés, et l'étoffe qui ceignait les seins et enserrait le sexe d'Inanna paraissait d'une chaleur insupportable, emprisonnante.

« Tu m'as arrachée à mes bandages, songea la Belle. Dois-je t'arracher aux tiens ? » Elle leva la main et, de l'index et du majeur, elle fit un geste pour mimer des ciseaux qui coupent. Elle orienta son geste vers les vêtements d'Inanna. Elle haussa les sourcils, d'un air interrogateur, en répétant son mouvement, comme si elle était en train de découper.

Inanna comprit, le visage rayonnant de ravissement. Et même, elle rit. Mais ensuite son visage se rembrunit. Douce amère à nouveau. « Quelle terrible chose d'être si jolie, quand on est triste, songea la Belle. La tristesse ne devrait pas aller de pair avec la beauté. »

Alors Inanna prit la Belle par la main et la conduisit vers le lit. Toutes deux s'assirent. Inanna regarda fixement les seins de la Belle, qui les souleva dans ses mains, comme pour les lui offrir, avec lenteur. Alors qu'elle tenait ses chairs ainsi dans ses mains en coupe, qu'elle les tournait vers Inanna, son corps trembla sous l'effet voluptueux de cette sensation, et Inanna fut gagnée d'une sombre rougeur ; ses lèvres tremblèrent, et sa langue apparut entre ses dents, un court instant. Elle regardait les seins de la Belle, ses cheveux retombèrent sur son visage, et la vision de cette femme légèrement penchée en avant, sa chevelure cascadant sur ses épaules, la ceinture de métal l'enserrant étroitement, tout cela, inexplicablement, fit frémir la Belle de désir.

La Belle tendit la main et toucha la ceinture de métal. Inanna eut un petit mouvement de recul, mais elle garda les mains immobiles, comme si elle était sans force. Et puis la Belle referma les mains sur l'objet dur et froid, et ce geste, étrangement, l'excita aussi. Elle ouvrit les agrafes, l'une après l'autre. Chacune d'elles émit un petit claquement. Maintenant, la ceinture était prête à se décrocher. Elle n'avait qu'à glisser les doigts par en dessous pour en écarter les pans.

Ce qu'elle fit soudain, en grinçant des dents : la coquille de métal libéra la taille d'Inanna et l'étoffe fine et froncée qui s'était massée autour. Inanna frissonna, et ses joues devinrent écarlates. La Belle se rapprocha et tira sur l'étoffe violette du corsage, jusqu'en bas, jusqu'aux culottes étroites qu'elle portait sous ses pantalons. Pas un doigt ne lui fit obstacle pour l'arrêter. Bientôt les seins furent libres, des seins magnifiques, très hauts et très fermes, avec des tétons d'un rose sombre, qui rebiquaient légèrement.

Inanna rougit et fut prise de tremblements irrépressibles. La Belle pouvait sentir la chaleur de son corps, et pourtant tout cela semblait d'une innocence parfaite. Du dos de sa main repliée, elle toucha la joue d'Inanna qui, doucement, inclina la tête pour recevoir cette caresse. Il était clair qu'elle atteignait le paroxysme de la passion, et qu'elle ne paraissait pas le comprendre.

La Belle tendit la main vers ses seins, puis elle se ravisa, et elle tira encore sur le vêtement, pour l'arracher, et révéler la courbe lisse du ventre d'Inanna. Alors la femme se leva, et elle fit glisser, elle aussi, le tissu, jusqu'à ce que ses culottes et ses pantalons tombent autour de ses chevilles. Toujours frissonnante, les mains tremblantes, elle dégagea ses pieds en rejetant à l'écart ses vêtements entortillés, puis elle dévisagea la Belle, et son visage était sur le point de céder à la vague terrible qui allait l'emporter.

La Belle tendit la main pour lui prendre la sienne. Mais Inanna se détourna. Le fait de se montrer nue avait eu raison d'elle. Elle eut un geste de la main, comme pour couvrir ses seins généreux, ou encore le triangle de sa toison pubienne, mais alors, percevant toute la sottise de la chose, elle croisa les mains dans le dos, puis devant elle, toute désemparée. Elle implora la Belle des yeux.

La Belle se leva et s'approcha. Elle la prit par les épaules, et Inanna inclina la tête. « Ah ça, mais tu es comme une vierge effarouchée », se dit la Belle. Elle baisa la joue brûlante d'Inanna, et leurs seins se touchèrent. Inanna lui ouvrit soudain les bras, ses lèvres trouvèrent le cou de la Belle, et elle le couvrit de baisers, sous les soupirs de la Belle, laissant cette sensation la traverser d'une cascade d'ondes délicieuses, tel le son de l'écho dans un profond corridor. Le fait est qu'Inanna était bouillante de chaleur. Elle était plus chaude que tous les corps que la Belle avait jamais touchés. La passion jaillissait d'elle, plus brûlante même que celle du Maître, Lexius.

La Belle ne pouvait supporter cela plus longtemps. Elle se saisit de la tête d'Inanna et, de force, prit sa bouche dans la sienne ; quand la jeune femme se raidit, la Belle refusa de la relâcher, et la bouche d'Inanna s'ouvrit soudain. « C'est cela, songea la Belle, baise-moi, baise-moi vraiment. » Et elle but le souffle d'Inanna, leurs seins s'écrasèrent. Les bras de la Belle entourèrent Inanna, et elle appuya son pubis contre celui de la favorite et gigota des hanches, toute cette région de son corps explosant sous la force d'une sensation qui rapidement l'enveloppa. Inanna était toute de douceur et de feu, un mélange absolument envoûtant.

— Chère petite chose innocente, lui chuchota la Belle au creux de l'oreille.

Inanna gémit, rejeta sa chevelure en arrière et ferma les yeux, sa bouche s'ouvrit toute grande quand la Belle lui baisa la gorge, leurs corps s'imbriquant l'un dans l'autre ; le nid épais de la toison d'Inanna picotait et griffait la Belle, et la tension attisait leurs sensations, jusqu'à un tel point que la Belle crut ne pas pouvoir demeurer plus longtemps debout.

Inanna se mit à pleurer. Ce furent des pleurs rauques et feutrés, tout prêts à se répandre. Ses sanglots éclataient comme de petits toussotements, et ses épaules tremblaient. Mais elle se libéra, grimpa tant bien que mal sur le lit et laissa soudain sa chevelure lui recouvrir le visage, en sanglotant dans le couvre-lit.

— Non, il ne faut pas avoir peur, murmura la Belle.

Elle se coucha à côté d'elle, et la fit gentiment se retourner. Ses seins étaient absolument à croquer. Même la Princesse Elena n'en possédait pas d'aussi somptueux, songea la Belle. Elle glissa un coussin sous la tête d'Inanna et l'embrassa, en grimpant sur elle, leurs bassins se frottant à nouveau lentement l'un contre l'autre, jusqu'à ce que le visage d'Inanna reprenne sa rougeur, et qu'elle soupire profondément.

— Oui, c'est beaucoup mieux, mon petit sucre, fit la Belle.

Elle souleva le sein gauche d'Inanna, l'étudia, son pouce et son index emprisonnant le téton. Comme il était tendre. Elle se pencha et le caressa de ses dents, le sentit grandir, et elle entendit Inanna geindre douloureusement. Puis la Belle referma la bouche sur le téton et le suça, fort et amoureusement, son bras gauche se glissant sous la favorite pour la soulever, sa main droite luttant avec celle d'Inanna, pour l'écarter lorsqu'elle tenta de se défendre.

Les hanches d'Inanna se soulevèrent au-dessus du lit, et elle tangua sous la Belle, mais la Belle ne relâcherait pas ce sein, elle s'en repaîtrait, elle le lécherait, elle le baiserait.

Tout à coup, Inanna la repoussa des deux mains et se retourna, en lui faisant comprendre par des gestes fébriles qu'elles devaient cesser, que cela ne pouvait continuer.

— Mais pourquoi ? chuchota la Belle. Penses-tu qu'il soit mal de ressentir ce que nous ressentons ? demanda la Belle. Écoute-moi !

Elle prit Inanna par les épaules et lui fit lever les yeux. Ils étaient grands et brillants, et des larmes s'accrochaient à ses longs cils noirs. Son visage était tiraillé par la douleur, une authentique douleur.

— Ce n'est rien de mal, assura la Belle.

Et elle se pencha pour baiser Inanna, mais la jeune femme ne le lui permit pas. La Belle attendit. Elle se rassit sur ses talons, les mains posées sur les cuisses, et elle regarda Inanna. Elle se souvint comme son premier Maître, le Prince Héritier, avait usé d'elle sans ménagement, de la façon dont il s'était comporté la première fois qu'il avait fait valoir ses prétentions sur elle. Elle se souvint de quelle manière elle s'était trouvée dominée, fouettée, poussée à céder à ses sensations. Elle n'avait aucun droit d'infliger semblable traitement à cette favorite voluptueuse, et elle n'avait aucune envie de le lui infliger. Mais il y avait en elle quelque chose d'absolument perturbé. Inanna était désemparée, misérable.

Et maintenant, comme pour répondre à la Belle, Inanna se redressa et se recoiffa, afin de ramener ses cheveux en arrière et de dégager son visage en nage, puis, avec un signe de tête exprimant la plus grande tristesse, elle écarta les jambes et fit un geste vers son propre sexe, pour le couvrir de ses mains. Toute son attitude trahissait la honte, et pareil spectacle faisait souffrir la Belle.

Elle écarta les mains d'Inanna.

— Mais il n'y a pas de quoi avoir honte, fit-elle.

Elle aurait voulu qu'Inanna puisse comprendre ses paroles. Elle repoussa les mains d'Inanna de côté et lui écarta les jambes avant qu'Inanna pût l'arrêter. La favorite, pour conserver son équilibre, garda les mains posées sur le lit.

— Sexe divin, chuchota la Belle, et, avec révérence, elle caressa cet endroit situé entre les jambes d'Inanna.

Inanna pleurait doucement, à vous briser le cœur.

Puis la Belle lui écarta plus largement les jambes, plongea le regard dans le sexe d'Inanna. Ce qu'elle vit la laissa si complètement abasourdie que, sur l'instant, elle fut incapable de surmonter la chose, et incapable de dire ce qu'elle avait l'intention de dire, de rassurer Inanna.

Elle tenta de dissimuler son horreur. Peut-être était-ce une illusion, un trompe-l'œil, à cause de la lumière et de la pénombre. Inanna sanglotait. Elle ne demeurait pas en place. Mais, lorsque la Belle se pencha plus près, lorsqu'elle força ces jambes magnifiquement galbées à s'écarter plus encore, elle vit qu'elle n'avait pas été victime d'une illusion. Son sexe avait bel et bien été mutilé !

Le clitoris avait été tranché net, et il n'y avait là, en lieu et place, qu'une petite marque de peau scarifiée, toute lisse. Quant aux lèvres pubiennes, elles avaient été amputées de moitié et, là aussi, la peau scarifiée formait comme un bourrelet de chair.

La Belle en éprouva une telle horreur que, le

temps d'un instant, elle ne put rien faire pour dissimuler ses sentiments, et demeura le regard figé sur cette marque, cette preuve terrifiante, là, devant elle. Mais ensuite, elle ravala la sensation de répulsion que lui inspirait l'acte en lui-même, et elle ramena le regard sur la créature magnifique qui lui faisait face. Alors, mue par une impulsion soudaine, elle baisa les seins tremblants d'Inanna, de nouveau, et puis elle lui baisa la bouche, sans laisser à la favorite le temps de s'en effaroucher. Après quoi, elle lécha les larmes qui coulaient sur les joues d'Inanna, en l'étreignant étroitement, pour un baiser qui eut finalement raison d'elle.

— Oui, oui, ma chérie, susurra la Belle. Oui, ma très précieuse.

Et lorsque Inanna se fut quelque peu calmée, la Belle considéra de nouveau ce sexe mutilé, et l'étudia plus complètement. Le petit bouton de chair, oui, excisé. Et les lèvres, elles aussi. Rien ne lui avait été laissé, hormis cette ouverture béante susceptible de faire jouir l'homme. Cette bête répugnante, cet égoïste, cet animal.

Inanna la regardait. La Belle se redressa et leva les mains pour poser une question, formulée par signes. Elle se désigna elle-même, ses cheveux, son corps, pour signifier « femmes », puis, par de larges gestes circulaires, elle désigna « toutes les femmes de ces lieux », et pointa le doigt sur le sexe scarifié, d'un air interrogateur.

Inanna hocha la tête. Elle confirma la chose par un autre grand geste circulaire de sa façon : « Oui », fit-elle dans la langue de la Belle :

— Toutes... toutes...

— Toutes les femmes en ces lieux ?

— Oui, répondit Inanna.

La Belle demeura silencieuse. Elle savait maintenant pourquoi les femmes du harem avaient trouvé en elle un tel objet de curiosité, pourquoi elles s'étaient délectées de la toucher. Et sa haine pour le Sultan et les autres Seigneurs du palais se mua en un sentiment plus sombre chargé d'angoisse.

Du dos de la main, Inanna essuya ses larmes. Elle regardait fixement le sexe de la Belle, et son visage était tout entier en proie à la curiosité, une curiosité paisible et enfantine.

« Mais il se passe ici quelque chose d'étrange, se murmura la Belle. Cette femme éprouve des sensations ! Elle est aussi chaude que je le suis moi-même. » À la seule pensée de ces baisers, elle toucha ses propres lèvres. « C'est le désir qui l'a poussée à venir à moi, à me délivrer de mes entraves, à m'amener ici. Mais ce désir a-t-il jamais été consommé ? » Elle regarda les seins d'Inanna, ses bras d'une rondeur exquise, et ses longs cheveux bruns et bouclés qui retombaient sur ses épaules.

« Non, elle doit sûrement pouvoir ressentir quelque chose, jouir de tout son corps, se dit la Belle. Il y a là plus que ces seuls organes externes. Il faut bien qu'il en soit ainsi. » Elle amena Inanna à se blottir dans ses bras et, de nouveau, elle la força à ouvrir la bouche à ses baisers.

De prime d'abord, Inanna se montra déconcertée et, de ses petits gémissements, elle interrogea la Belle. Mais cette dernière, en glissant sa langue entre les lèvres d'Inanna, lui comprima les seins. Elle fit lentement monter la passion, jusqu'à ce que le cœur d'Inanna se remette à cogner. Inanna serra ses jambes l'une contre l'autre, puis elle se dressa sur ses genoux ; une fois encore leurs deux corps s'unirent, leurs bouches vissées l'une à l'autre, et toute la chair de la Belle s'éveillait au contact de celle d'Inanna, et son pubis s'électrisa dans sa danse lascive contre la favorite. La Belle téta, encore, les seins d'Inanna avec avidité, avec force, en s'accrochant à ses bras, pour ne pas la laisser s'échapper, même quand les sensations qui la traversaient la plongèrent dans un état second.

Enfin, la Belle sentit qu'Inanna était prête, et, sans ménagement, elle la repoussa en arrière sur les oreillers, lui écarta les jambes, et ouvrit son petit sexe, que l'on avait ainsi massacré. La moiteur vitale était bien là, ces sucs délicieux, au goût musqué, que la Belle put laper de sa langue, tandis que les hanches d'Inanna se soulevaient par vagues, avec brusquerie. « Oui, ma chérie », songea la Belle, et sa langue plongea dans la profondeur de son sexe, lui lécha le haut du vagin jusqu'à ce que les cris d'Inanna se fassent rauques et monocordes. « Oui, oui, ma chérie », et elle referma la bouche sur ces lèvres chétives, sa langue allant chercher les muscles de la petite cavité, plus profonds, plus fermes, pour les astiquer sans retenue.

Inanna se tournait et se débattait sous elle. Ses mains repoussèrent la chevelure de la Belle, mais pas avec assez de volonté pour déloger la tête de la Belle de la position qu'elle avait conquise, et la Belle, consacrée tout entière à sa tâche, força les hanches d'Inanna à se relever, repoussa son sexe vers l'arrière, et le lui suça avec plus de sauvagerie encore. « Oui, viens, livre-toi à la sensation, ma toute douce, pensa-t-elle, livre-toi à la sensation, dans le tréfonds de toi-même », et elle enfouit son visage dans les chairs humides et gonflées, en creusant avec sa langue, plus vite, plus profond, ses dents raclant le petit carré de peau scarifiée, à cet endroit où s'était trouvé le clitoris d'Inanna, jusqu'à ce qu'enfin la favorite arque les hanches, de toutes ses forces, et pousse un cri, sa bouche se convulsant violemment. La Belle était parvenue à ses fins. Elle avait triomphé. Et elle suça plus fort encore les chairs palpitantes, jusqu'à ce que les cris d'Inanna se muent presque en un hurlement ; la jeune femme s'écarta et s'enfouit le visage dans l'oreiller, le corps tremblant.

La Belle se redressa et se rassit. Son propre sexe était comme un fruit mûr, et traversé de pulsations, comme un cœur. Inanna restait étendue, immobile, le visage toujours caché, puis elle s'assit lentement et, l'air hébété, frappée de stupeur, elle dévisagea la Belle. Elle jeta ses bras autour du cou de la Belle, et lui couvrit la figure, le cou et les épaules de baisers.

La Belle accepta tout cela. Puis elle se laissa aller en arrière et s'allongea sur les coussins, laissant Inanna s'étendre à côté d'elle. Elle vint placer sa main entre les jambes de la favorite, et elle logea ses doigts à l'intérieur de son sexe.

« Eh bien, ce sexe-ci a plus de force que les autres, songea-t-elle. Et il n'y a eu personne pour le satisfaire. »

C'est seulement alors, comme elle se pelotonnait contre Inanna, qu'elle se rendit compte qu'elles pourraient bien être en danger, toutes deux. Il devait être interdit aux épouses de se conduire ainsi, interdit aux épouses d'être nues, excepté pour le Sultan, en sa compagnie.

Et la Belle ressentit une haine profonde pour le Sultan, ainsi qu'un désir soudain de quitter ce royaume et de regagner la terre de la Reine. Mais elle s'efforça de s'extraire cette pensée de l'esprit, pour goûter la pure excitation d'être allongée à côté d'Inanna, puis elle se remit à lui baiser les seins.

En fait, elle trouvait que les seins d'Inanna étaient la partie la plus délectable de sa personne, et elle commença de les pétrir tout en lui grignotant les tétons. Une nouvelle sensation d'abandon s'empara d'elle. Maintenant qu'elle était perdue dans ses propres désirs, elle ne cherchait plus tant à faire plaisir à Inanna, et sa bouche tiraillait sur le téton de la favorite, l'esprit à peine conscient de ce qu'Inanna s'était remise à remuer sous elle.

Elle écarta les jambes à califourchon sur la cuisse d'Inanna et, le clitoris brûlant de palpitations, pressa son sexe contre cette peau si douce. Suçant le sein d'Inanna, elle lui chevauchait la cuisse, et tout son corps se raidit, ses jambes enserrèrent Inanna, jusqu'à ce que, soudain, une vague d'orgasmes la submerge.

Lorsque ce fut terminé, le désir ne la laissa pas en paix. Elle se sentait sous l'emprise d'une fièvre. Le corps gorgé de sève d'Inanna et la douceur de son propre corps créaient une espèce de sensation inédite d'extase sans bornes, le rêve un peu vague et fou d'une nuit de plaisirs sans fin et de désirs accumulés.

Elle suça la langue d'Inanna, sa douceur l'enivra, l'embrassa et la tira de son engourdissement. Et, se rappelant confusément le spectacle de Lexius empalant Laurent sur son poing ganté, elle referma sa main en un nœud serré et la faufila par cette bouche brûlée vive, entre les jambes d'Inanna.

Mouillée comme auparavant, étroite, délicieusement étroite, l'ouverture lui enserra le poing et une partie du poignet, et les muscles intimes furent pris de palpitations avides contre ses chairs, ce qui l'excita plus encore. Et quand elle sentit la main fermée d'Inanna entrer en elle, elle connut à nouveau le plaisir si familier d'être remplie, son corps embrassant toutes ces sensations dans un mouvement d'impatience croissante. Elle besogna Inanna de son poing, et la favorite lui rendit la pareille ; le bras d'Inanna la pistonnait avec une brutalité qui s'exerçait presque comme une punition.

Lorsqu'elles jouirent, ce fut de concert, en gémissant l'une contre l'autre, leurs corps trempés de sueur et tremblants de pure extase.

Pour finir, la Belle s'allongea de nouveau sur le coussin et reposa là, le bras toujours enroulé autour de celui d'Inanna, ses doigts jouant avec ceux d'Inanna. Quand la favorite se redressa pour s'asseoir, la Belle n'ouvrit pas les yeux. Elle n'avait que vaguement conscience qu'Inanna l'examinait encore, qu'elle prenait son temps pour lui toucher les seins et les lèvres pubiennes, puis pour l'étreindre et la bercer dans ses bras, comme si la Belle avait été un objet précieux qu'elle ne devait plus jamais perdre : la clef de son nouveau royaume secret. Elle pleura encore, ses larmes s'écoulèrent sur le visage de la Belle, mais ces pleurs étaient tout de douceur et remplis, à n'en pas douter, de soulagement et de bonheur.

Le jardin des délices masculines

Récit de Laurent

Il me sembla qu'il s'était écoulé beaucoup de temps. J'étais agenouillé, silencieux, la tête inclinée, les mains écartées sur les cuisses, et ma queue était encore dressée. La lumière, dans la chambre, s'était assombrie. La fin de l'après-midi. Lexius, d'allure très sereine dans les tuniques qu'il avait revêtues, se tenait simplement là, debout, à me regarder. Était-ce la colère qui le figeait, ou la perplexité, je ne pouvais le démêler avec certitude.

Mais, quand finalement il traversa la pièce à grandes enjambées, je perçus toute la force de sa volonté, et sa faculté, là encore, à nous commander à tous deux.

Il m'entoura la queue de sa lanière et tira fort sur cette laisse, d'un coup sec, tout en ouvrant la porte. En moins de temps qu'il n'en fallut pour le dire, je me retrouvai à ramper derrière lui. Le sang me montait à la tête, à toute vitesse.

Au moment où, par les portes ouvertes, je vis le jardin, un faible espoir me traversa : peut-être n'allais-je pas subir de châtiment particulier. Le crépuscule tombait déjà, et les flambeaux accrochés aux murs venaient à peine d'être allumés. Les lampes suspendues aux arbres dispensaient leur lumière. Et les esclaves ligotés d'exquise façon, le torse luisant d'huile et la tête inclinée, avaient l'air bien tentants, ainsi que je m'y étais attendu.

Il y avait toutefois, dans ce tableau, une modification. Tous les esclaves avaient été affublés d'un bandeau. Leurs yeux étaient masqués de cuir doré. Et je m'aperçus qu'ils se débattaient dans leurs entraves, en gémissant imperceptiblement — et avec des mouvements qui témoignaient, plus que tout à l'heure, d'un surcroît d'abandon, comme si leurs bandeaux leur conféraient cette liberté.

J'avais rarement eu les yeux bandés. Je n'avais aucune idée sur la question — si ce serait bien ou mal, si cela m'inspirerait plus ou moins de crainte.

Dans les jardins, une foule de serviteurs, plus nombreux encore que tout à l'heure, s'affairaient à la tâche. Des coupes de fruits étaient disposées par terre. Je pouvais humer le bouquet du vin rouge qui s'échappait par le col des carafes.

Un petit groupe de valets fit son apparition. Le Maître, dont je n'avais plus entrevu le visage depuis que je l'avais embrassé, claqua des doigts, et nous nous avançâmes jusqu'au centre du bosquet de figuiers, à cet endroit que nous connaissions, et je vis Dimitri et Tristan, ligotés à leurs croix, tels que nous les avions laissés. Tristan avait particulièrement belle allure, avec ses cheveux d'or qui retombaient par-dessus son bandeau.

On étendit un tapis juste devant eux. Il y avait aussi la petite table où l'on avait posé le vin, ainsi que des calices disposés en cercle, et des coussins jetés çà et là. La croix vacante se dressait sur la droite de Tristan, juste devant le figuier. Lorsque je la vis, le sang battit dans ma tête avec un bruit de tonnerre.

Le Maître donna aussitôt une série d'ordres. Mais sa voix restait douce. Elle était exempte de colère. On me souleva, on me retourna la tête en bas, et on m'emporta jusqu'à la croix. Et immédiatement, je sentis que l'on m'attachait les chevilles aux extrémités de la traverse, la tête suspendue juste au-dessus du sol, la queue donnant contre le bois lisse.

Je vis le jardin qui s'étendait devant moi, à l'envers, et les serviteurs comme de simples taches aux couleurs brouillées qui se déplaçaient au milieu de la végétation.

Aussitôt que l'on m'eut fermement assujetti, on me releva les bras, à distance du sol, et on m'attacha les poignets aux crochets de cuivre qui retenaient les cuisses des autres esclaves. Puis je sentis que l'on me recourbait le dard en arrière, pour le placer dressé en l'air au-dessus de mon corps renversé, avant de le lier dans cette position, entre mes jambes, par de fines lanières de cuir qui m'entouraient les cuisses, et les maintenaient fermement. Etre dans cette position recourbée, et contre nature, ne faisait aucun mal à mon membre. Mais de la sorte, il se trouvait exposé, sans pouvoir rien toucher.

Tous mes liens furent doublés, par sécurité, les lanières de cuir bien resserrées, et l'on passa autour de ma poitrine, puis autour de la croix, une autre boucle de cuir bien solide, pour me stabiliser et m'imposer une complète immobilité.

En somme, j'étais la tête en bas, les pieds en l'air, fermement ligoté, jambes et bras écartés, et ma queue pointait en l'air. Le sang bourdonnait à mes oreilles, et cognait dans ma queue.

Je sentis le bandeau que l'on me passait autour de la figure — il était doublé de fourrure et très frais — et on me l'attacha derrière la tête, au moyen d'une boucle. Obscurité totale. Soudain, tous les bruits du jardin en furent amplifiés.

Des pas sur l'herbe. Puis la sensation, accentuée elle aussi, de mains qui m'oignaient le derrière d'huile, en le massant bien en profondeur, entre les jambes. Les bruits distants de poêles et de marmites, l'odeur des feux de cuisine.

Je tentai de bouger. J'éprouvai un besoin irrésistible de mesurer la solidité de mes liens. Je me débattis. Cela ne produisit aucun effet, sinon de me persuader qu'avoir les yeux bandés rendait ce traitement plus facile à supporter. Incapable de jauger l'effet visuel que je produisais, je me laissai gagner tout entier par un tremblement, et je sentis la croix vibrer légèrement sous moi, tout comme au village la Croix du Châtiment.

Cependant je ressentais une terrible honte à être ainsi attaché, tête en bas et pieds en l'air, et une honte non moins terrible à avoir les yeux bandés.

C'est alors que je sentis la lanière de cuir me cingler une première fois les fesses, par le travers. Elle retomba très vite une seconde fois, puis une autre, avec un claquement puissant ; cela rendait plus un bruit de cuir que celui de la chair que l'on frappe, et puis encore, un coup particulièrement cinglant, cette fois. Je sentais tout mon corps tressaillir. J'éprouvais de la reconnaissance pour ce qui m'arrivait là, enfin, et pourtant je redoutais ce que j'allais devoir endurer dans les moments qui suivraient. Et je concevais quelque amertume de ne point savoir si c'était ou non Lexius qui se livrait à cette séance de fouet. Était-ce lui, ou l'un de ses petits valets ?

Quoi qu'il en soit, j'appréciais cette séance de fouet. C'était l'épaisse lanière de cuir dont je n'avais pas cessé de mourir d'envie, depuis notre départ du village, la robuste lanière du châtiment dont j'avais

154

besoin. C'était la rossée dont j'avais rêvé chaque fois que ces fines badines délicates m'avaient taquiné la queue ou la plante des pieds. Et la raclée était splendide, car elle s'abattait à toute vitesse. Dans un accès de sublime abandon, je renonçai à toute résistance.

Même au village, sur la Croix du Châtiment, je ne m'étais pas si complètement livré. Sur la Croix, l'abandon n'était venu qu'avec l'accroissement de la douleur. Alors qu'à présent, pendu les yeux bandés, et désemparé, il survint sur-le-champ. Ma queue cognait et remuait dans ses entraves étroitement serrées, et la lanière me cinglait violemment les deux fesses en même temps ; elle s'abattait si vite qu'il semblait ne pas y avoir d'intervalle entre les coups, ou à peine, tout n'était plus qu'un châtiment ininterrompu, avec un bruit que je crus presque capable de me rendre sourd.

Je me demandais ce qu'avaient pensé les autres esclaves en entendant cela — s'ils en mouraient d'envie comme moi, ou s'ils redoutaient la chose. S'ils savaient quelle disgrâce c'était que d'être fouetté de la sorte, avec ce bruit, qui rompait le calme et la tranquillité du jardin.

Mais la correction continuait. La lanière de cuir virevoltait avec de plus en plus de violence. Et quand un cri s'échappa de ma gorge, je m'aperçus, pour la première fois, que je n'étais pas bâillonné. J'étais ligoté, j'avais les yeux bandés, mais point de bâillon.

Justement, il fut immédiatement remédié à cette petite omission. On me cala un rouleau de cuir tendre entre les dents, tandis que les coups de lanière continuaient. On m'enfonça le bâillon bien profond dans la bouche, au moyen d'attaches que l'on noua derrière ma tête, afin de le maintenir fermement en place.

Je ne sais pas pourquoi, cela m'annihila complètement. C'était peut-être la dernière entrave dont j'avais besoin et, sous cette accumulation d'entraves, je fus pris de furie, agité de soubresauts ; je me démenai sous la lanière de cuir qui cognait, je criai sous le bâillon, à pleins poumons, et je demeurai là, pendu, dans l'obscurité. L'intérieur du bandeau doublé d'une douce fourrure était humide et chaud, à force de larmes. Mes cris étaient étouffés, mais sonores. Je commençai à me débattre, traversé de mouvements cadencés, au rythme des coups. Je pouvais relever tout mon corps de quelques centimètres, et puis le relâcher. Je me rendis compte que si je me dressais de la sorte, c'était pour venir au-devant des raclées acharnées et ardentes de la lanière de cuir, avant de me laisser retomber, comme pour m'y dérober, et de me redresser encore.

« Oui, songeai-je, vas-y. Vas-y plus fort. Fouette-moi à fond pour ce que j'ai fait. Que l'éclat de la douleur se fasse plus vif, plus chaud. » Toutefois mes pensées n'avaient pas cette cohérence. Elles étaient comme un chant à l'intérieur de ma tête, composé de rythmes divers — la lanière de cuir, mes cris, le grincement du bois.

Arrivé à un certain stade, tandis que la séance se poursuivait, je m'aperçus que cela durait plus longtemps que toutes les corrections que j'avais jamais reçues. Les coups n'étaient plus aussi brutaux à présent. Mais j'étais si endolori que cela n'importait guère. De jolis coups de lanière, même administrés avec un rien de paresse, suffisaient à me faire gigoter et crier.

Et puis le jardin se remplit de voix. Des voix d'hommes. Je les entendais se rapprocher, rieurs et bavards. Je pouvais même percevoir, si j'écoutais très attentivement, le bruit du vin que l'on versait dans les calices. Je pus à nouveau humer le bouquet de ce nectar. Et sentir l'herbe verte juste au-dessous de ma tête, les fruits, le fumet capiteux de la viande rôtie et de douces épices aromatiques. Cannelle et volaille, cardamome, bœuf.

Ainsi donc le banquet se préparait. Et la correction se poursuivait toujours, les coups pleuvaient, mais de plus en plus lentement.

La musique avait débuté. J'entendis le frottement sourd des cordes pincées, le martèlement des tambourins, puis la sonorité liquide des harpes et le son perçant et peu familier de trompes que je fus incapable de nommer. Cette musique avait quelque chose de dissonant, d'inhabituel, de délicieusement étrange.

Mon postérieur me cuisait de douleur. Et la lanière de cuir jouait avec lui. Je connus un long moment où je fus capable de sentir chaque centimètre de mon derrière incandescent, et puis il y eut le fracas de la lanière de cuir — le temps d'un instant, d'une bouffée, je fus chauffé à blanc. Je pleurai. Je me rendis compte que cela pourrait durer ainsi toute la soirée. Et je ne pouvais rien y faire, rien d'autre que pleurer, mais en vain.

« Mieux vaut encore cela, songeai-je, que d'être parmi les autres. Mieux vaut cela, attirer leur regard de la sorte, tandis qu'ils dînent, boivent et rient tous ensemble, et peu importe qui ils sont... plutôt que d'être réduit à l'état de simple pièce d'ornement. Oui, être le disgracié, de nouveau, celui que l'on châtie. Celui qui détient la force d'une volonté. »

Et je me débattis violemment sur la croix, j'en aimais la force, j'aimais ne pas pouvoir la faire basculer au sol, et sentir la lanière de cuir s'abattre à nouveau plus violemment, plus vite, mes cris jaillir plus fort, et plus misérables.

Finalement, les coups diminuèrent. Ils se firent taquins. La lanière de cuir jouait sur toute la panoplie de petites marques, marbrures et griffures qu'elle m'avait laissées dans les chairs. Le petit refrain qu'elle jouait là ne m'était pas inconnu.

Il se mêlait à l'autre musique, la musique de ceux qui détenaient le pouvoir, et qui m'inondait les sens. Mentalement, je sortis de cette scène, aussi exquise fût-elle, pour ramener à moi d'autres instants, d'autres scènes, et souder le passé immédiat à ce présent étourdissant. Le contact des lèvres de Lexius — pourquoi ne l'avais-je pas appelé Lexius, et pourquoi ne l'avais-je pas obligé à m'appeler Maître ? Ce serait pour la prochaine fois —, le contact de son petit anus étroit quand je l'avais violé. Je savourai tout cela, et la lanière de cuir, paresseusement, ravivait mes chairs qui me cuisaient doucement, pendant que le banquet se poursuivait à grand bruit.

J'ignorais combien de temps s'était écoulé. Je savais seulement, comme je l'avais su dans la cale du navire, qu'il s'était produit un changement. Les hommes se levaient, se déplaçaient. La lanière de cuir, à présent, me cueillait par surprise. Elle me laissait en repos, puis elle venait me cingler. J'étais si endolori qu'un grattement d'ongle aurait suffi à me faire gémir. Je sentais le sang affluer en fourmillements sous les marbrures de ma peau, et ma queue dansait sous les lacets de cuir. Les voix, dans le jardin, se firent plus fortes, plus avinées, plus débridées.

Un vêtement m'effleura le dos, la tête, tandis que des hommes passaient. Puis soudainement, on me souleva la tête, on me retira le bandeau, et je sentis que l'on dénouait les liens de mes chevilles, de mes poignets et de ma poitrine, tout cela simultanément.

Par peur de tomber, ou d'être lâché, tout mon corps se tendit.

Mais les valets me remirent promptement d'aplomb, et je me retrouvai debout dans l'herbe, avec un Seigneur du désert devant moi. Naturellement, je n'eus ni le bon sens ni le réflexe de me discipliner pour éviter de le regarder. Il portait une coiffe arabe de lin blanc, des tuniques sombres couleur lie-de-vin, et, comme il me souriait, ses yeux étincelaient, en contraste avec son visage austère tanné par le soleil. Mon regard ahuri semblait tout simplement l'amuser. Or, d'autres Seigneurs à la mise toute semblable se pressèrent à ses côtés. Subitement, on me fit me tourner, sans ménagement. Et une main puissante pinça mes fesses endolories. Il y eut des rires. On me gifla la queue, on me releva le menton, on m'examina le visage.

Et tout autour de moi, je vis les esclaves que l'on descendait de leur croix. Dimitri, les yeux toujours bandés, était à quatre pattes sur l'herbe, en train de se faire proprement violer par un jeune Seigneur. Tristan était agenouillé devant un autre Maître, occupé à recevoir la queue de l'homme dans sa bouche, avec des mouvements vigoureux.

Mais plus intéressante encore fut la vision que j'eus de Lexius, qui se tenait debout à l'écart sous le figuier, et qui observait. Juste avant que l'on ne me fasse me retourner avec brutalité, une fois encore, nos yeux se croisèrent, une fraction de seconde.

Je souris presque, mais il eût été sot de se laisser aller à sourire. Mes fesses écarlates faisaient vraiment les délices de ces nouveaux Maîtres. Il fallait tous qu'ils les pincent, qu'ils en éprouvent la chaleur, qu'ils me voient agité de tressaillements. Je me demandais pourquoi ils n'avaient pas fouetté tous les autres esclaves également. Mais à peine cette petite réflexion m'était-elle venue en tête que j'entendis les lanières de cuir à l'œuvre sur les autres.

Le Seigneur au visage tanné me poussa par terre, à quatre pattes et, de ses deux mains, pétrit mes chairs endolories, pendant qu'un autre homme me saisissait par les bras et les plaçait autour de sa taille. Il ouvrit sa tunique. Sa queue était prête pour ma bouche, je la pris et, ce faisant, je songeai à Lexius. Entre-temps, derrière moi, une queue poussa contre mes fesses, les écarta, et fit son entrée.

Je me sentais transpercé aux deux extrémités, et d'autant plus excité à la pensée d'avoir Lexius pour témoin. Avec mes lèvres, je travaillais dur sur la queue délicieuse que j'avais en bouche, en me réglant sur le rythme de celle qui allait et venait en moi. La queue s'enfonça plus loin dans ma bouche, plus profond dans ma gorge, et à chaque poussée, l'homme derrière moi fessait mon derrière endolori, jusqu'à ce qu'enfin il gicle au-dedans de moi. Je verrouillai plus étroitement mes bras autour de l'homme que je suçais. Je le tétais de plus en plus fort, tandis que l'on me tirait à nouveau sur les fesses pour me les écarter, me les pétrir, me les pincer, et une autre queue, encore plus grosse, se glissa en moi.

Enfin, je sentis le fluide chaud et salé m'emplir la bouche, et la queue, après quelques derniers coups de langue, se retira en coulissant entre mes lèvres humides et serrées, comme si elle savourait ce mouvement tout autant que moi. Aussitôt, une autre prit sa place, tandis que l'homme derrière moi continuait d'écraser ses hanches contre moi.

Il me semble en avoir reçu encore une autre, et devant et derrière, avant que l'on me remette debout et que l'on me balance en arrière, les épaules empoignées par deux hommes qui me poussèrent la tête vers le bas, de sorte que je ne puisse rien voir d'autre que leurs tuniques ; un autre homme m'écarta les jambes pour me pénétrer aussitôt. Ses coups de boutoir m'ébranlaient tout le corps, et ma propre queue pompait dans le vide. Soudain, je sentis le voile frais d'une étoffe me couvrir le torse. Un autre homme m'avait enfourché. On me releva la tête et on la maintint pour qu'elle reçoive sa queue. Je tentai de libérer mes bras pour me retenir à ses hanches, mais ceux qui me tenaient ne le permirent pas.

J'étais toujours en train de sucer cette queue, avidement, affamé, d'une faim devenue aiguë, douloureuse, quand l'homme qui m'avait violé se retira, tout à fait satisfait, je crois, et je sentis la lanière de cuir me cingler les fesses, tandis que les hommes gardaient mes jambes écartées et relevées. On me fouetta violemment, mes vieilles contusions me cuisirent à nouveau, tant et si bien que je finis par gémir et me tordre, sans cesser de sucer cette queue — et je pouvais entendre les rires autour de moi. Je versai des larmes amères, à mesure que la douleur croissait. Les mains qui me retenaient les jambes raffermirent leur prise. Je m'accrochai à cette queue, en la besognant fiévreusement jusqu'à ce qu'elle jouisse, et je laissai ses fluides m'emplir la bouche avant de les avaler, de mon plein gré, avec lenteur.

On me retourna de nouveau, et j'aperçus brièvement l'herbe au-dessous de moi, et les sandales de ceux qui me tenaient suspendu en l'air. Après les coups de lanière, j'avais les fesses fumantes. Et, tandis qu'une nouvelle queue me pénétrait la bouche, et une autre l'anus, on me fouetta par le côté, la lanière s'enroula sur ces mêmes chairs que l'on venait de punir, puis elle vint me cingler le dos, et plus bas, la queue et les tétons. Lorsque le cuir se remit à me cingler la queue, j'étais hors de moi. Je remuai du postérieur contre l'homme qui me violait, et j'attirai l'autre queue plus profondément en moi.

Je n'avais désormais plus aucune pensée véritable. Je ne rêvais à aucun autre instant, hormis celui que j'étais en train de vivre, je ne songeais pas même à Lexius. Je baignais dans un mélange savamment dosé de douleur et d'excitation, en me raccrochant à l'espoir que mes Seigneurs et Maîtres pourraient, une fois un certain seuil atteint, souhaiter voir ma queue à l'œuvre.

Mais que leur fallait-il de plus pour en arriver là ?

Lorsqu'ils furent enfin satisfaits, on me permit de me mettre à quatre pattes et l'on m'enjoignit de rester sans bouger au milieu du tapis qui se trouvait étalé juste à côté de nous. J'aurais pu tout aussi bien être un animal, dont ils auraient cessé d'avoir besoin. Après quoi, les Seigneurs s'installèrent à nouveau en cercle. Ils s'assirent sur leurs coussins, les jambes croisées, et levèrent une fois encore leurs calices — mangèrent, burent, échangèrent des propos murmurés.

J'étais agenouillé là, tête baissée, comme on me l'avait enseigné, en essayant de ne pas regarder ceux qui m'entouraient. J'avais envie de chercher Lexius des yeux, de voir à nouveau cette silhouette familière au milieu des arbres, de vérifier qu'il observait la scène. Mais tout ce que je pus distinguer, ce furent les ombres obscures qui m'entouraient. Je vis le reflet de leurs tuniques magnifiques, la lueur acérée du regard de ces hommes, j'entendais leur voix s'élever, et puis mourir.

J'étais haletant, et ma queue était vivace, à tel point que c'en était humiliant, car elle remuait contre ma volonté. Était-ce ainsi que les choses se déroulaient dans le jardin du Sultan ? De temps à autre, l'un des hommes tendait la main et me giflait la queue, ou agaçait mes tétons. Une indulgence, aussitôt suivie d'une pénitence. Un petit rire qui montait de leur groupe, ou une réflexion. La situation était maîtrisée, intime, à un degré intolérable. Dans l'incapacité de me protéger, je me tendis. Et lorsqu'on pinça mes bleus, je poussai un cri feutré, en veillant à garder la bouche close.

À présent, le jardin était plus calme. Mais les claquements des lanières punitives et les cris de plaisir, rauques et triomphants, me parvenaient encore.

Finalement, deux des valets firent leur apparition avec un autre esclave; ils m'empoignèrent par les cheveux, me tirèrent hors du cercle, et, dans le même temps, y poussèrent un autre esclave. Ils claquèrent des doigts pour me faire signe de les suivre.

La grande présence royale

Récit de Laurent

J'avançai à leur suite, en traversant la pelouse, heureux, à cet instant, de ne plus être le centre de l'attention. Pourtant, c'était agaçant, cette manière qu'ils avaient de chuchoter tous les deux, pour simplement se contenter, qui en me tapotant sur la tête, qui en me tirant un petit coup sur cheveux, de m'enjoindre gentiment d'avancer.

Le jardin était rempli de tous ceux qui festoyaient encore, et d'esclaves pantelants, exposés comme je l'avais été. Certains, parmi ceux que j'entraperçus, se trouvaient encore sur leur croix, ou bien on les y avait remontés, et la plupart d'entre eux se contorsionnaient et se débattaient avec violence.

Je ne vis pas trace de Lexius.

Bientôt nous atteignîmes une pièce brillamment éclairée qui donnait sur le jardin. Il y avait là des valets affairés au milieu de centaines d'esclaves. Des tables disposées ici et là étaient couvertes de menottes, de lanières de cuir, de paniers de bijoux, et autres instruments de jeu.

On me fit lever, et l'on choisit un phallus de bronze de belle taille qui, à l'évidence, m'était des-

165

tiné. Je me tins debout, interdit, à observer l'instrument que l'on était en train de huiler, en m'émerveillant de la minutie avec laquelle l'objet avait été sculpté, et de la manière magnifique dont l'extrémité circoncise, voire même la surface de la peau avaient été rendues. À la base, qui était évasée et arrondie, l'instrument était pourvu d'une boucle de métal, un crochet.

Tout à leur besogne, les valets ne levèrent même pas les yeux sur ma personne. Ils n'attendaient de moi que calme et acquiescement. Ils insérèrent le phallus, l'enfonçant bien tout au fond de moi, ils me fixèrent aux bras de longs bracelets de cuir, ils me les ramenèrent en arrière, en me forçant à bomber le torse, puis ils attachèrent étroitement ces bracelets au crochet placé à la base du phallus. J'ai des bras plutôt longs, même pour un homme de ma taille et, s'ils m'avaient lié par les poignets, cela aurait été plus confortable. Mais le bracelet était placé au-dessus de mes poignets, de sorte qu'une fois tout cela terminé, mes épaules étaient maintenues bien en arrière, et ma tête relevée.

J'aperçus dans cette pièce d'autres esclaves très musclés, à la peau luisante, que l'on menottait selon un procédé identique. En fait, il n'y avait ici que des esclaves de haute stature, puissamment bâtis, à l'exclusion de tous ceux qui possédaient une taille plus modeste, ou une complexion plus délicate. Ici, les queues étaient de grande taille, elles aussi. Et certains des esclaves avaient reçu de sévères corrections. Leur postérieur, écarlate, en témoignait.

Je tâchai de m'abandonner et d'accepter cette position qui me forçait à bomber le torse, mais la chose ne m'était pas facile. Le phallus de métal se faisait très durement sentir, il m'imposait véritablement une sensation de punition, en rien similaire à celle que m'avaient infligée les autres objets que j'avais connus, taillés dans le bois et gainés de cuir. Ce fut ensuite le tour d'un grand collier de cuir raide, que l'on boucla autour de mon cou, l'un de ces colliers où pendaient plusieurs lanières de cuir, longues, étroites, délicates. Il flottait sur moi, mais il était solide et rigide et, comme il reposait fermement sur mes épaules, il me forçait à tenir le menton levé très haut. Immédiatement, la longue lanière de cuir qui pendait dans mon dos — cela, j'étais à même de le sentir — fut étroitement bouclée au crochet du phallus. Deux autres lanières, qui couraient à partir d'un unique crochet disposé sur le devant du collier, me furent passées au-dessous de la poitrine, sous le corps, de part et d'autre des organes génitaux, pour être étroitement attachées à leur tour, par une autre boucle, à mon phallus.

Tout cela fut exécuté sommairement, à petits gestes brutaux, saccadés et efficaces, par les valets qui me flattèrent ensuite les fesses de quelques tapes et me firent me retourner pour une rapide inspection. Je trouvai ce traitement infiniment pire que la passivité commode à laquelle j'avais été réduit sur la croix. Et la manière, tout à fait impersonnelle, quoique exempte d'indifférence, dont ils me parcouraient des yeux ne faisait qu'intensifier un peu plus ce sentiment d'appréhension.

De nouveau, on me tapota les fesses, et ce simple contact me fit venir les larmes aux yeux, quoique cet attouchement fût bizarrement agréable. Le valet m'adressa un petit sourire réconfortant, puis me flatta aussi le bout de la queue d'un geste vif. Chaque fois que je respirais, le phallus me donnait l'impression d'aller et venir en moi. En fait, chacune de mes respirations imprimait un mouvement aux lanières de cuir qui couraient le long de ma poitrine, et ce mouvement faisait légèrement bouger le phallus. Je songeai à toutes les queues que j'avais accueillies à l'intérieur de moi, à leur chaleur, au bruit de coulisse qui allait de pair avec leur va-et-vient, et le phallus semblait se dilater, croître encore en dureté et en lourdeur, comme pour me rappeler tout cela, comme pour m'en punir, comme pour prolonger le plaisir.

Je repensais à Lexius, je me demandais où il pouvait bien être. Cette longue séance de fouet durant le banquet avait-elle été sa seule et unique revanche ? Je contractai les fesses, je sentis le rebord arrondi et froid du phallus et, sur tout le pourtour, les chairs à vif me picoter.

Les valets me huilèrent la queue, avec promptitude, comme s'ils souhaitaient éviter de la stimuler à l'excès, ou pire, de la récompenser. Lorsqu'elle fut luisante, ils me huilèrent le scrotum, tout en le massant avec une grande prévenance. Après quoi, le plus beau des deux, celui qui souriait le plus souvent, m'appuya sur les cuisses jusqu'à me faire légèrement replier les jambes, dans une position accroupie tout à fait malcommode. Il hocha la tête, et me donna une petite tape en signe d'approbation. Je jetai un coup d'œil alentour et je vis que les autres, eux aussi, se tenaient dans la même posture. Chacun des esclaves que j'entrevoyais avait le postérieur écarlate. Certains d'entre eux avaient également reçu des coups sur les cuisses.

L'idée s'empara de moi, et ce avec une clarté confondante, que dans cette posture censée, à proprement parler, illustrer le sens de la discipline et de la servilité, j'avais exactement la même allure que tous ces autres esclaves. Et, le temps d'un instant, tout mon être fut pris de faiblesse.

Ensuite, je vis Lexius sur le seuil de la porte, qui

me regardait. Il avait les mains croisées devant lui et les yeux mi-clos, avec une expression de gravité. L'excitation et le trouble que je ressentais redoublèrent, triplèrent d'intensité.

Quand il s'approcha, le visage me brûlait. Pourtant, je me tenais dans cette position accroupie, les yeux baissés, sans toutefois pouvoir baisser la tête, quelque peu surpris de la difficulté d'un geste si simple. Puni sur la croix, c'était facile. Je n'avais pas eu à me prêter à la punition. À présent, je m'y prêtais bel et bien. Et lui, il était là.

Sa main s'avança vers moi, et je pensai que, sûrement, elle allait encore me gifler, mais non, elle me toucha les cheveux, en les dégageant doucement de mon oreille. Ensuite, les valets lui remirent quelque chose. Je risquai un coup d'œil, et j'aperçus une paire de jolies pinces à tétons incrustées de pierreries, avec trois chaînettes très fines qui les reliaient.

Ma poitrine, bombée à cause de la position que l'on m'avait fait adopter, les épaules douloureusement tirées en arrière, me parut plus vulnérable. Les pinces furent bien vite en place, et je fus frappé d'une peur panique, car je ne pouvais les voir. Le collier me maintenait le menton trop haut. Je ne pouvais voir les trois chaînettes, qui devaient frémir entre les pinces, une pièce d'ornement humiliante qui allait réagir à chacune de mes respirations oppressées, comme un étendard réagit à la brise la plus faible, si faible qu'elle échappe à votre perception. Ces choses embrasèrent mon imagination — les pinces, les chaînettes. La sensation de pincement était un véritable supplice de Tantale.

Et puis Lexius était là, et j'étais redevenu son prisonnier attitré. Avec une tendresse proprement affolante, il posa la main sur mon bras, et me guida en direction de la porte. Je vis les autres esclaves

169

menottés, accroupis en file. Leurs visages, exhaussés par les colliers rigides, affichaient une singulière dignité. En dépit des larmes qui dégoulinaient et de leurs lèvres agitées de tremblements, leur être s'était enrichi d'une complexité nouvelle. Tristan était là, la queue aussi dure que la mienne ; les pinces et les chaînettes saillaient sur sa poitrine, comme elles saillaient, je ne le savais que trop, sur la mienne : la façon dont il était entravé magnifiait encore la puissance évidente de son corps.

Lexius me poussa dans la file derrière Tristan, et sa main gauche caressa affectueusement la chevelure de ce dernier. Lorsqu'il tourna toute son attention vers moi, pour coiffer mes cheveux avec encore un peu plus de soin, usant du peigne qu'il avait utilisé auparavant pour se coiffer, je me souvins de ses appartements, de notre chaleur à tous les deux, ensemble, de l'euphorie déconcertante qu'il y avait à être le Maître.

Entre mes dents, je chuchotai :

— N'aimerais-tu pas te trouver, là, dans cette file, avec nous ?

Ses yeux n'étaient qu'à quelques centimètres des miens, mais c'étaient mes cheveux qu'il regardait. Il poursuivait son ouvrage avec le peigne, comme si je n'avais pas parlé.

— C'est mon destin d'être ce que je suis, me répondit-il, ses lèvres d'une immobilité telle que ses paroles paraissaient venir tout droit de ses pensées. Et je n'y puis rien changer, pas plus que tu ne peux changer ton propre destin !

Il me regarda droit dans les yeux.

— Mais j'ai déjà changé le mien, répliquai-je avec un soupçon de sourire.

— Pas suffisamment, oserais-je dire ! (Il grinça des dents.) Veille à me faire plaisir, à moi, et au Sultan, sans quoi tu iras te languir sur les murs du jardin une année entière, je t'en fais la promesse.

— Tu ne me feras rien de tel, rétorquai-je en toute confiance.

Mais sa menace me frappa au cœur. Il recula avant que j'aie pu ajouter quoi que ce soit, la file se mit en marche, et je suivis le mouvement. Quand un esclave omettait de garder les jambes pliées en position accroupie, il recevait un petit coup de badine. Cette façon de marcher était des plus dégradantes, et requérait à chaque pas un mouvement d'acquiescement volontaire.

Nous nous dirigeâmes vers un chemin qui sillonnait le jardin par le milieu, nous l'empruntâmes sur une seule file ; tous ceux qui se trouvaient dans le jardin se levaient et venaient rejoindre ce sentier. Il y avait là bien du monde, qui nous regardait, nous montrait du doigt, nous adressait des gestes. Je trouvais cela, cette façon d'être livré en spectacle et contraint de défiler, aussi déplaisant que la manière dont nous avions été débarqués du bateau et conduits en ville.

Nombre d'autres esclaves se retrouvèrent une nouvelle fois montés sur les croix. Certains d'entre eux avaient eu la peau teintée d'or, d'autres d'argent. Je me demandais si l'on nous avait choisis pour notre taille ou en raison du degré de gravité du châtiment qui nous avait été infligé.

Mais quelle importance ?

Dans la même posture humiliante, nous remontâmes ce sentier, devant la foule qui se massait aux abords. Nous finîmes par nous arrêter et c'est alors que l'on nous sépara pour nous aligner des deux côtés du chemin, les uns en face des autres. Je pris position, avec Tristan en vis-à-vis. Je pouvais voir et entendre la foule alentour, mais personne ne nous toucha, personne ne nous tourmenta. Là-dessus, les valets descendirent le sentier, en nous tapant sur les cuisses pour nous faire nous accroupir en position bien plus basse. La foule parut se réjouir de ce changement de posture.

Les valets nous firent nous baisser aussi bas que possible sans nous faire perdre l'équilibre. Mes cuisses reçurent des coups de badine, encore et encore, alors même que je m'efforçais d'obéir. Je trouvais cela pire encore que le petit défilé. Et à chaque frisson qui me parcourait, je sentais les pincements des crochets de tétons.

Mais l'atmosphère d'attente se fit soudain plus aiguë. La foule, debout, nous surplombait et se massait pour se rapprocher, les tuniques nous effleuraient, et tous tournèrent les yeux en direction des portes du palais, sur ma gauche. Quant à nous, nous fixions le chemin du regard, droit devant.

Tout à coup, on sonna le gong. Tous les Seigneurs s'inclinèrent. Je savais qu'un personnage était en train d'approcher, sur le chemin. J'entendis des gémissements, des bruits feutrés et assourdis, à n'en point douter en provenance des esclaves. Des sons semblables montaient de tous les recoins du jardin. Et ceux qui se trouvaient à ma gauche se mirent à gémir, à se contorsionner, à supplier.

J'avais le sentiment que je ne saurais en faire autant. Mais je me souvenais des ordres que Lexius nous avait donnés, comment nous devions manifester notre flamme. Et je n'eus qu'à repenser à ces propos pour me retrouver subitement à la merci de ce que je ressentais véritablement — le désir qui palpitait dans mon dard, qui palpitait dans toute mon âme, et la sensation de ma désespérance et de la vilenie de ma situation. C'était le Sultan qui approchait, à n'en point douter, c'était lui, le Seigneur qui avait ordonné tout cela, qui avait enseigné à notre Reine comment entretenir des esclaves de plaisir, qui avait enfanté ce vaste dessein par lequel on nous réduisait fermement à l'état de victimes impuissantes de nos propres désirs, tout autant que du plaisir des autres. Et ce dessein, ici même, connaissait un achèvement bien plus complet, il était exécuté de manière bien plus théâtrale et efficace.

Une sinistre fierté me submergea, une fierté inspirée par ma propre beauté, ma force, et mon évident assujettissement. Un gémissement s'éleva de moi, né d'une passion sincère, et les larmes m'inondèrent les yeux. Tandis que je laissais mes émotions guider mon corps, je sentis les bracelets qui me retenaient les bras et, comme je laissais ma poitrine se gonfler, je me souvins du phallus de bronze au-dedans de moi. Je voulais que mon humiliation et mon obéissance soient reconnues, ne fût-ce qu'un instant. Or, obéissant, je l'avais été, en dépit de ma petite entreprise de conquête de Lexius. Obéissant, je l'avais d'ailleurs été en toutes choses. Et j'étais submergé par la honte délicieuse et l'envie désespérée de plaire, de gémir et d'ondoyer, sans résistance.

Il se rapprochait. Alors se matérialisèrent, dans l'angle de mon champ de vision noyé de larmes, deux silhouettes qui portaient, planté haut sur des perches, un dais orné de franges. Puis je vis la silhouette qui, d'un pas lent, marchait au-dessous de ce dais.

Un jeune homme, peut-être de quelques années le cadet de Lexius, appartenant à cette même espèce d'homme à l'ossature délicate et aux membres déliés, le corps d'allure très fluette sous les tuniques pesantes, la longue cape écarlate, des cheveux coupés court, tête nue.

Il passait en regardant de droite et de gauche. Les

esclaves pleuraient à voix feutrée, sans remuer les lèvres, mais leurs pleurs étaient sonores. Je le vis marquer un temps d'arrêt, tendre la main, examiner un esclave, mais je ne pus apercevoir l'esclave lui-même. La scène qui se déroulait semblait baignée de couleurs surnaturelles. Il s'avançait à présent vers l'esclave suivant, et celui-là je pouvais un peu mieux le distinguer — un esclave aux cheveux noirs, doté d'un dard immense, et qui pleurait amèrement. Puis il continua, cette fois ses yeux passèrent de notre côté du chemin, et je sentis mes sanglots se figer dans ma gorge. Et s'il ne nous remarquait pas ?

Ses tuniques étaient nettement ajustées, cela, désormais, j'étais en mesure de le voir ; ses cheveux, bien plus courts que ceux des autres, formaient comme un sombre halo autour de sa tête, et son visage exprimait la vivacité. Hormis cela, je n'eus pas loisir de l'étudier plus avant. Personne n'avait à me rappeler qu'il serait impardonnable de lever le regard sur lui.

Il se tourna vers l'autre côté du chemin, et pourtant il était presque devant moi. Je pleurais sans retenue. Je vis alors qu'il regardait Tristan. Et voici à présent qu'il parlait, sans que je pusse distinguer à qui il s'adressait. J'entendis Lexius, qui se tenait derrière lui, lui répondre. Il s'avança, et tous deux conversèrent. Sur quoi, Lexius claqua des doigts. Et Tristan, toujours dans sa misérable position accroupie, fut contraint de marcher à la suite de Lexius.

Ainsi, au moins, Tristan avait-il été distingué du lot. Voilà qui était bien. Ou du moins le croyais-je, jusqu'à ce que je comprenne que moi, je ne le serais peut-être pas. Le Sultan nous tournait le dos, et des larmes me coulèrent sur la face. Aussitôt, je le vis s'approcher. Je sentis sa main dans mes cheveux. Et ce fut comme si ce simple contact portait jusqu'à l'incandescence l'angoisse et le désir qui couvaient en moi.

C'est alors, en plein dans ce moment terrible, qu'une étrange pensée me vint à l'esprit. Toute la douleur de mes cuisses, le tremblement de mes muscles endoloris, et même l'endolorissement de mon postérieur qui me démangeait — tout appartenait à cet homme, le Maître. Cela lui appartenait et ne revêtirait pleinement son sens que si cela avait l'heur de lui plaire. Lexius n'avait nul besoin de me parler pour me le faire comprendre. La foule, toujours inclinée, le rang des esclaves désemparés, menottés, ce dais somptueux et ceux qui le soutenaient, et tous les rituels du palais — tout visait à me le faire comprendre. Et ma nudité, en cet instant, me parut aller bien au-delà de l'humiliation. S'il fallait que je sois livré en spectacle, alors la position malcommode où j'étais semblait parfaitement adéquate, et la palpitation qui parcourait mes tétons et ma queue me paraissait on ne peut plus appropriée.

La main s'attarda. Les doigts me brûlaient la joue, rattrapaient mes larmes, effleuraient mes lèvres. Un sanglot s'échappa de moi, alors même que je gardais les lèvres closes. Les doigts vinrent tout contre elles. Oserais-je baiser ces doigts ? Tout ce que je vis, ce fut le pourpre de sa tunique. Le chatoiement de sa babouche rouge. Puis je lui donnai ce baiser, et les doigts demeurèrent là, se blottirent, repliés, immobiles et chauds, contre ma bouche.

Quand j'entendis sa voix, ce fut comme dans un rêve, et la douce réponse de Lexius suivit comme en écho. La badine me tapota les cuisses. Une main recueillit ma tête, me tourna. Je me déplaçai, en conservant ma position accroupie, et dans un éclair de lumière, je revis le jardin tout entier. Je vis le dais avancer, je vis ceux qui, derrière le Sultan, portaient les perches, je vis Lexius suivre, à la hauteur du Seigneur, puis Tristan, dont la silhouette était auréolée d'une dignité effrayante. On me fit prendre place aux côtés de Tristan. Nous poursuivîmes notre chemin, nous faisions désormais partie de la procession, tous les deux ensemble.

La chambre royale

Récit de Laurent

Il me semblait que nous étions dans le jardin depuis une heure. Mais il pouvait aussi bien ne s'être écoulé que le quart de ce temps. Et, quand nous nous retrouvâmes aux portes du palais, je fus très surpris de voir qu'aucun autre esclave n'avait été choisi. Naturellement, au palais, nous n'étions guère plus que des nouveaux venus. Peut-être était-il donc dans l'ordre des choses que l'on nous place d'abord en observation. Je l'ignorais. J'étais seulement soulagé qu'il en soit ainsi.

Et tandis que nous suivions le Seigneur dans le corridor — il avait toujours le dais au-dessus de sa tête —, une vingtaine de domestiques à sa suite, songer à ce que l'on allait désormais nous demander m'inspirait plus de soulagement que de crainte.

Mes cuisses me faisaient mal et mes muscles étaient parcourus de tressaillements incontrôlables, du fait de la position accroupie. Nous pénétrâmes dans une vaste chambre à coucher, au décor grandiose. Et sur-le-champ, en guise de salut à notre Maître, s'élevèrent les gémissements étouffés des esclaves qui ornaient la pièce. Ils étaient postés dans des niches aménagées dans les murs. Et ligotés aux montants du lit. Et, dans le bain, un peu plus à l'écart, leurs corps encerclaient le robinet de pierre d'une haute fontaine.

On nous fit arrêter et attendre au centre de la pièce. Lexius se rendit jusqu'au mur du fond et se tint là, les mains derrière le dos et la tête inclinée.

Les valets du Sultan lui retirèrent cape et babouches et, visiblement, il se détendit ; il renvoya ses serviteurs d'un geste désinvolte. Il se détourna et fit les cent pas, comme s'il lui fallait reprendre une profonde inspiration après la tension accumulée lors de cette procession cérémonielle. Il n'accordait pas la moindre attention aux esclaves dont les gémissements se faisaient plus feutrés, plus effacés, comme si quelque étiquette s'y appliquait.

Le lit derrière lui était dressé sur une estrade, drapé de voiles blancs et pourpres, et tendu de couvertures ornées de motifs de tapisseries en relief. Les esclaves ligotés aux piliers se tenaient debout, les bras liés loin au-dessus d'eux, certains orientés vers l'extérieur du lit, d'autres vers l'intérieur, ce qui, à l'évidence, leur permettait de voir le Maître dans son sommeil. J'avais la vision brouillée, et je leur trouvais une allure identique à ceux que j'avais vus dans les corridors — pareils à des statues. Comme je n'osais ni tourner la tête ni poser le regard sur aucun objet, je ne pouvais pas même déterminer si ces esclaves étaient des hommes ou des femmes.

Même chose pour le bain : tout ce que je pouvais y voir, c'était une immense piscine remplie d'eau, au-delà d'une rangée de fines colonnes émaillées, et debout autour de cette piscine, le cercle des esclaves, l'eau jaillissant vers le plafond et retombant en gouttelettes sur leurs épaules et leur ventre. Des hommes et des femmes, dans ce cercle, il y en avait, je le voyais bien, et leurs corps mouillés reflétaient la lumière des flambeaux : tout cela était du plus bel effet.

Au-delà, les fenêtres en arcades s'ouvraient sur la lune, la brise légère et les bruits paisibles de la nuit.

Je me sentais baigné de chaleur et tendu comme la corde de l'arc. En fait, peu à peu, je me rendis compte que j'étais terrorisé. Car, je le savais, toutes les scènes intimes comme celle-ci m'avaient toujours terrifié. Je préférais le jardin, la croix, voire même la procession, et cette horrible séance d'examen en public. Tout, plutôt que le silence de cette chambre, prélude aux plus profonds tourments de l'âme et à l'assujettissement le plus complet.

Que se passerait-il si je ne comprenais pas les commandements du Seigneur, ses désirs les plus évidents ? Des vagues d'excitation me submergèrent, me frappèrent au plus loin, et me laissèrent en proie à une immense confusion.

Pendant ce temps, le Seigneur parlait à Lexius. Et sa voix me parut familière et pleine de chaleur. Lexius répondait avec un évident respect, mais avec la même expression chaleureuse. Il nous désigna du doigt, mais lequel de nous deux, cela, je fus incapable de le deviner ; il avait l'air d'expliquer quelque chose.

Le Seigneur était amusé. Il se rapprocha, puis il étendit les deux mains, et nous toucha la tête, à tous deux, simultanément. Il me frotta le sommet du crâne avec rudesse, affectueusement, comme si j'étais un bon petit animal qui lui donnait satisfaction. La douleur dans mes cuisses empirait. Et j'avais l'impression que mon cœur était en train de s'ouvrir. Je me tenais en équilibre, je humais le parfum qui émanait de ses tuniques, et je savais — exquise certitude — que Lexius était satisfait : il était présent, et tout se passait selon ses vœux. En comparaison, nos autres jeux semblaient d'une insignifiance proprement navrante. Sur le chapitre de mon destin, il avait raison ; il avait raison sur le chapitre du destin en général. Et je pouvais m'estimer heureux de ne pas avoir gâché le mien.

Lexius m'avait contourné pour passer derrière moi et, sur le commandement du Seigneur, il agrippa mon collier et me souleva jusqu'à ce que je fusse debout, bien droit. Un soulagement certes bienvenu pour mes jambes — même si, pour sa part, Tristan fut prié de garder la position — toutefois, je me sentais soudain plus vulnérable, plus visible.

On me fit me retourner et j'entendis le Sultan rire tout en parlant. Je sentis une main palper mon postérieur endolori. Elle joua avec le rebord arrondi du large phallus. Une sensation de honte me prit par surprise et m'inonda. Tout en me faisant courber la tête, Lexius me fouetta les genoux. Je gardai les jambes raides comme des piquets, je baissai la tête et la poitrine, autant que faire se pouvait. Mais j'avais les bras liés au phallus, ce qui m'empêchait de me courber très bas. J'étais donc simplement penché.

Les mains examinèrent mes contusions. Mon sentiment de honte s'aggrava. Mais ces rougeurs, ces preuves que j'avais reçu le fouet, cela ne signifiait en aucun cas — n'est-ce pas ? — que je m'étais montré désobéissant. D'autres esclaves avaient subi le fouet, juste pour le plaisir. Et, de toute évidence, cela lui plaisait. Sans quoi, pourquoi toucherait-il, pourquoi commenterait-il ? Quoi qu'il en soit, je me sentais petit et misérable, mes larmes jaillirent à nouveau, et quand je sentis un petit sanglot se nouer au-dedans de moi, ma poitrine se contracta, toutes mes lanières se tendirent, et mes bras menottés tirèrent sur le phallus. Cela me fit sangloter encore un peu, en silence ; tout n'était plus que sensation... Ses doigts me séparèrent les fesses, comme pour mieux voir mon anus, et puis toucher la toison que j'avais là, pour la lisser.

Il parlait toujours à Lexius, sur un ton leste et plaisant. Je me rendis compte qu'au palais de la Reine, au moins, l'esclave n'aurait rien ignoré de ce qui se disait là. Or, cette langue étrangère nous excluait complètement. Il se pouvait que je sois le sujet de leur conversation. Il se pouvait aussi qu'elle traitât d'un tout autre sujet.

Quoi qu'il en soit, Lexius me fouetta le menton du bout de sa badine, d'un geste taquin. Je me redressai. Il me fit me retourner en me maniant par le crochet du phallus, jusqu'à ce que je fisse face aux bains. À ma droite, je vis le Sultan, sans toutefois le regarder.

Lexius me fouetta les chevilles, quatre ou cinq coups secs et rapides, et je me mis à avancer au pas, dans l'espoir d'agir convenablement, après quoi je le vis pointer sa badine en direction de l'alignement de colonnes le plus distant, et je marchai d'un pas rapide, en direction de cette colonnade, non sans ressentir à nouveau, du fait des lanières et des menottes, ce curieux mélange de dignité et d'humiliation.

J'entendis son claquement de doigts quand j'atteignis les colonnes, et je me retournai, le visage empourpré, puis je reculai, et je vis les contours faiblement marqués, embués, des deux silhouettes en tuniques, là-bas, qui me regardaient.

Je marchai vite, en levant haut les jambes, et tout ce petit manège eut l'effet le plus prévisible. Je me sentais plus esclave que tout à l'heure, plus encore que sur le sentier. Lexius me fouetta et pointa le doigt pour que je me retourne et que je réédite ma petite marche. Et je m'exécutai, en pleurant à chaudes larmes, en silence. J'espérais les satisfaire. Je traversai la pièce pour revenir sur mes pas, et il m'apparut que ce serait chose terrible si mes larmes venaient à être interprétées comme une impertinence, comme un défaut de soumission. Ces pensées m'effrayèrent tant que j'en pleurai plus encore, avant de m'immobiliser, face à eux. Je regardai droit devant moi, sans rien voir d'autre que les moulures des murs, là-bas dans le fond, les spirales, les feuilles d'acanthe, toute une dentelle de formes et de couleurs.

La main du Sultan s'éleva jusqu'à mon visage pour cueillir la rosée de mes larmes, comme tout à l'heure sur le sentier. Ma gorge se contracta sous le haut collier, sous l'effet des sanglots répétés. Il toucha ma poitrine nue, sa main glissa de mes tétons brûlants jusqu'à mon nombril, et je crus que j'allais être incapable d'endurer la douceur de tout ceci, cet accroissement affolant de la tension. S'il en venait à me toucher la queue, je savais que cela pourrait bien me faire perdre toute maîtrise de ma personne. Et cette seule pensée produisit en moi des gémissements désemparés.

Mais la badine me poussa vivement de côté. On m'enjoignit de me remettre en position accroupie, et ce fut maintenant au tour de Tristan de se redresser, et de se pencher en avant.

Je fus quelque peu stupéfait de m'apercevoir que j'avais tout loisir de tourner les yeux droit sur le Sultan sans qu'il le remarque. À cause du collier, je ne pouvais baisser la tête. Et lui, il était là, debout, sur ma gauche, grandement absorbé par Tristan. Je décidai, ou plutôt je ne pus résister à la tentation de l'étudier.

Je découvris un visage juvénile — exactement comme je m'y étais attendu — qui n'avait rien de plus extraordinaire ou de plus mystérieux que celui de Lexius. Son pouvoir ne s'appuyait sur aucune manifestation de fierté ni d'orgueil. Il laissait cela à des personnages moins éminents. Bien plutôt, il émanait de lui une extraordinaire présence, un éclat. Il souriait, tout en pétrissant les fesses de Tristan et en jouant avec le phallus de bronze : à l'évidence il le faisait aller et venir au moyen du crochet pendant que Tristan se tenait sagement penché en avant.

Puis Tristan fut invité à se lever, et le visage du Sultan revêtit une expression charmante : il appréciait la beauté de Tristan. En somme, il avait l'air d'un homme plaisant et élégant, à l'esprit vif, et qui, à l'occasion, savait trouver de l'agrément à ses esclaves. Ses cheveux épais et coupés court étaient magnifiques, plus soyeux que ceux de la plupart des hommes en ces lieux, et ils étaient coiffés en arrière, dégageant ainsi ses tempes, avec des mèches en vagues du plus bel effet. Ses yeux étaient marron et, en dépit de leur vivacité, un rien pensifs.

En quelque autre lieu inoffensif, j'aurais pu aimer cet homme instantanément. Mais à l'instant présent, devant cette humeur enjouée, face à cette évidente bonne nature, je me sentis plus faible, plus abandonné. Cette faiblesse, je ne la comprenais pas pleinement. Mais je n'ignorais point qu'elle avait un lien avec ce qu'il exprimait, et avec le fait qu'il trouvât en nous un profond agrément, et que cela semble si naturel.

Au château de la Reine, il y avait, en toute chose que l'on faisait, un soupçon de volonté. Là-bas, nous étions de sang royal. Le fait de servir devait accroître notre valeur. Ici, nous étions privés de nom, nous n'étions rien.

Lorsque Tristan fut invité à marcher au pas, le visage du Sultan s'éclaira, car apparemment Tristan sut s'exécuter infiniment mieux que moi. Il y mettait plus de dignité, plus de caractère. Ses épaules étaient nettement penchées en arrière, dans une position, me semblait-il, plus cruelle encore que la mienne, parce que ses bras étaient un peu plus courts que les miens et lacés plus serrés sur le phallus.

J'essayai de ne pas voir. Tristan accomplissait tout cela trop bien. Et mon désir monta, jusqu'à atteindre une cadence impressionnante qui me mit à la torture.

Assez vite, Tristan se vit invité à revenir s'accroupir à côté de moi. À présent, nous étions tous deux tournés face à la colonnade et au bain ; on nous fit mettre à genoux, tous les deux ensemble.

Quand Lexius nous montra une balle dorée, mon cœur se serra. Je compris le jeu. Mais si nous ne pouvions nous servir de nos mains, comment allions-nous pouvoir rapporter cette balle ? Je frémis à la seule pensée de notre gaucherie. Le jeu appartenait précisément à cette sorte d'exercice d'intimité que j'avais redouté dès notre entrée dans cette chambre à coucher. Il était déjà assez déplaisant d'être l'objet d'un examen public ; à présent, voilà que nous allions devoir nous évertuer à offrir un divertissement.

Aussitôt, Lexius envoya la balle rouler sur le sol, et, à genoux, Tristan et moi nous précipitâmes derrière elle. Tristan prit la tête, devant moi, et plongea pour la rattraper avec les dents. Il y parvint sans chuter. Et soudain je compris que j'avais échoué. Tristan avait vaincu. Il ne me restait rien d'autre à faire que de me presser de rejoindre nos Maîtres, là-bas, où Lexius, déjà, était en train de reprendre la balle de la bouche de Tristan, tout en lui caressant les cheveux, d'un geste approbateur.

À moi, il me lança un regard furieux et, quand je m'agenouillai devant lui, sa badine fouetta mon ventre nu. J'entendis le rire du Sultan, tout en gardant les yeux baissés, ne voyant que le sol luisant devant moi. Lexius me fouetta la poitrine, les jambes. Je tressaillis, une fois encore les larmes jaillirent. Il nous força à faire demi-tour, pour nous placer en position de concourir à nouveau l'un contre l'autre et, une fois encore, on lança la balle. Et cette fois, je me précipitai vraiment à sa poursuite.

Tristan et moi nous ruâmes en nous démenant, au coude à coude, chacun essayant de repousser l'autre sur le côté, et la balle s'immobilisa devant nous. Je parvins à m'en saisir, mais il me prit par surprise en me l'arrachant de la bouche, et se retourna aussitôt pour la rapporter au Maître.

J'étais dans un état de rage silencieuse. On nous avait donné l'ordre à tous deux de satisfaire le Sultan, et maintenant, pour ce faire, il nous fallait nous battre l'un contre l'autre ; l'un de nous deux allait vaincre, l'autre perdre. Voilà qui me semblait d'une bestiale injustice.

Mais tout ce que je pouvais faire, c'était de revenir vers nos Seigneurs pour recevoir à nouveau les coups de cette petite badine haïssable, qui, à peine me fus-je agenouillé, immobile, en larmes, trouva cette fois le chemin des chairs endolories de mon postérieur.

La troisième fois, j'eus la balle, et quand Tristan essaya de me la reprendre, je le repoussai. Et la quatrième fois, ce fut à nouveau Tristan qui l'attrapa, ce qui me mit dans tous mes états. À la cinquième joute, nous étions tous deux à bout de souffle, nous avions oublié toute notion de grâce, et je pus entendre le léger rire du Sultan, quand il regarda Tristan me voler la balle, et moi qui le suivais en trébuchant. Cette fois, je redoutais la badine, quand elle cingla mes marbrures, et je pleurais misérablement lorsqu'elle s'abattit, fendant l'air de longs coups brutaux et rapides en sifflant, tandis que Tristan, lui, se tenait agenouillé, pour recevoir des marques d'approbation.

Alors le Sultan fit une chose qui me retourna les sens : il se rapprocha et me toucha le visage. La badine cessa. Et, dans un moment d'exquise immobilité, ses doigts de soie essuyèrent mes larmes, une fois encore, comme s'il en aimait le contact. Et puis survint cette sensation chaude et charmante : mon cœur s'ouvrait à nouveau, comme il s'était ouvert sur le sentier du jardin, à cette sensation d'appartenir à cet homme. Je pensais avoir fait de mon mieux pour plaire. Simplement, j'étais plus lent, moins agile, que Tristan. Les doigts du Seigneur s'attardaient. Et quand sa voix s'éleva, pour s'adresser à Lexius sur un débit rapide, je sentis qu'elle me touchait, elle aussi, qu'elle me caressait, qu'elle me possédait et me tourmentait avec une parfaite autorité.

Dans un brouillard, je vis la badine de Lexius tapoter Tristan, pour l'inviter à se tourner et à s'approcher du lit, à genoux. On m'ordonna de suivre, mais le Sultan marchait à ma hauteur, et je sentis sa main jouer encore avec ma chevelure, en la faisant passer par-dessus le collier.

Je ressentais une douleur sourde de désir. Toutes mes facultés s'y noyaient. Je vis les corps attachés aux quatre montants du baldaquin — tous des beautés, des femmes tournées vers l'intérieur du lit, de manière à faire face au Seigneur dans son sommeil et des hommes tournés vers l'extérieur, tous remuant dans leurs liens, comme en réponse à l'arrivée du Maître. Ma vision se fit encore plus trouble, si bien que le lit ne m'apparaissait plus comme un lit, mais bien plutôt comme un autel. Les motifs de tapisserie qui ornaient les couvertures se changèrent en miniatures.

Nous nous agenouillâmes au pied de l'estrade. Lexius et le Sultan se trouvaient derrière nous. Il y eut le doux bruissement des vêtements qui tombaient par terre, de l'étoffe que l'on défait, de pièces de métal que l'on dégrafe.

La silhouette nue du Sultan pénétra dans mon champ de vision. Il posa le pied sur l'estrade, le corps chatoyant, tant il était lisse, propre, vierge de la moindre marque, et il s'assit sur le côté du lit, face à nous.

Je m'efforçais de ne pas regarder son visage. Mais je pus le voir sourire. Son organe était en érection, et ce me semblait une chose considérable de le voir nu, dans ce monde où la nudité était réservée à tant d'individus subalternes. La badine tapota Tristan, l'invita à se mettre debout et à monter sur le dais, puis à s'allonger sur le lit. Le Sultan se retourna pour le regarder, et moi, je brûlais tout à la fois de terreur et d'envie. Mais immédiatement ce fut mon tour, la badine me convoqua, et je quittai ma position agenouillée pour me lever, je fis un pas, et baissai les yeux sur les couvertures où Tristan s'était allongé, comme s'il était une somptueuse victime que l'on allait immoler en offrande sanglante. Mon cœur battait fort, à m'assourdir les oreilles. Je regardai sa queue, et je laissai mes yeux glisser timidement vers la droite, jusqu'à apercevoir les genoux nus de mon Maître, et son organe qui se dressait au-dessus de l'ombre de sa toison noire : ma foi, l'attribut était assez acceptable.

La badine me tapota l'épaule. Elle me toucha le menton et pointa vers le lit, pour me désigner la place juste devant la queue de Tristan. Je m'avançai lentement, non sans hésitation, mais les instructions étaient claires. Je devais m'étendre à côté de lui, face à lui, avec la tête à hauteur de sa queue, et ma queue à hauteur de sa tête. À présent, mon cœur battait à toute vitesse.

Sous moi, la couverture était d'un contact rêche ; bizarrement, l'épaisse broderie offrait sous ma peau une texture semblable à celle du sable. Et les menottes se rappelaient cruellement à moi. Afin de parvenir à adopter la bonne posture et à me coucher sur le côté, il me fallut me démener comme une pauvre chose dépourvue de bras : voilà qui était embarrassant, car je me sentais à présent à l'égal d'une victime ligotée. Et j'avais, tout près des lèvres, la queue de Tristan. Je savais ses lèvres tout près de mon organe, elles aussi. Je me contorsionnais, sous l'emprise des menottes, contre cette couverture râpeuse, et je sentis ma queue toucher Tristan mais, avant que j'aie pu m'écarter, une main se posa derrière ma tête et m'enjoignit de m'avancer. Je pris la queue luisante dans ma bouche et, au même instant, je sentis la bouche de Tristan se refermer sur moi.

Le plaisir m'engloutit complètement. Je descendais sur cette queue, les lèvres serrées, ma langue jouait sur toute sa longueur, ma bouche la savourait, et le simple fait que l'on suçait ferma ma propre queue m'éleva dans les airs, me fit échapper à la divine pénitence des dernières heures.

J'avais conscience d'ondoyer, de tirer sur mes menottes, et que chaque mouvement de ma tête sur cette queue me donnait un peu plus l'air d'une pauvre âme luttant vainement sur l'autel de ce lit, mais cela n'importait guère. L'important, c'était de sucer cette queue et d'être happé par la bouche délicieuse et ferme de Tristan, et de pouvoir perdre ainsi tous mes esprits. Quand, enfin, je jouis, en lui assenant d'irrépressibles coups de boutoir, je sentis ses sucs me nourrir comme si j'en avais été sevré de toute éternité. Il me sembla que nos deux corps basculaient sous l'effet de nos forces conjuguées et de nos gémissements étouffés.

Puis je sentis des mains nous séparer. On me fit m'étendre sur le dos, les bras ligotés au-dessous de moi, on me força à relever la poitrine et à laisser retomber la tête en arrière, les yeux mi-clos. Je ne pouvais voir mes pinces de tétons, comme de juste. Mais je pouvais les sentir, ainsi que les chaînettes sur ma poitrine, je les sentais comme s'il se fût agi de pics montagneux exposés à la vue de tous.

Après quoi, je me rendis compte que le Sultan me souriait. Les yeux marron, les lèvres lisses, il se rapprochait, de plus en plus. Il donnait l'impression d'être d'ascendance divine, et de n'arborer une apparence humaine que par accident. Il s'agenouilla, à quatre pattes au-dessus de moi.

Et ses lèvres vinrent au contact des miennes. Ou, pour être plus fidèle à la vérité, elles vinrent au contact de l'humidité qui mouillait mes lèvres. Puis il m'ouvrit la bouche et sa langue plongea loin au fond de moi, pour laper la semence de Tristan, qui était encore sur ma langue et au fond de ma gorge. Comprenant alors son désir, je lui ouvris ma bouche, baisant tout en étant baisé, et désireux de sentir tout le poids de son corps, même si cela devait blesser mes tétons prisonniers. Mais cela, il me le refusa, non sans voltiger au-dessus de moi.

Je savais que l'on était en train de changer Tristan de place. Que Lexius était tout près. Mais j'étais incapable de penser à rien, sauf à ce baiser, au reflux de mon désir, comme il se devait après un orgasme, et à sa renaissance si précoce que c'en était exquis et douloureux à la fois.

Désormais ce n'était plus à proprement parler un baiser. Ma bouche, sous la pression de la sienne, s'ouvrait plus largement encore à sa langue, il en lapait la semence, il l'en nettoyait, véritablement, et chacun de ses petits coups de langue m'excitait.

Lentement, à travers cette brume de sensations ravivées, je m'aperçus que Tristan se tenait posté derrière lui, en surplomb. Je le sentis peser de tout son poids contre moi. Son corps offrait le même contact que celui de Lexius, un corps choyé et soyeux, fort mais délié. Ses doigts me parcoururent la poitrine, défirent les pinces de tétons. Celles-ci glissèrent de côté, avec leurs chaînettes, et on les emporta. Sa poitrine, qui reposait contre ma peau endolorie, la fit palpiter délicieusement.

Tristan était au-dessus de lui, le regard posé sur mon visage. Ses yeux rayonnants et bleus. Lorsque le Sultan gémit, je compris que Tristan l'avait pénétré. J'en éprouvai le poids.

Mais le Sultan ne cessa pas de chercher ma bouche avec sa langue, de forcer mes mâchoires à s'écarter. Tristan butait contre lui, le poussait contre moi... Ma queue se dressa entre les cuisses du Sultan, et là, elle sentit ses chairs douces, imberbes, protégées.

Quand Tristan jouit, je lançai une série de ruades, caressant les cuisses tendues du Sultan de mes coups, je poussai à nouveau de toutes mes forces, pour atteindre l'orgasme, et je sentis ses cuisses se serrer l'une contre l'autre pour me prendre en tenaille. Je jouis, en gémissant, alors même que la langue du Sultan poursuivait sa besogne, me lapant les dents, me lapant sous la langue, me léchant les lèvres avec lenteur.

Ensuite il se reposa un petit moment, son bras sous ma nuque. J'étais couché au-dessous de lui, ligoté et sans défense, et je laissai le plaisir mourir lentement.

Là-dessus, il s'étira. Il se leva, revigoré, prêt à recommencer, et c'est alors qu'il m'enfourcha. Nous nous regardâmes ; son visage était presque celui d'un jeune garçon, avec cette mèche de cheveux noirs qui lui retombait dans les yeux. Je vis Tristan, assis sur la gauche, qui nous regardait. D'un geste ferme, le Sultan me repoussa, pour me signifier que je devais me retourner sur le ventre. Et je m'exécutai, non sans effort.

Il se leva pour me laisser la place de bouger, et je sentis les mains de Lexius me venir en aide. Je me retrouvai couché sur le ventre, et je sentis que l'on m'ôtait mes bracelets de cuir. Mes épaules se relâchèrent. Mon corps tout entier s'amollit contre la couverture. Le dur phallus de bronze me fut retiré, et, tandis que je restais couché, immobile, mon anus brûlant tel un anneau de feu, sa queue humaine, trop humaine, se glissa à l'intérieur de moi, vint alimenter ce feu et le faire croître. Je gardai mes mains sur les côtés. Je fermai les yeux. Et mon derrière endolori se releva, afin de recevoir tout son poids, de pleinement percevoir la cadence de son mouvement de bascule.

J'étais dans un état d'étourdissement plus parfait encore que tous ceux que j'avais connus auparavant. Et qu'il soit en train de m'utiliser, qu'il soit sur le point de se vider en moi, voilà qui me comblait d'une douceur irréelle ; en outre, je savais quelque chose de lui, quelque chose d'intéressant, quoique cela n'eût pas réellement d'importance : il désirait les sucs des autres hommes. Cela expliquait pourquoi les Seigneurs, dans le jardin, avaient été autorisés à user de nous, et pourquoi les valets ne nous avaient pas lavés avant de nous enfiler ces phallus.

Voilà qui m'amusait. Nous avions été purgés, puis remplis de sucs masculins. Et après être venu me manger dans la bouche, il me forait lentement le derrière en cherchant le chemin de l'extase, le corps scellé à mes chairs râpées et marbrées de contusions. Il prit son temps, et je revis, dans un charmant défilement d'images brouillées, le jardin, la procession, son visage souriant, je revis, dans le désordre, toutes ces pièces de la mosaïque qui composaient la vie au palais du Sultan.

Avant qu'il en ait terminé avec moi, Tristan l'avait monté de nouveau. Je perçus le surcroît du poids de son corps et j'entendis le Sultan gémir, avec une discrète intonation de supplication.

D'autres leçons secrètes

Récit de Laurent

Tristan et le Sultan étaient couchés, enlacés, sur le lit, tous deux nus, et ils s'embrassaient, leurs bouches se repaissant l'une de l'autre avec lenteur.

En silence, Lexius m'adressa un geste, pour me signifier de me retirer. Je le regardai tirer les rideaux tout autour du lit et diminuer l'intensité des lampes.

Je sortis ensuite de la chambre, à quatre pattes, en me demandant pourquoi je redoutais tant d'avoir déçu Lexius, de n'avoir pas été choisi pour rester ici, au lieu de Tristan.

La chose paraissait de l'ordre de l'impossible. Tristan et moi avions tous deux reçu l'ordre de plaire, et puis on nous avait opposés l'un à l'autre. Aurait-il pu se faire que l'on nous demande de rester tous les deux ?

Dans la pénombre du corridor, Lexius claqua des doigts, à mon intention, pour que j'ouvre la marche, et vivement. Sur tout le chemin du retour vers le bain, il me fouetta durement, en silence. À chaque tournant, dans les corridors, j'espérais qu'il ralentirait le pas. Ce qu'il ne fit point. Et, au moment où je fus livré aux valets, j'étais encore traversé d'élancements de douleur, et je pleurais doucement.

Mais alors tout ne fut plus que prévenance, à l'exception de la séance de purge, qui fut très soignée. Lorsqu'on m'oignit d'huile, en frottant pour faire pénétrer, tandis que le massage apaisait mes jambes et mes bras douloureux, je glissai dans un profond sommeil, loin de tous les rêves et de toutes les pensées à venir.

Quand je me réveillai, j'étais étendu par terre sur une paillasse. Dans la pièce, il y avait des lampes allumées. Je savais que j'étais dans la chambre de Lexius. Je me retournai sur le dos et reposai ma tête dans mes mains, en regardant autour de moi. Lexius se tenait debout à la fenêtre, il regardait dehors, le jardin plongé dans l'obscurité. Il portait sa tunique, mais je pouvais discerner qu'elle flottait, la ceinture absente, probablement ouverte sur le devant. J'avais l'impression qu'il chuchotait, tout à ses pensées. Je ne pouvais distinguer les mots qu'il prononçait. Tout aussi bien, il aurait pu être en train de chanter.

Il se retourna et découvrit avec stupeur que je le regardais. Ma tête reposait sur mon coude droit. Sa tunique était ouverte, et en dessous, il était nu. Il approcha, dos à la pâle lumière qui filtrait par la fenêtre.

— Personne ne m'a jamais fait ce que vous m'avez fait, chuchota-t-il.

Je ris doucement. J'étais dans ses appartements, sans menottes, et lui, dans le plus simple appareil, me disait cela, à moi.

— Comme cela est fâcheux pour vous, fis-je. Priez-m'en, et il se pourrait que je recommence. (Je n'attendis pas sa réponse. Je me levai.) Mais d'abord, dites-moi : avons-nous plu au Sultan ? Étes-vous satisfait ?

Il recula d'un pas. Je compris que j'aurais pu l'acculer au mur, rien qu'en avançant sur lui. Voilà qui était par trop divertissant.

— Vous lui avez plu ! lâcha-t-il, le souffle un peu court.

Et comme il était beau cet homme félin, d'une beauté fragile, un peu comme la dague avec laquelle combattent les peuples du désert — une simple ligne, gracieuse et légère, quoique mortelle.

— Et vous, cela vous a-t-il plu ?

Je m'avançai un peu plus près, et encore une fois il recula.

— Vous posez de sottes questions, fit-il. Il y avait une centaine de nouveaux esclaves sur le sentier du jardin. Il aurait pu tout à fait vous négliger. Or il faut bien reconnaître qu'il vous a choisis tous les deux.

— Et maintenant, moi, je vous choisis, vous, fis-je. N'êtes-vous pas flatté ?

Je tendis la main et saisis une mèche de ses cheveux. Il frissonna.

— S'il vous plaît, dit-il doucement.

Il baissa le regard, de manière plutôt irrésistible, songeai-je.

— S'il vous plaît quoi ? demandai-je.

Je le baisai au creux de la joue, puis sur les yeux, en les forçant à se fermer sous mes baisers. Tout se passait comme s'il avait été ligoté, menotté, sans aucune liberté de mouvement.

— S'il vous plaît, soyez aimable, répondit-il.

Puis il ouvrit les yeux, et ses bras m'enlacèrent, comme s'il était incapable de se maîtriser davantage. Il m'embrassa et me serra fort, tel un enfant égaré. Je lui baisai le cou, les lèvres. Je laissai courir mes mains sous sa tunique et le long de son dos mince, et j'aimai le contact de sa peau, son odeur, le lustre de sa chevelure contre moi.

— Naturellement, je vais être aimable, lui ronronnai-je à l'oreille. Je vais être très aimable... quand cela me chantera.

Il s'effondra à genoux, et prit ma queue dans sa bouche; tout son corps en était affamé. Je restai debout, immobile, je le laissai aller et venir sur elle, de haut en bas, je laissai sa langue et ses dents se consacrer à la tâche, la main posée sur ses épaules.

— Pas si vite, mon jeune ami, fis-je doucement. (Repousser sa bouche me fut un supplice. Il me baisa le bout de la queue. Je le dégageai de sa tunique et le fis se lever.) Posez vos bras autour de mon cou et tenez-vous bien, fis-je.

Il obéit, je lui levai les jambes et les enroulai autour de ma taille. Ma queue vint cogner contre son derrière écarté, et j'entrai en lui d'une seule poussée, ses fesses calées au creux de mes paumes, ses bras m'empoignant plus étroitement, sa tête penchée sur mon épaule. Je me tenais debout, jambes écartées, je l'enfilai de toutes mes forces, et son corps me chevauchait en cadence, mes doigts pinçaient, griffaient ces chairs qu'auparavant j'avais fouettées.

— Après que j'aurai joui, lui chuchotai-je à l'oreille, en lui pétrissant le derrière, je vais aller prendre ta lanière de cuir et te fouetter encore, te fouetter si fort que toute la journée, sous tes belles tuniques, tu vas sentir les marques que j'aurai laissées, tu sauras que tu es un esclave, tout autant que ces êtres auxquels tu commandes, et tu sauras qui est ton Maître.

Sa seule réponse fut un autre baiser, un baiser qui s'attarda, alors que je me déversais en lui.

Je ne le fouettai pas si fort. Après tout, il n'était guère plus qu'un novice. Mais je le fis ramper tout autour de la pièce, je lui ordonnai de me laver les pieds avec sa langue et d'arranger les coussins sur le

lit, pour moi. Après quoi je m'assis et je le fis s'agenouiller à côté de moi, les mains derrière la nuque,
comme on avait dressé les esclaves du château à le
faire.

J'examinai le résultat de mon ouvrage, et je jouai
un peu avec sa queue, en me demandant s'il avait
apprécié les aiguillons du désir et de la faim. Je lui
fouettai la queue avec la lanière. Elle était si injectée
de sang, si sombre, que la lumière de la lampe la
rendait presque violette. Son visage était tourmenté
de belle façon, les yeux pleins de souffrance,
absorbé par ce qui était en train de lui arriver.
Lorsque je le regardai dans les yeux, je ressentis un
tiraillement bien singulier, quelque chose de rare, et
de fort, très différent de cette faiblesse qui m'avait
envahi tout entier quand j'avais posé le regard sur le
Sultan.

— Maintenant, nous allons parler. Et vous allez
commencer par me dire où est Tristan.

Cette question le frappa de stupeur, comme de
juste.

— Il dort, répondit-il. Le Sultan l'a relâché voici
une heure environ.

— Je veux que vous l'envoyiez chercher. Je veux
lui parler, et je veux le voir vous prendre.

— Oh, je vous en prie, non... fit-il.

Il se mit à terre, pour me baiser les pieds. Je dou-
blai la lanière et lui en frappai la face.

— Tu veux avoir des marques sur la figure,
Lexius ? demandai-je. Mets les mains derrière la
nuque, et tiens-toi bien quand je te parle.

— Pourquoi me faites-vous ça à moi ? gémit-il.
Pourquoi faut-il que vous exerciez votre vengeance
sur moi ?

Ses yeux étaient si grands, si beaux. Je ne pus
m'empêcher de me pencher sur lui et de le baiser,
pour sentir sa bouche chaude sucer la mienne.

197

L'embrasser, ce n'était nullement comme embrasser un autre homme. Il imprégnait ses baisers de tout ce qui émanait de son âme en fusion. Avec ses baisers, il disait des choses — plus même qu'il n'en avait conscience, soupçonnai-je. J'aurais pu l'embrasser un long moment, car cela seul suffisait à me procurer des éruptions de plaisir.

— Je ne fais pas cela par vengeance, dis-je. Je le fais parce que j'apprécie de vous faire ces choses, et parce que vous en avez besoin. À la vérité, vous le réclamez, c'est un fait. Vous aimeriez vous trouver à quatre pattes à nos côtés. Vous savez bien que vous aimeriez ça.

Il fondit en larmes, silencieusement, en se mordant la lèvre.

— Si je pouvais vous servir toujours...

— Oui, je sais. Mais vous ne pouvez choisir celui que vous allez servir. C'est là l'embûche. Il faut que vous vous livriez de vous-même à l'idée de servir. Il faut vous rendre à cela... Chaque vrai Maître, ou chaque vraie Maîtresse, devient à lui seul tous les Maîtres et toutes les Maîtresses.

— Non, je ne puis le croire.

J'eus un rire feutré.

— Il faudrait que je m'enfuie et que je vous emmène avec moi. Il faudrait que j'endosse l'une de vos élégantes tuniques, que je me noircisse la figure et la chevelure, et que je vous emmène avec moi, nu en travers de ma selle, comme je le disais tout à l'heure.

Il tremblait, il mordait au langage que je lui tenais, il s'en enivrait. En fait d'éducation, de punition et de discipline, il savait tout mais ce savoir était celui d'un maître ; comme esclave, il avait tout à apprendre.

Je lui relevai le menton. Il avait envie que je me

remette à l'embrasser, ce que je fis, lentement, tout en priant pour que ce baiser ne m'amène pas, tout à coup, à me sentir son esclave. Je laissai courir ma langue sur l'intérieur de sa lèvre inférieure.

— Faites quérir Tristan, dis-je. Faites-le venir ici. Et si vous prononcez encore une seule parole de protestation, je le laisserai vous fouetter à son tour.

S'il ne perçait pas à jour ce petit stratagème, c'est que, non content d'être beau, il était également sans cervelle.

Après qu'il eut sonné la cloche, il se rendit à la porte et attendit. Sans prendre la peine d'ouvrir cette porte, il donna un ordre. Il se tenait debout, les bras croisés, la tête inclinée, l'air égaré, comme s'il avait besoin d'un Prince beau et fort pour combattre les dragons de sa passion et le sauver de la destruction. Comme c'était touchant. Assis sur le lit, je le dévorais des yeux. J'aimais la courbe de ses pommettes, la ligne fine de ses mâchoires, la manière qu'il avait de passer successivement par toutes les attitudes de l'homme, du garçon, de la femme et de l'ange, à force de gestes variés et de menus changements d'expression.

Un coup frappé à la porte le fit sursauter. De nouveau, il parla. Il écouta. Puis il tira le verrou, fit un signe, et Tristan entra à genoux, les yeux sagement baissés. Lexius verrouilla la porte derrière lui.

— Dorénavant, j'aurai deux esclaves, lançai-je en me levant. Ou bien est-ce vous qui avez deux esclaves, Lexius. Il est difficile de trancher cette situation dans un sens ou dans l'autre.

Tristan leva les yeux sur moi, me vit nu sur le lit, puis, parfaitement déconcerté, il lança un coup d'œil à Lexius.

— Viens ici, viens t'asseoir avec moi. Je veux te parler, dis-je à Tristan. Et vous, Lexius, agenouillez-vous ici, comme tout à l'heure, et tenez-vous tranquille.

Voilà qui résumait assez la situation, pensai-je. Tristan prit toutefois un instant pour encaisser la chose. Il considéra le corps nu du Maître, puis me regarda. Il se leva, me rejoignit sur le lit, et s'assit à mes côtés.

— Embrasse-moi. (Pour le guider, je posai la main sur son visage. Un baiser agréable, plus vigoureux mais moins intense que les baisers de Lexius, qui pour sa part était en train de s'agenouiller, juste derrière Tristan.) Maintenant tourne-toi et embrasse notre Maître si délaissé, là.

Tristan obéit, en passant un bras autour de Lexius, et celui-ci s'abandonna au baiser, un peu trop complètement à mon goût. Peut-être était-ce fait pour me vexer ?

Quand Tristan se retourna vers moi, ses yeux me questionnèrent ouvertement. J'ignorai sa question.

— Dis-moi ce qui s'est passé après que l'on m'a congédié. As-tu continué à donner du plaisir au Sultan ?

— Oui, répondit Tristan. C'était plutôt comme un rêve — être choisi, et pour finir se retrouver allongé à ses côtés. Il y avait en lui quelque chose de si tendre. Il n'est pas vraiment notre Maître. Il est notre Souverain. C'est tout à fait différent.

— Juste, dis-je en souriant.

Il avait envie de poursuivre, mais encore une fois il jeta un œil sur Lexius.

— Ne t'occupe pas de lui. Il est mon esclave, il n'attend que ma volonté, et dans un moment je te laisserai le faire tien. Mais d'abord parle-moi. Es-tu content, ou bien éprouves-tu encore du chagrin à la pensée de ton ancien Maître, là-bas, au village ?

— Je n'ai plus aucun chagrin, fit-il, puis il changea de sujet. Laurent, j'étais désolé de devoir te vaincre...

— Ne sois pas sot, Tristan. C'était ce que l'on attendait de nous, et j'ai perdu car je ne pouvais vaincre. C'est aussi simple que cela.

Il regarda de nouveau Lexius.

— Pourquoi le mets-tu à la torture, Laurent ? demanda-t-il, sur un ton légèrement accusateur.

— Je suis heureux que tu sois content, répliquai-je. Je ne saurais le dire. Et si le Sultan ne te fait plus jamais demander ?

— Cela n'importe guère, vraiment, répondit-il. À moins, naturellement, que cela n'importe à Lexius. Mais Lexius n'exigera pas de nous l'impossible. Nous avons été remarqués, c'est ce qu'il souhaitait.

— Et tu seras tout aussi heureux ? m'enquis-je.

Tristan réfléchit un instant avant de me répondre.

— Il y a, en ces lieux, quelque chose de très différent, fit-il enfin. L'atmosphère est chargée d'une autre perception des choses. Je ne m'y sens pas perdu comme je l'étais, voilà si longtemps, au château, quand je servais un Maître timide qui ne savait pas s'y prendre pour me punir et me discipliner. Et je ne suis pas non plus condamné au village, dans l'opprobre, en cet endroit où j'avais besoin de mon maître Nicolas pour me tirer du chaos et pour sculpter ma souffrance. Je fais partie d'un ordre plus élevé, plus sacré. (Il guetta mon expression.) Vois-tu ce que je veux dire ?

Je hochai la tête et, d'un geste, je l'invitai à poursuivre. Il était clair qu'il avait plus à dire, et toute sa physionomie me laissait entendre qu'il disait la vérité. La détresse que j'avais vue sur son visage, durant tout ce temps où nous avions été en mer, s'était désormais bel et bien évanouie.

— Le palais est un engloutissement, fit-il,

comme l'était le village. En fait, ce palais l'est infiniment plus. Mais ici, nous ne sommes pas de méchants esclaves. Nous faisons bel et bien partie d'un monde immense au sein duquel notre souffrance est offerte à notre Seigneur et à sa Cour, qu'il daigne ou non le reconnaître. Je trouve en cela qu'il y a quelque chose de sublime. C'est comme si j'étais parvenu à un autre degré de connaissance.

Encore une fois, je hochai la tête. Je me souvenais de mes sensations, dans le jardin, quand le Sultan m'avait fait sortir du rang. Mais ce n'était là qu'une petite part des maintes et maintes choses que je pouvais ressentir, et que je ressentais en effet, à cause de cet endroit, et de ce qu'il advenait de nous. Or, dans cette pièce, avec Lexius, il se passait quelque chose d'inédit.

— J'ai commencé de le comprendre, continua Tristan, tout d'abord quand nous avons été sortis du bateau, et portés dans les rues, pour y être montrés aux gens du commun. Et cela m'est pleinement apparu quand j'ai eu les yeux bandés et que l'on m'a ligoté dans le jardin. En ces lieux, nous ne sommes rien, rien d'autre que des corps, rien d'autre que le plaisir que nous donnons, rien, que notre faculté à manifester nos sensations. Tout le reste s'en est allé, et il ne saurait être question de songer à rien d'aussi personnel, oui, personnel, que les séances de fouet sur la Roue, en public, au village, ou à l'apprentissage de tous les instants, fait pour nous enseigner la passivité et la soumission, que nous avons connues au château.

— C'est juste, répondis-je. Mais sans votre vieux Maître, Nicolas, sans son amour, tel que tu l'as décrit, n'est-on pas livré à une terrible solitude...

— Non, reprit-il avec franchise. Dès lors qu'ici nous ne sommes rien, nous sommes tous liés les uns aux autres. Au village et au château, nous étions séparés par la honte, par les humiliations et les châtiments individuels. Ici, nous sommes réunis dans l'indifférence de notre Maître. Et dans cette indifférence, c'est de nous tous que l'on prend soin et j'estime que l'on nous traite plutôt bien. C'est à l'égal de ces motifs qui ornent les murs de ces lieux. Ce ne sont pas des images d'hommes et de femmes, comme tu en trouves en Europe. Ce ne sont que fleurs, spirales, motifs répétitifs qui suggèrent un continuum. Et nous faisons partie de ce continuum. Etre remarqué par le Sultan, le temps d'une nuit, être jaugé — voilà tout ce que nous pouvons, tout ce que nous devons espérer. C'est comme si le Seigneur faisait halte dans le corridor, qu'il posât le doigt en un point de la mosaïque, sur le mur. Il pose son doigt sur ce motif à l'instant où le soleil l'illumine. Mais ce motif-là est en tout point semblable aux autres, et, dès qu'il poursuit son chemin, il se fond de nouveau dans le dessin d'ensemble.

— Quel philosophe tu fais, Tristan ! Tu m'impressionnes.

— Tu ne ressens pas les choses ainsi ? Qu'il existe, ici, un vaste ordre des choses, c'est plutôt excitant, non ?

— Oui, cela, je suis capable de le ressentir.

Son visage s'assombrit.

— Alors pourquoi bouleverses-tu l'ordre, Laurent ? me demanda-t-il. (Il regarda Lexius.) Pourquoi as-tu infligé cela à Lexius ?

Je souris.

— Je ne bouleverse pas l'ordre, rectifiai-je. Je me contente purement et simplement de lui donner une dimension secrète qui, à mes yeux, le rend plus intéressant. Penses-tu que notre Seigneur Lexius ne pourrait se défendre tout seul, si tel était son choix ?

Il pourrait appeler son armée de valets, mais il s'en abstient.

Je sautai du lit. Je retirai les mains de Lexius de derrière sa nuque et lui tordis les bras dans le dos, les poignets fermement tenus à hauteur de son postérieur. En somme, je le ligotai exactement comme nous l'avions été avec les bracelets et le phallus. Je le fis lever et le forçai à se pencher en avant. Je dus reconnaître qu'il se montrait absolument docile, malgré ses larmes. Je lui baisai la joue, et il se radoucit, plein de reconnaissance, mais sa queue, elle, ne mollit pas.

— Maintenant, notre Seigneur a besoin d'être puni, dis-je à Tristan. N'as-tu jamais éprouvé ce besoin ? Fais donc preuve d'un soupçon de compassion. Dans ce royaume-là, il est tout bonnement un débutant. Ce n'est guère facile, pour lui.

Les larmes ruisselaient sur le visage de Lexius, magnifiquement. La lumière jouait sur ses larmes. Mais quand il leva les yeux sur Lexius, une autre lumière baignait le visage de Tristan. Il se dressa, à genoux sur le lit, et plaça ses mains des deux côtés du visage de Lexius. L'expression de Tristan était empreinte d'amour et de compassion.

— Regarde son corps, fis-je doucement. Tu as vu des esclaves plus forts, des esclaves plus musclés et mieux bâtis, mais observe la qualité de cette peau.

Les yeux de Tristan glissèrent lentement sur lui, et Lexius pleurait en silence.

— Les tétons, remarquai-je. Ce sont ceux d'une vierge. Ils n'ont jamais été fouettés, jamais été crochetés par des pinces.

Tristan les examina. « Très jolis », admit-il. Il regarda Lexius avec soin, et joua avec ses tétons, avec juste un brin de rudesse.

Je pouvais sentir la tension s'emparer de Lexius,

ses bras se raidir sous mon emprise. Je les lui tirais plus fort en arrière, en le forçant à bomber la poitrine.

— Et la queue. Elle est de bonne taille, d'une bonne longueur, ne trouves-tu pas ?

Tristan l'inspecta du bout des doigts, comme il l'avait fait des tétons. Il en pinça le bout, la gratta un peu avec ses ongles, fit courir sa main tout du long.

— Je dirais que cet esclave est d'aussi bonne qualité que nous, murmurai-je, en me rapprochant de l'oreille de Lexius.

— Juste, approuva Tristan, avec beaucoup de sérieux. Mais il est trop virginal. Quand on a usé d'un esclave, une fois qu'on l'a bien travaillé, le corps est, d'une certaine manière, mis en valeur.

— Je sais. Si nous le travaillons chaque fois que l'occasion s'en présente, nous pourrons le rendre parfait. D'ici à ce que l'on nous renvoie chez nous, il sera un aussi bon esclave que nous.

Tristan sourit.

— Quelle pensée charmante. Que ce secret aspect des choses est charmant.

Il baisa la joue de Lexius. Je pouvais voir toute la gratitude que mettait Lexius dans ses manières, et comme Tristan était attiré par lui, voir et percevoir le courant qui passait entre eux.

— Oui, répondis-je. Le secret aspect des choses est charmant. Ici, j'ai trouvé mon amant, comme toi, au village. Et mon amant, c'est Lexius. Et je crois que je l'aimerai d'autant plus dans un petit moment, quand il me punira et m'éduquera comme il le doit, et quand un autre jour se lèvera sur ces lieux, un jour où il sera de nouveau le Maître.

La queue de Tristan était dure, et ses yeux un rien fiévreux lorsqu'ils vinrent se poser sur Lexius.

— J'aimerais le fouetter, proposa-t-il tranquillement.

— Naturellement, dis-je. Tourne-toi, Lexius.

Je lui laissai les bras libres.

— Penche-toi et place tes mains en bas, derrière tes jambes, ordonna Tristan. (Il descendit du lit, de manière à pouvoir se tenir debout derrière Lexius, en le faisant se tourner dans la bonne position.) Rassemble tes couilles et tiens-les protégées avec tes mains, et bien ramenées en avant.

Lexius obéit, en se cassant en deux. Je me tenais debout à côté de lui. Tristan ajusta la position de son derrière, puis il lui écarta un peu plus les jambes. Il me prit la lanière de cuir, et il la fit cingler avec force, fouettant Lexius sur la fente du postérieur très exactement.

Lexius tressaillit. Je fus un peu surpris moi-même du caractère froidement délibéré de ce geste. Mais il était clair que Tristan n'allait pas gâcher cette occasion. Il donnait l'impression d'être le contraire de ce Maître qu'il avait eu jadis et qui n'avait pas su le manier.

Il fouetta Lexius de nouveau, de la même manière et, prenant encore plus de recul, il fit virevolter la lanière en l'air, la fit claquer sur l'anus et le sillon des fesses, et même sur les doigts de Lexius, qui protégeaient son scrotum. Lexius était incapable de demeurer impassible. Mais la séance de fouet se poursuivit, s'installa dans une jolie cadence. Lexius pleurait, son derrière se relevait et retombait en même temps qu'il se débattait, la lanière de cuir claquait encore et encore les chairs tendres qu'il avait entre l'anus et son scrotum relevé.

Je fis le tour pour venir me poster devant Lexius et je lui relevai le menton.

— Regarde-moi dans les yeux, dis-je.

Les coups de fouet continuaient, dans un style très méthodique, très soigné. C'était encore mieux que je

ne l'avais espéré. Lexius se mordait la lèvre, il haletait. Je ressentis une fois encore cette sensation de
tiraillement, cette fontaine d'affection et d'amour. Et
tout à coup j'en conçus de la frayeur.

Je me mis à quatre pattes et le baisai de nouveau,
et ce fut tout aussi puissant qu'auparavant, la lanière
de cuir provoquait en lui des frissons, ses larmes me
dégoulinaient sur la figure.

— Tristan, dis-je. (Des baisers, d'humides baisers lécheurs.) Tu n'as pas envie de lui ? Tu n'as pas
envie de lui montrer comment on s'y prend, quand
c'est fait comme il convient, et de lui administrer un
bon ramonage ?

Tristan était plus que prêt.

— Redresse-toi. Pour recevoir ça, je veux que tu
te tiennnes debout, dis-je.

Lexius obéit, sans cesser de se tenir le scrotum.
J'étais toujours à genoux, le regard levé sur lui.

Tristan passa ses bras autour de la poitrine de
Lexius, et ses doigts trouvèrent ses petits tétons de
vierge.

— Écarte les jambes, dis-je à Lexius.

Quand Tristan pénétra en lui, je lui tins les
hanches. Et je laissai mes lèvres venir à la rencontre
de sa queue affamée, obéissante, sa pauvre queue
dominée, juste en face de moi.

Après quoi, je descendis jusqu'à sa racine poilue
et, juste avant que Tristan ne jouisse, Lexius
explosa, s'abandonnant à la jouissance, dans un cri,
totalement liquéfié, à tel point que nous dûmes le
soutenir tous deux.

Quand ce fut terminé, et que la dernière des ondes
de choc se fut dissoute, il se déplaça mollement
jusqu'au lit, sans attendre aucun ordre, aucune permission, et il s'étendit là, versant des pleurs irrépressibles.

Je m'allongeai près de lui, et Tristan prit place de l'autre côté. J'étais encore dur, mais je préférais me garder pour le lendemain matin, pour la prochaine séance de tourments. Il était plaisant d'être tout à côté de lui et de lui baiser le cou.

— Ne pleure pas ainsi, Lexius. Tu sais bien que tu en avais besoin, que tu le désirais.

Tristan tendit la main pour la lui passer entre les jambes, pour aller tâter les chairs rougies, au-dessous de l'anus.

— C'est vrai, Maître, murmura Lexius d'une voix feutrée. Et vous, depuis combien de temps en aviez-vous envie ?

Lexius s'apaisa un peu. Il me passa le bras autour de la poitrine, en m'attirant encore plus près de lui. Il alla chercher Tristan d'un geste identique.

— Je suis effrayé, chuchota-t-il. Effrayé jusqu'au désespoir.

— Ne sois pas effrayé, répondis-je. Tu disposes de nous pour te dominer, pour t'éduquer. Et nous le ferons avec amour, chaque fois que l'occasion s'en présentera.

Tous deux, nous le baisâmes et le caressâmes, jusqu'à ce qu'il s'apaise. Il se retourna. J'essuyai ses larmes.

— Il y a tant de choses que je vais te faire, promis-je. Tant de choses que j'ai l'intention de t'apprendre.

Il hocha la tête, en baissant les yeux.

— Est-ce que... est-ce que vous éprouvez de l'amour pour moi ? demanda-t-il doucement, mais quand il leva les yeux sur moi, ses yeux étaient brillants et limpides.

J'étais sur le point de répondre, naturellement, que tel était le cas, quand ma voix mourut au fond de ma gorge. J'avais le regard baissé sur lui, et j'ouvris la bouche pour parler, mais rien ne vint. Enfin, je m'entendis lui dire :

— Oui, j'éprouve de l'amour pour toi.

Et quelque chose passa entre nous, quelque chose de silencieux, qui nous unit l'un à l'autre. Cette fois, quand je le baisai, je jetai mon dévolu sur lui, totalement. J'oubliai Tristan. J'oubliai le palais. J'oubliai notre lointain Seigneur le Sultan.

Lorsque je me retirai, j'étais en proie à la confusion. Celui qui était effrayé, c'était moi.

Le visage de Tristan était calme et mélancolique.

Un long moment passa.

— Quelle ironie ! fit Lexius à mi-voix.

— Non, pas réellement. Il y a des Seigneurs à la Cour de la Reine qui se livrent d'eux-mêmes en esclavage. Cela arrive...

— Non, je ne faisais pas allusion à cela, mais au fait que je puisse me laisser si facilement dominer, répliqua-t-il. L'ironie, c'est que ce soit vous, oui, vous, et que le Sultan vous trouve tous deux si plaisants. Il a ordonné que l'on vous amène à lui pour ses jeux, dans le jardin, demain. Vous irez chercher la balle et vous la rapporterez à ses pieds. Il vous opposera l'un à l'autre en mille et un jeux, pour son divertissement et le divertissement de ses hommes. Jamais auparavant il n'a choisi mes esclaves pour cela. Et il vous choisit, vous, quand vous me choisissez à votre tour. Voilà l'ironie.

Je remuai la tête. « Encore une fois, j'insiste, je ne vois là aucune réelle ironie. » Je ris doucement. Tristan et moi échangeâmes quelques coups d'œil.

— À présent, il vaudrait mieux nous reposer, en prévision des jeux à venir, n'est-ce pas, Maître ? s'enquit Tristan.

— Oui, fit Lexius. (Il se redressa, pour s'asseoir. Il nous baisa tous deux une fois encore.) Faites plaisir au Sultan, et tâchez de ne pas être trop cruels avec moi.

Il se leva, remit sa tunique, et se ceignit la taille de sa ceinture. J'allai chercher ses babouches et les lui passai aux pieds. Il se tenait debout, attendant que j'aie fini, et puis il me remit son peigne. Je lui peignai les cheveux, en tournant autour de lui, et la sensation de le posséder, d'en être le propriétaire, se transmua en une fierté qui me laissa stupéfait.

— Vous êtes à moi, chuchotai-je.

— Oui, c'est vrai, fit-il. Et maintenant, vous et Tristan, vous allez être ligotés aux croix du jardin, pour y dormir.

Je tressaillis. Mon visage dut s'empourprer. Mais seul Tristan eut un sourire, baissant furtivement les yeux, avec pudeur.

— Ne vous souciez pas de la lumière du soleil, fit Lexius. Le bandeau vous en protégera. Et vous pourrez écouter en paix le chant des oiseaux.

L'onde de choc se répandit en moi.

— Est-ce là votre vengeance ? demandai-je.

— Non, fit-il simplement, en me regardant. L'ordre du Sultan. Et il va bientôt se réveiller. Il se peut qu'il sorte marcher dans le jardin.

— Alors je peux bien vous avouer la vérité, dis-je, malgré ma gorge nouée. Ces croix-là, je les aime !

— Tiens donc ! Alors pourquoi m'avez-vous provoqué, hier, quand j'ai essayé de vous y faire monter ? Il me semble que vous auriez fait n'importe quoi pour y échapper.

Je haussai les épaules.

— À ce moment-là, je n'étais pas fatigué. Maintenant, je le suis. Les croix sont bonnes, pour s'y reposer.

Mais mon visage s'empourpra encore, à un point tel que c'en était intolérable.

— Cela vous fait trembler de peur, et vous le savez, fit-il.

Sa voix était désormais glacée, pleine d'autorité. Tout tremblement et tout manque d'assurance avaient disparu.

— Juste, dis-je. (Je lui rendis son peigne.) Je suppose que c'est la raison pour laquelle j'aime ça.

Lorsque nous approchâmes la porte du jardin, le courage vint à me manquer. Le passage net et tranché de la position de Maître à celle d'esclave me laissait dans un état de vertige et plein d'une douleur étrange et neuve, que je ne pouvais ni clairement définir ni contenir en moi. Comme nous avancions dans le couloir à quatre pattes, je me sentis gagné d'une profonde vulnérabilité, pris d'un besoin irrépressible de m'accrocher à Lexius, d'aller chercher l'abri de ses bras, fût-ce le temps d'un instant.

Mais c'eût été folie de le lui demander. Il était redevenu le Seigneur et Maître et, quel que fût le trouble de son âme, il s'en servait désormais contre moi. Pourtant, il avait cette façon gracieuse de marcher en traînant les pieds par terre, qui n'appartenait qu'à lui.

Quand nous atteignîmes l'arcade du jardin, il marqua un temps d'arrêt, ses yeux parcoururent le petit paradis d'arbres et de fleurs, les esclaves déjà attachés, comme nous le serions bientôt à notre tour.

« D'une seconde à l'autre, songeai-je, il va appeler les valets. Et ce sera fait. »

Mais Lexius se contentait simplement de se tenir debout, sans un mouvement. Je me rendis alors compte que Tristan et lui regardaient le chemin, en direction de quatre Seigneurs lourdement vêtus de tuniques, qui approchaient de nous d'un pas rapide, et portaient leur coiffe de lin blanc rabattue, afin de dissimuler leur visage, comme si, au lieu d'être dans ce jardin abrité du palais, ils s'étaient trouvés dehors, en plein vent de sable.

Leur allure, à ce qu'il m'en semblait, ne différait en rien de celle de cent autres Seigneurs, hormis le fait qu'ils portaient avec eux deux tapis roulés, comme s'ils étaient réellement en partance pour un campement dans le désert.

« Étrange, me dis-je. Pourquoi ne disposent-ils pas de serviteurs pour porter ces tapis ? »

Ils se rapprochaient de plus en plus, jusqu'à ce que Tristan s'écrie tout à coup : « Non ! », d'une voix si forte que Lexius et moi sursautâmes tous deux.

— Qu'y a-t-il ? demanda Lexius.

Mais alors nous sûmes. Nous fûmes forcés de battre en retraite dans le corridor, et nous fûmes encerclés.

Dans les bras du destin

Le matin était proche. Avant même d'en discerner la lumière, la Belle put sentir la fraîcheur de l'air s'infiltrer à travers la grille de la fenêtre. C'était le bruit de coups frappés à la porte qui l'avait réveillée.

Inanna reposait dans ses bras, immobile. Et l'on frappa ces coups, qui demeuraient sans réponse, avec insistance et sans discontinuer, jusqu'à ce que la Belle se fût assise dans le lit, fixant du regard les portes fermées au verrou. Elle retint son souffle jusqu'à ce que cessent les coups. Puis elle réveilla Inanna.

Immédiatement, Inanna fut gagnée par la plus grande anxiété. Elle regardait tout autour d'elle, en proie à la confusion, et elle clignait des yeux, car le soleil du matin l'incommodait. Puis elle dévisagea la Belle, et son anxiété se mua en terreur.

La situation ne prit nullement la Belle au dépourvu. Elle savait ce qu'elle avait à faire — se glisser hors du lit d'Inanna et, par un moyen ou un autre, rejoindre les petits valets sans mettre Inanna dans l'embarras. Luttant contre le désir d'étreindre et d'embrasser la favorite, elle sauta du lit, gagna la porte, écouta. Puis elle se retourna vers la favorite et

213

lui adressa un geste d'adieu, en lui soufflant un baiser. Inanna fondit en larmes silencieusement.

Prise d'une impulsion soudaine, elle traversa vivement la pièce, jeta ses bras autour de la Belle et, durant un long moment, elles échangèrent de nouveaux baisers, de ces longs baisers voluptueux que la Belle aimait tant. Le petit sexe chaud et tendre d'Inanna se pressait contre les jambes de la Belle, ses seins frémissaient contre elle. Quand elle inclina la tête, ses cheveux retombant pour lui voiler la face, la Belle lui releva le menton et lui ouvrit encore une fois la bouche, afin de boire à la source de sa douceur. Dans les bras de la Belle, Inanna était comme un oiseau en cage, ses yeux violets étaient embellis par les larmes, et ses lèvres humides et magnifiquement empourprées, semblait-il, par les pleurs.

— Belle créature épanouie, chuchota la Belle.

Elle sentit le contact des petits bras potelés d'Inanna, et appuya son pouce contre son menton rondelet, quand la bouche d'Inanna frémit, affamée de sensualité. Mais il n'était plus temps désormais de faire l'amour.

La Belle, d'un geste, fit signe à Inanna de se tenir immobile et tranquille, et elle écouta de nouveau à la porte.

Le visage d'Inanna était plein de détresse. Elle avait l'air subitement en proie à la plus grande agitation, se blâmant sans nul doute de ce qui pourrait advenir de la Belle. Mais la Belle lui sourit encore, afin de la rassurer et, d'un geste de la main, l'enjoignit de demeurer là où elle était. Puis elle ouvrit la porte et se glissa dans le corridor.

Inanna, les yeux à nouveau noyés de larmes, se faufila à sa suite et lui désigna du doigt une porte, là-bas, dans la direction opposée à celle par laquelle elles étaient arrivées, quelques heures plus tôt.

Quand elle en retira le verrou, la Belle, une fois encore, lança un coup d'œil derrière elle, et son cœur s'envola vers Inanna. Elle pensa à tout ce qui lui était arrivé depuis qu'on avait éveillé ses passions en elle, et cette dernière nuit ne lui paraissait ressembler à aucune autre. Elle aurait voulu pouvoir assurer à Inanna que ce ne serait pas leur dernière, que, d'une manière ou d'une autre, elles parviendraient à être de nouveau réunies. Et il lui sembla qu'Inanna le comprit. Elle pouvait discerner de la détermination dans les yeux de la favorite. Elles auraient d'autres nuits devant elles, qui rivaliseraient avec cette nuit-ci, et qu'importe le danger. La pensée que ce corps accueillant, avec ses attributs si délicieux, appartenait à la Belle comme il n'avait jamais appartenu à personne, enflamma la Belle de manière absolue. Elle avait tant d'autres enseignements à apporter à Inanna.

Du bout des lèvres, Inanna effleura sa main, et envoya à la Belle un baiser empressé; la Belle hocha la tête, et Inanna fit de même en retour.

Après quoi, la Belle ouvrit la porte et courut, vite et en silence, dans le couloir désert, tournant après tournant, jusqu'à ce qu'elle aperçoive des portes massives à double battant qui, très certainement, lui donneraient de nouveau accès aux grands corridors du palais.

Elle marqua un temps d'arrêt pour reprendre son souffle. Elle ne savait où aller, comment se rendre à ceux qui, très certainement, s'étaient déjà lancés à sa recherche. Mais ce qui, en revanche, la réconforta, c'était qu'ils ne seraient pas à même de la questionner. Seul Lexius serait en droit de le faire. Et si elle ne prenait pas les devants en lui mentant aussitôt, si elle ne s'expliquait pas en lui contant qu'un Seigneur, une brute, l'avait enlevée à la niche où on l'avait attachée, alors quelle punition Lexius allait-il lui infliger ?

Cette pensée la glaça, et dans le même temps l'excita. Elle ignorait si elle serait capable de mentir. Mais elle savait que jamais elle ne trahirait Inanna. Elle n'avait jamais été réellement punie pour une faute sérieuse, ni subi d'interrogatoire impitoyable, visant à lui faire avouer quelque désobéissance grave ou secrète.

À présent, elle était la dépositaire de cette merveilleuse intrigue, et elle allait connaître des tortures dont elle n'avait jamais osé rêver, quand elle entendrait la voix pleine de colère de Lexius rendu fou de rage par son silence.

Et pourtant, il lui faudrait faire silence. Il faudrait que s'abattent la disgrâce et le châtiment. Et assurément jamais il n'oserait assumer...

Mais peu importait. La Belle était prête. Et désormais, sa tâche était de parvenir à franchir ces portes et à s'éloigner d'eux aussi vite qu'elle le pourrait, afin que personne ne puisse deviner où elle avait passé le temps de sa longue absence.

En tremblant, elle fit un pas dans le grand couloir de marbre, éclairé par la lumière trop familière des torches, et orné d'esclaves silencieux ligotés dans leur niche. Sans même jeter un œil sur sa droite ou sur sa gauche, elle courut jusqu'à l'extrémité du couloir et là, elle dépassa un angle pour s'engager dans un autre corridor désert.

Elle courut, sans relâche, sachant qu'assurément les esclaves la voyaient. Mais qui irait les questionner pour savoir ce qu'ils avaient vu ? Il lui fallait parvenir aussi loin qu'elle le pourrait des appartements d'Inanna. Et le silence, et le vide du palais, en cette heure si matinale, étaient ses alliés.

Sa terreur augmentait, elle prit un nouveau tournant le cœur battant, en ralentissant le pas. Lorsque, pour la première fois, elle aperçut les yeux de ceux qui se trouvaient en face d'elle, sa nudité n'en fut que plus humiliante.

Elle inclina la tête. Si seulement elle savait où aller. Elle se livrerait immédiatement à la merci des valets. Et certainement ils comprendraient qu'elle ne s'était pas libérée seule de ses entraves. Quelqu'un avait fait cela pour elle. Et pourquoi n'admettraient-ils pas l'évidence : que c'était une brute mâle qui l'avait enlevée ? Qui irait même jamais jusqu'à soupçonner Inanna ?

Oh, si seulement elle avait pu tomber sur les valets, et alors c'en serait fini ! Certes, elle redoutait le spectacle de la colère sur leurs visages juvéniles, mais que s'exerce leur colère, s'il devait en être ainsi. Quoi que fît Lexius, elle garderait le silence.

Toutes ces pensées tournaient dans sa tête, et son corps lui rappelait constamment la chaleur d'Inanna, ses étreintes, quand soudain elle vit plusieurs Seigneurs apparaître au fond du corridor, devant elle.

La pire de ses peurs prenait corps : que d'autres la découvrent avant que les valets ne la trouvent. Et quand elle vit ces hommes marquer un temps d'arrêt — qui se prolongea un moment —, et puis avancer vers elle d'un pas rapide et décidé, elle fut prise d'une peur panique. Elle se retourna et courut aussi vite qu'elle put, redoutant une rencontre humiliante, espérant, contre toute attente, que les valets allaient faire leur apparition et permettre aux choses de rentrer dans l'ordre.

Or, à sa grande horreur, les hommes se lancèrent à sa poursuite, martelant le sol de leurs pas.

« Mais pourquoi ? se demanda-t-elle, désemparée. Pourquoi n'envoient-ils pas simplement quérir les valets ? Pourquoi me prennent-ils en chasse eux-mêmes ? »

Et elle cria presque quand elle sentit qu'on lui mettait la main dessus, lorsque les tuniques de ces hommes l'encerclèrent, lui coupant soudainement toute retraite, tandis que l'on jetait sur elle un vêtement dont on l'enveloppa, Elle fut ligotée dans ce vêtement, comme s'il se fût agi d'un linceul et, épouvantée, elle se retrouva soulevée de terre et jetée sur une épaule robuste.

— Mais qu'y a-t-il? cria-t-elle, un cri qui ne porta pas très loin, car il fut tout simplement étouffé par l'étoffe serrée.

Assurément, d'ordinaire, ce n'était pas de cette manière que l'on mettait le grappin sur les esclaves fugitifs. Il y avait là quelque chose de louche, à n'en pas douter.

Et lorsque ces hommes continuèrent leur course, son corps réduit à l'impuissance exécuta des bonds contre l'épaule de son ravisseur, et elle connut alors une véritable frayeur, comme cette nuit où les soldats du Sultan avaient lancé leur razzia sur le village pour l'amener ici. Ils étaient tout bonnement en train de la dérober, de la même manière qu'on l'avait dérobée cette nuit-là. Elle donna des coups de pied, elle se débattit, poussa des cris perçants, mais elle ne réussit qu'à s'emprisonner plus étroitement à l'intérieur de cette enveloppe étroite qui la laissait désemparée.

En quelques instants, ils furent hors du palais. Elle entendit le craquement des pas sur le sable, puis sur les graviers, résonnant comme s'ils s'étaient trouvés dans une rue. Et puis, reconnaissable entre tous, le bruit de la ville l'entoura. Même les moindres odeurs parvenaient jusqu'à ses narines. En fait, ils traversaient la place du marché !

Et là encore, elle poussa des cris perçants et se débattit, mais tout ce qu'elle entendit, ce furent ses cris étouffés par l'enveloppe de tissu exiguë. Allons, il était probable que personne n'allait même remarquer ces hommes drapés de tuniques qui traversaient la foule avec un chargement de denrées jeté sur l'épaule. Et, même si l'on découvrait qu'il y avait là, à l'intérieur, un être désemparé, s'en soucierait-on seulement ? Cela pouvait-il être un esclave, que l'on emportait au marché ?

Quand elle entendit leurs pieds frapper un sol de bois qui sonnait creux, quand elle huma l'air de la mer, elle pleura sans plus aucune retenue. Ils l'emmenaient à bord d'un vaisseau ! Ses pensées volaient désespérément d'Inanna à Laurent et Tristan, et aussi à Elena, et même à ces pauvres Dimitri et Rosalynde, ces oubliés. Jamais ils ne sauraient ce qu'il était advenu d'elle !

— Oh, je vous en prie, aidez-moi, aidez-moi ! gémit-elle.

Mais les pas ne cessaient guère. On la descendait par une échelle, oui, elle en était sûre. Et ensuite, dans la cale du navire. Un navire qui s'animait de cris et de bruits de souliers au pas de course. Le navire sortait du port !

Le choix de Lexius

Récit de Laurent

— Vous êtes venu nous secourir ! Mais que voulez-vous dire par là ? criait Tristan. Je ne partirai pas, je vous le dis ! Je ne veux pas être secouru !

Le visage de l'homme blêmit de rage. Il avait jeté deux tapis par terre dans le corridor. Il nous avait ordonné de nous coucher sur ces tapis, afin que l'on puisse nous enrouler dedans et nous emporter hors du palais.

— Comment osez-vous !

À présent, il crachait ses mots à Tristan, tandis que Lexius était réduit à l'impuissance par les autres qui le maintenaient, une main plaquée sur sa bouche, afin qu'il ne puisse pas donner l'alarme à ses serviteurs, là-bas, qui tout occupés à leurs allées et venues, plus loin dans le jardin, ne soupçonnaient rien.

Je ne fis pas un geste pour obéir ou me rebeller. En l'espace d'un instant, j'avais tout compris. Le plus grand de ces deux Seigneurs, c'était notre Capitaine de la Garde, du village de la Reine. Et l'homme qui, à présent, jetait un œil furieux sur Tristan, c'était son ancien Maître du village, Nicolas, le Chroniqueur de la Reine. Ils étaient venus pour nous ramener chez nous, afin de nous rendre à notre souveraine.

Instantanément, Nicolas passa une corde autour des bras de Tristan, pour les lui ligoter étroitement autour de la poitrine, et puis autour de ses poignets, en boucle, tout en le forçant à se mettre à genoux par terre, près du bord du tapis.

— Je vous dis que je ne veux pas m'en aller d'ici ! fit Tristan. Vous n'avez aucun droit de nous enlever, aucun droit de nous ramener. Je vous en prie, laissez-nous ici !

— Vous êtes un esclave, et vous ferez ce que l'on vous ordonne ! siffla Nicolas avec colère. Couchez-vous, tout de suite, et tenez-vous tranquille, faute de quoi nous allons tous être découverts !

Et il fit basculer Tristan en avant, sur le ventre, lui enroula promptement le tapis plusieurs fois autour du corps, jusqu'à ce que plus personne ne puisse plus deviner si un homme était ou non caché là.

— Et vous, Prince, dois-je aussi vous ligoter ! s'enquit-il auprès de moi, en me désignant du doigt l'autre tapis.

Le Capitaine de la Garde, qui tenait Lexius d'une poigne ferme, me lança un regard courroucé.

— Par terre, Laurent, sur ce tapis, couchez-vous et tenez-vous tranquille ! fit le Capitaine. Nous sommes en danger, tous autant que nous sommes !

— Vraiment ? demandai-je. Et qu'arrivera-t-il, si votre petit plan est découvert ?

Je dévisageai Lexius. Il était en proie au plus grand émoi. Et jamais il n'avait eu si charmante et si belle apparence qu'à cet instant, avec la main du Capitaine plaquée sur la bouche, ses cheveux noirs ébouriffés sur ses yeux immenses, son corps mince tendu sous la tunique à l'étoffe lisse et chatoyante. Ainsi donc, je devais ne plus jamais le revoir, et je me demandais même si, pour cela, il recevrait un blâme ! Et s'il recevait un blâme, qui savait seulement ce qu'il adviendrait de lui ?

— Faites ce que je vous dis, Prince, tout de suite ! s'écria le Capitaine, le visage maintenant tordu par la même rage désespérée qui défigurait Nicolas.

Nicolas tenait la corde prête à mon intention, et les deux autres hommes attendaient pour lui venir en aide. Mais jamais ils n'auraient pu m'emmener contre ma volonté. Et je n'étais pas aussi facile à subjuguer que Tristan.

— Mmmmh... Quitter ces lieux, dis-je en détachant mes mots, tout en considérant Lexius des pieds à la tête, et retourner aux châtiments du village...

Je méditai la chose, comme si j'avais eu tout le temps du monde, et je les voyais de plus en plus inquiets, de plus en plus craintifs à l'idée d'être découverts d'une seconde à l'autre.

Derrière eux, le jardin demeurait paisible. Derrière moi s'ouvrait le corridor par où quelqu'un pouvait arriver à tout moment.

— Très bien, dis-je, je vais venir, mais seulement si celui-ci vient avec nous !

Et je tendis la main pour ouvrir la tunique de Lexius, et ce faisant je la déchirai, révélant sa poitrine nue, jusqu'à la taille. D'un seul coup, je l'arrachai à la poigne du Capitaine et je le dévêtis promptement de sa tunique. Il se tenait debout, nu et tremblant, mais il ne leva pas un doigt pour se tirer de ce mauvais pas.

— Que faites-vous ? demanda le Capitaine.

— Nous l'emmenons avec nous, dis-je. Faute de quoi, je ne pars pas.

Je projetai Lexius sur le tapis. Il haletait et se tenait allongé, immobile, ses cheveux lui recouvrant la figure, les mains à plat sur le tapis. Il aurait pu, s'il avait voulu, se lever d'un bond et partir en courant. Mais il n'en fit rien. Et les marbrures et les marques miroitaient sur son postérieur frémissant.

J'attendis encore une seconde supplémentaire, après quoi je m'allongeai par terre le long de son corps, puis je posai mon bras sur son épaule, prêt à me laisser envelopper dans la laine chaude et étouffante.

— Parfait ! Alors, allons-y ! (J'entendis Nicolas prononcer ces mots d'une voix prête à toute éventualité.) Pressons.

Il se jeta à genoux et attrapa les bords du tapis. Mais le Capitaine de la Garde marcha sur le tapis et me posa carrément le pied sur le dos.

— Levez-vous, fit-il à Lexius. Ou alors, je vous le promets, c'est nous qui vous forcerons à vous lever.

Et quand je vis Lexius étendu de la sorte, immobile et silencieux, incapable de se sauver lui-même, j'eus un petit rire discret.

En un tournemain, ils nous avaient tous deux enveloppés dans le tapis, attachés étroitement l'un à l'autre, et ils s'étaient mis à courir avec leurs lourds fardeaux. J'avais mon bras autour du cou de Lexius, et il pleurait doucement contre mon épaule.

— Comment avez-vous pu me faire une chose pareille ! se lamentait-il, mais il avait dans la voix une note sourde et digne qui ne me déplaisait pas.

— Ne jouez pas à ce jeu-là avec moi, lui dis-je à l'oreille. Vous êtes venu de votre propre gré, mon Seigneur mélancolique.

— Laurent, j'ai peur, me chuchota-t-il.

— N'ayez pas peur, fis-je, en me radoucissant, regrettant juste un peu mon ton menaçant. Vous êtes né pour être un esclave, Lexius. Et vous le savez. Vous pouvez oublier tout ce que vous connaissez des Sultans, des menottes dorées, du cuir incrusté de pierreries et des grands palais.

Révélations en mer

La Belle était assise, en larmes, au milieu du tapis déroulé. La cale du navire était très exiguë et la lanterne grinçait sur son crochet ; le vaisseau fendait la mer déserte, toutes voiles dehors, les hublots étaient mouillés d'écume, et tout le bâtiment tanguait.

De temps à autre, elle levait les yeux sur le Capitaine de la Garde, qui affichait une mine décontenancée, et sur Nicolas, en colère, qui lui retournait son regard.

Tristan était assis dans le coin, la tête posée sur les genoux, ramenés sous son menton. Laurent, allongé sur la couchette, souriant, considérait toute cette scène comme s'il la jugeait des plus divertissantes.

Et Lexius, le pauvre et beau Lexius, était étendu le long de la cloison opposée, le visage enfoui au creux de son bras ; son corps nu paraissait à la Belle infiniment plus vulnérable que le sien. Elle était incapable de comprendre qu'il ait récemment reçu le fouet, et qu'il ait été amené avec eux.

— Voyons, Princesse, vous ne pouvez me faire croire que vous souhaitiez vraiment demeurer sur cette terre étrange, argumentait Nicolas.

— Mais, mon Seigneur, cet endroit était si élégant, et si rempli de nouvelles délices et de nouvelles intrigues. Pourquoi a-t-il fallu que vous veniez ? Pourquoi n'avez-vous pas plutôt secouru Dimitri, Rosalynde ou Elena ?

— Parce que nous n'avons pas été envoyés pour secourir Rosalynde, Dimitri ou Elena, rétorqua Nicolas avec colère. D'après tous les rapports qui nous sont parvenus, ils sont heureux d'être sur la terre du Sultan, et nous avons reçu pour instructions de les y laisser.

— Mais moi aussi j'étais contente d'être sur la terre du Sultan ! enragea la Belle. Pourquoi m'infligez-vous cela, à moi ?

— J'étais heureux, moi aussi, fit tranquillement Laurent. Pourquoi ne nous avez-vous pas laissés en compagnie des autres ?

— Dois-je vous rappeler que vous êtes des esclaves de la Reine ? tempêta Nicolas, en jetant un regard furieux à Laurent, puis à Tristan, qui gardait le silence. C'est Sa Majesté qui décide où et comment ses esclaves la serviront. Votre insolence est intolérable !

La Belle ne put qu'éclater de nouveau en sanglots de désespoir.

— Allons, fit enfin le Capitaine de la Garde. Nous avons un long moment à passer en mer. Et il ne faut pas que vous le passiez à pleurer.

Il aida la Belle à se lever. Et, incapable de résister à son besoin pressant de se reposer sur lui, elle enfouit son visage contre son pourpoint de cuir.

— Là, là, ma douce, fit-il. Vous n'avez pas oublié votre Maître, n'est-ce pas ?

Il la conduisit hors de la pièce, dans une cabine mitoyenne. Le plafond bas, qui était en bois, décrivait une pente au-dessus du lit-couchette. Le soleil brillait par le petit hublot trempé d'eau de mer.

Le Capitaine s'assit au bord du lit, il posa la Belle sur ses genoux, et ses doigts examinèrent tout son corps — ses seins, son sexe, ses cuisses.

En son for intérieur, il lui fallait reconnaître que les attouchements du Capitaine l'apaisaient. Elle s'appuya contre son épaule ; le contact de sa barbe râpeuse et l'odeur de ses vêtements en peau la ravirent. Elle crut sentir dans ses cheveux les vents frais des campagnes d'Europe, et même l'odeur de l'herbe fraîchement coupée dans les champs des manoirs du village.

Mais pourtant, elle pleurait. Jamais elle ne reverrait Inanna sa bien-aimée. Inanna se souviendrait-elle des leçons que la Belle lui avait enseignées ? Allait-elle trouver une passion partagée avec les autres femmes du harem ? La Belle ne pouvait que l'espérer. Et ce que la douceur et l'intensité d'un tel amour avaient appris à la Belle, cela demeurerait à jamais en elle.

Pourtant, dès à présent, dans les bras du Capitaine, elle pensait à des amours d'une autre espèce, au battoir de bois brut de Maîtresse Lockley, qui l'avait si bien punie, là-bas, au village, à la lanière de cuir du Capitaine, et à sa queue très dure qui, à l'instant même, sous l'étoffe fruste de ses hauts-de-chausses, appuyait contre sa cuisse nue. Elle laissa aller ses doigts, jusqu'à la toucher à travers l'étoffe. Elle la sentit bouger, comme un être doué d'une vie propre.

Ses tétons se changèrent en deux petites pointes raides, elle soupira, et sa bouche s'ouvrit lorsqu'elle leva les yeux sur le Capitaine. Il souriait en l'étudiant du regard. Après quoi, il la laissa embrasser le voile de barbe qu'il avait au menton et lui mâchonner la lèvre inférieure. Elle se tortilla sur ses genoux, pressant ses seins contre son pourpoint. La main du

Capitaine se glissa sous son derrière, en pinça les chairs.

— Pas de marques, pas de marbrures, lui chuchota-t-il à l'oreille.

— Non, mon Seigneur, fit-elle.

Seules les petites badines délicates l'avaient flagellée. Oh, comme elle les avait détestées. Elle passa ses bras autour du cou du Capitaine, l'étreignit, sa bouche venant recouvrir la sienne. Entre ses dents, sa langue se fraya un passage.

— Et mais nous voilà déjà très avancés, s'exclama-t-il.

— Cela vous déplaît-il, mon Seigneur ? chuchota-t-elle, en lui tétant la lèvre inférieure, et en lui léchant la langue et les dents, comme elle l'avait fait avec Inanna.

— Non, je ne saurais le prétendre, la rassura-t-il. Vous ne pouvez imaginer à quel point vous m'avez manqué.

Il l'embrassa avec force, en réponse à ses baisers, et sa grande main calleuse s'éleva jusqu'à son sein pour l'étreindre, pour l'amener à lui.

Ce qui excitait la Belle, c'était sa taille, purement et simplement.

— Je veux que votre petit derrière soit joliment rose et chaud, quand je vous prendrai, fit-il.

— Tout ce que vous voulez, pour vous plaire, mon Seigneur, fit-elle. Cela fait si longtemps. J'ai... j'ai un peu peur. J'ai tant envie de vous plaire.

— Bien sûr que vous en avez envie, fit-il.

Il lui glissa la main entre les cuisses et la souleva, par le sexe. Alors ses jambes faiblirent, comme si elles avaient été incapables de la soutenir. Retourner au village, c'était comme s'en retourner vers un rêve dont elle ne pouvait se défaire, dont elle ne pouvait se réveiller. Si elle y pensait trop, elle allait encore pleurer. Charmante Inanna.

À ses yeux pourtant, son Capitaine, dans la lumière du soleil qui filtrait à travers la petite fenêtre, avec sa barbe rasée à la diable qui scintillait dans la pénombre, ses yeux brûlants au fond des profondes crevasses tannées de son beau visage, avait l'allure d'un dieu d'or.

Lorsqu'il la bascula sur ses genoux, dans son esprit, quelque chose se rompit, une dernière digue de résistance. Quand sa main immense se referma sur son derrière, elle le dressa en l'air, pour le lover tout à fait au creux de sa paume, en gémissant sous l'effet du pincement brutal qui s'ensuivit, et des doigts qui lui caressaient les chairs.

— Trop douces, trop délicates, chuchota-t-il au-dessus d'elle. Ces petits Arabes ne savent-ils donc pas punir comme il convient ?

Et, dès que s'abattirent les premières raclées, avec violence, son sexe, tout contre la cuisse du Capitaine, se gorgea de sucs, et son cœur battit la chamade. Les fessées faisaient bruyamment écho dans la cabine exiguë, ses chairs tour à tour la démangèrent, la brûlèrent, puis l'inondèrent d'une douleur délicieuse, et les larmes jaillirent.

— Je suis vôtre, mon Seigneur, chuchota-t-elle, moitié amoureuse, moitié suppliante, les coups s'abattant plus vite et plus fort sur son derrière. (Il cueillit son menton dans sa main gauche et lui souleva la tête. Mais il n'interrompit pas la punition.) Oh, mon Seigneur, je vous appartiens, geignait-elle, en larmes, et il lui semblait que tous les souvenirs du village lui revenaient. Je serai encore vôtre, n'est-ce pas ? Je vous en prie ! supplia-t-elle.

— Chut ! cessez votre impertinence, fit-il doucement.

Et elle fut promptement récompensée par une nouvelle volée de fessées brutales ; elle balançait et

231

elle ondoyait sous les coups, sans vergogne et sans retenue.

Comme la punition ne cessait plus, elle lui apparut comme la plus sévère qu'elle ait jamais reçue. Et, pour ne pas demander miséricorde, elle se mordit la lèvre. Pourtant elle sentait bien que, pour dissiper ses doutes et ses peurs, c'était là ce dont elle avait besoin, ce qu'elle méritait et désirait ardemment.

Quand le Capitaine la jeta sur le lit de nouveau, elle était prête pour sa queue, et elle leva les hanches pour la recevoir. Le petit lit-couchette donnait véritablement l'impression d'être secoué par ses coups de boutoir. Elle-même rebondissait sur la courte-pointe, son derrière endolori frappait contre l'étoffe râpeuse, le Capitaine la chevauchait de tout son poids, l'écrasait, et sa queue la distendait, la remplissait divinement. Finalement, elle atteignit l'orgasme, elle cria entre ses lèvres scellées, et dans les éclairs du plaisir chauffé à blanc, elle vit à la fois le Capitaine et Inanna. Elle songeait aux seins somptueux d'Inanna, à son vagin trempé ; elle songeait à l'organe épais du Capitaine, à sa semence se répandant en elle, accompagnée de ses coups de boutoir les plus violents ; et elle pleurait de joie et de douleur, la main du Capitaine contre sa bouche, étouffant ses cris, ce qui lui donnait la liberté de les laisser monter et s'échapper de tout son être.

Quand ce fut fini, tout son corps haletant, elle était étendue sous lui, immobile. Et quand il la quitta, elle en fut quelque peu consternée. Il retira sa ceinture.

— Mais qu'ai-je donc fait, mon Seigneur ? chuchota-t-elle.

— Mais rien, mon amour. Je veux que ce derrière et ces jambes prennent de belles couleurs, comme c'était l'habitude.

Il se tenait debout devant elle, et puis il s'assit à nouveau sur le rebord du lit, ses hauts-de-chausses toujours ouverts, sa queue toujours dressée.

— Oh, mon Seigneur, le pria-t-elle, se liquéfiant de faiblesse, car les ondes de choc succédant au plaisir, bien loin de s'évanouir, gagnaient en force, telles les secousses d'un tremblement de terre.

Il était en train de doubler la lanière de cuir.

— À partir de maintenant, toutes ces matinées que nous passerons en mer, nous allons les débuter par une jolie séance de fouet. M'avez-vous entendu, Princesse ?

— Oui, mon Seigneur, chuchota-t-elle.

Ainsi donc, il fallait que tout redevienne comme avant. C'était tellement simple. Elle plaça les mains sur sa nuque. De quoi avait-elle donc rêvé, auparavant, sur l'autre navire ? De trouver l'amour ? Allons, cette saveur céleste, elle l'avait découverte, là-bas. Et elle la redécouvrirait. Pour l'heure, elle avait son Capitaine.

— Écartez les jambes, commanda-t-il. Et maintenant, je veux que vous dansiez sous le fouet. Remuez-moi ces hanches !

La lanière s'abattit, elle gémit et gigota du derrière, de gauche et de droite, un mouvement qui lui donnait l'impression de soulager sa douleur, et son sexe palpitait. Son cœur était pris dans un étau de peur et de bonheur.

Il faisait presque sombre. La Belle était étendue sur le tapis, à côté de Laurent, leurs deux têtes réunies sur un seul oreiller. Le Capitaine, Nicolas et les autres, qui avaient aidé à leur « sauvetage », étaient allés prendre leur repas du soir, tous ensemble. Les esclaves, eux, avaient été nourris, et Tristan s'était endormi dans un coin. Il en était de même de

Lexius. Le navire était de faibles dimensions, et mal équipé. Pas de cages, pas d'entraves.

Une chose laissait la Belle confondue : qu'ils aient seulement secouru Laurent, Tristan, et elle. La Reine les réservait-elle à quelque usage spécial et nouveau ? C'était un véritable supplice que de ne rien savoir et de souffrir d'une telle jalousie à l'égard de Dimitri, d'Elena et Rosalynde.

Mais la Belle se souciait également de Tristan. Depuis qu'ils avaient pris la mer, Nicolas, son ancien Maître, n'avait pas adressé un mot au Prince Tristan. Il ne pouvait pardonner à ce dernier d'avoir manifesté son peu de désir d'être secouru.

« Oh, pourquoi ne peut-il se contenter de punir Tristan, et que l'on en finisse », se dit la Belle. Durant tout le repas du soir, elle avait admiré l'attitude de sévérité de Laurent à l'endroit de Lexius. Laurent avait forcé ce dernier à prendre son dîner et à boire un peu de vin, malgré l'insistance que Lexius avait mise à signifier qu'il n'en voulait point, et puis Laurent lui avait fait l'amour, avec lenteur, avec mesure, en dépit de la honte évidente qu'éprouvait Lexius à être pris en présence de tiers. Lexius était l'esclave le plus modeste et le plus poli que la Belle eût jamais vu.

— Il est presque trop délicat pour toi, chuchotait-elle à Laurent, à présent qu'ils se reposaient ensemble, dans cette cabine où, autour d'eux, tout n'était que chaleur et silence. Il est plutôt fait pour être l'esclave d'une Dame, tel est mon avis.

— Tu peux en user, si tu le souhaites, fit Laurent. Tu peux le fouetter, aussi, si tu estimes qu'il en a besoin.

La Belle rit. Elle n'avait jamais fouetté un autre esclave et n'en avait pas vraiment l'envie — oh, et après tout, peut-être que...

— Comment es-tu parvenu à ce résultat, l'interrogea-t-elle, cette transformation de l'état d'esclave à celui de Maître, et si aisément ?

Elle était heureuse de se voir offrir cette occasion de parler à Laurent. Il l'avait toujours fascinée. Une image hantait sa mémoire : Laurent, au village, ligoté à la Croix du Châtiment. Il y avait en Laurent de l'insolence et du merveilleux. Elle était incapable de définir pleinement la chose. Il semblait doué d'un discernement que d'autres ne possédaient pas.

— Pour moi, ça n'a jamais été soit l'un, soit l'autre, confessa Laurent. Dans mes rêves, j'ai aimé les deux versants du drame. Et quand j'ai vu la chance se présenter, je suis devenu le Maître. En quelque sorte, revenir en deçà, ou passer au-delà de cette ligne ne fait qu'enrichir notre expérience.

Au son de cette voix si confiante, à ce ton doucement ironique qu'il prenait — toujours à la limite du rire —, la Belle sentit un discret tumulte lui envahir l'entrejambe. Elle se tourna pour le regarder, dans la pénombre. Son corps, même simplement allongé là comme cela, était si fort, si plein de ce pouvoir latent. Il était de plus grande taille encore que son Capitaine. Et sa queue était encore un peu raide, assez prête, ma foi, à ce qu'on la réveille. Elle plongea le regard dans ses yeux brun foncé, et elle vit qu'il la regardait, souriant, ayant probablement deviné ses pensées.

Prise d'une timidité soudaine, elle rougit. Elle ne pouvait tomber amoureuse de Laurent. Non, c'était impossible, tout à fait impossible.

Mais lorsqu'elle sentit ses lèvres contre sa joue, elle n'esquissa pas le moindre geste.

— Divine petite polissonne, lui grogna-t-il à l'oreille. Tu le sais, ce pourrait bien être là notre seule chance...

Sa voix mourut en un gémissement plus sourd, le ronronnement d'un lion, et ses lèvres lui effleurèrent l'épaule avec fougue.

— Mais le Capitaine...

— Oui, cela va le mettre dans une belle colère, admit Laurent.

Il rit. Il roula sur lui-même et il la monta. La Belle lança ses bras vers lui, elle lui enserra le dos. Sa taille la laissait stupéfaite et sans forces, purement et simplement. S'il se remettait à l'embrasser, elle ne pourrait résister.

— Il va nous punir, fit-elle.

— Allons, je l'espère bien ! s'exclama Laurent, les sourcils levés, dans une expression de feinte indignation, et il l'embrassa.

Sa bouche était plus âpre, et plus vorace que celle du Capitaine.

En recevant ce baiser, il parut à la Belle que son âme s'ouvrait plus en profondeur, plus posément. Elle céda et ses seins, tels deux cœurs, vinrent palpiter tout contre sa poitrine. Puis elle sentit sa queue imposante œuvrer à l'intérieur de sa fente humide, presque à la meurtrir à force de fougue, d'insouciance, de besoin.

Sa queue lui souleva les hanches du sol nu, pour les y plaquer de nouveau ; sa largeur était une punition si exquise qu'elle fut submergée de spasmes de chaleur, et son orgasme la priva de toute volonté. Ses bras, ses jambes flottaient sous Laurent, sans force. Quand il jouit en elle, elle se sentit écartelée, chevauchée, et elle perçut tout ce que la personnalité de Laurent avait d'impétueux et d'énigmatique.

Après quoi, ils demeurèrent étendus, calmes, sans être dérangés. Une moitié d'elle-même regrettait d'avoir fait ce qu'elle venait de faire. Pourquoi était-elle incapable d'aimer ses Maîtres ? Pourquoi était-ce cet esclave étrange et narquois qui l'intéressait? En son for intérieur, elle en aurait pleuré. Allait-elle jamais avoir quelqu'un à aimer? Elle avait aimé Inanna, et maintenant Inanna était hors d'atteinte; bien sûr, le Capitaine était son cher et précieux, sa grande brute, mais... Elle pleura, oui, et ses yeux, de temps à autre, se posaient sur la silhouette de Laurent, qui dormait à côté d'elle. Pourtant elle se sentait profondément apaisée.

Quand le Capitaine vint pour l'emmener au lit, la Belle serra brièvement la main de Laurent dans la sienne, à quoi Laurent répondit en silence.

Elle était allongée à côté du Capitaine, et elle se demandait ce qui allait lui arriver quand ils auraient atteint les rivages des terres de la Reine. Il était certain qu'elle aurait à achever son temps au village; ce n'était que justice. Ils ne pouvaient la faire retourner au château. Et Laurent, et Tristan, eux, seraient au village, cela aussi était certain. Mais si on la faisait retourner auprès de la Reine, elle pourrait toujours s'enfuir, comme l'avait fait Laurent. Et dans son souvenir, elle le revit, attaché à la Croix du Châtiment.

Pour la Belle, les jours en mer s'écoulèrent dans un état de pâmoison. Le Capitaine se montrait strict avec elle, et la besognait avec constance. Mais néanmoins, elle trouva d'autres occasions de s'accoupler à Laurent. Et chaque fois, leur étreinte tendre et furtive lui était un arrachement de l'âme.

Entre-temps, Tristan soutenait qu'il ne prêtait aucune attention à la colère de Nicolas à son endroit. C'était au village qu'il se réservait de se donner, quand il y serait de retour, de même qu'il s'était donné au palais du Sultan. Et il déclarait volontiers que cette brève période en terre étrangère lui avait appris de nouvelles choses.

— Vous aviez raison, Belle, fit-il, quand vous demandiez à ne recevoir que de sévères châtiments.

Mais la Belle ne put faire autrement que de deviner la façon dont Laurent avait dominé régulièrement Tristan et Lexius, les prenant tour à tour au gré de ses caprices, et que Tristan vénérait Laurent d'une passion manifestement personnelle.

Laurent emprunta même la ceinture du Capitaine pour fouetter ses deux esclaves, à quoi tous deux réagirent magnifiquement. La Belle se demanda par quel miracle, une fois qu'ils auraient regagné le village, Laurent allait parvenir à redevenir un esclave. Le bruit qu'il faisait en fouettant les deux autres pénétrait jusque dans la chambre à coucher où elle dormait avec le Capitaine. Et cela l'empêchait de trouver le sommeil.

Il était étonnant que Laurent ne se rende pas maître du Capitaine, d'une manière ou d'une autre, se dit-elle. En vérité, le Capitaine admirait Laurent — ils étaient bons amis —, quoiqu'il rappelât fréquemment à Laurent qu'il était un fugitif puni, et qu'au village, il devait s'attendre au pire.

« Ce voyage est si différent du dernier », pensait la Belle avec un sourire. Elle sentait les marbrures laissées par les coups du Capitaine, elle les tâta de ses doigts, ce qui lui provoqua des élancements. « Cela peut bien continuer, cela m'est égal. »

Mais cette attitude ne reflétait pas l'ensemble de ses sentiments. Etre engloutie par le monde du village, voilà ce qui lui manquait, à en mourir. Besoin de voir toute cette petite société s'affairer et se démener autour d'elle. Elle avait besoin de trouver sa place dans l'ordre des choses, de s'y abandonner, et Tristan avait déclaré qu'il en serait de même pour

238

lui. Alors, alors seulement, elle pourrait oublier l'immensité et le raffinement du palais du Sultan, et le souvenir parfumé des caresses d'Inanna la laisserait en paix.

Aux alentours du douzième jour, le Capitaine apprit à la Belle qu'ils étaient presque arrivés. Ils allaient mouiller dans la rade d'un royaume voisin, puis, dès le lendemain matin, ils gagneraient le port de la Reine.

La Belle était pleine de désir impatient et d'appréhension. Pendant que Nicolas et le Capitaine étaient à terre pour rencontrer les ambassadeurs de la Reine, elle se tenait assise, à discuter avec Tristan et Laurent, à mi-voix.

Tous, ils espéraient être gardés au village. Encore une fois, Tristan déclara ne plus aimer Nicolas.

— J'aime celui qui me punit bien, ajouta-t-il effrontément, en jetant un coup d'œil à Laurent, les yeux brillants.

— Nicolas aurait dû te fouetter d'importance dès notre arrivée à bord, estima Laurent. Ainsi tu serais de nouveau sien.

— Oui, mais il ne l'a pas fait. Et le Maître, c'est lui, pas moi. Un jour, j'aimerai de nouveau un Maître, mais il faudra que ce soit un puissant Seigneur, capable de prendre toutes les décisions par lui-même, et de pardonner toutes les faiblesses de l'esclave, tant qu'il le guide.

Laurent hocha la tête.

— Si jamais l'on m'accordait une lettre de grâce, fit-il doucement, en regardant Tristan, si jamais on me donnait une chance de devenir pair à la Cour de la Reine, je te choisirais pour mon esclave et je porterais ton expérience à des altitudes dont tu n'as même jamais rêvé.

À ces propos, Tristan sourit, en rougissant, et

quand il baissa le regard, pour le relever ensuite sur Laurent, ses yeux étincelaient.

Seul Lexius était calme. Il avait été si bien éduqué par Laurent que la Belle était convaincue qu'il saurait faire en sorte de supporter tout ce qui l'attendait. Cela l'effrayait un peu de l'imaginer, sur l'estrade aux enchères. Il était si gracieux, si digne, et ses yeux étaient pleins d'une telle innocence. Ils allaient la lui arracher, et de quelle manière. Mais après tout, elle et Tristan n'avaient-ils pas enduré la même chose...

Avant même que le navire appareille pour la dernière étape du voyage, la nuit était déjà très avancée. Le Capitaine descendit l'escalier, le visage sombre et pensif. Il traînait avec lui un coffre d'un bois joliment travaillé, qu'il disposa par terre devant la Belle, dans la petite cabine.

— C'est ce que je craignais, annonça-t-il.

Tout, dans son attitude, avait changé. Il semblait même ne plus éprouver l'envie de regarder la Belle. La Belle était assise sur le lit et le regardait fixement.

— Qu'y a-t-il, mon Seigneur? demanda-t-elle.

Elle le regarda défaire le loquet du coffre et rejeter le couvercle en arrière. À l'intérieur, elle vit des robes, des voiles, un chapeau haut et pointu en forme de cône, des bracelets, et d'autres parures.

— Votre Majesté, fit-il doucement, en détournant les yeux. Avant le lever du jour, nous toucherons au port. Et alors, vous devrez être à nouveau vêtue, afin d'aller à la rencontre des émissaires du royaume de votre père. Vous allez être libérée de votre servitude, et renvoyée chez vous, auprès de votre famille.

— Quoi! s'écria la Belle d'une voix perçante, en bondissant sur le lit. Vous ne pouvez parler sérieusement, Capitaine!

240

— Princesse, je vous en prie, voilà qui est déjà assez malaisé. (Il détourna le regard, le visage écarlate.) Nous avons reçu ordre de notre Reine. Rien ne peut s'y opposer.

— Je n'irai pas ! s'exclama la Belle, haletante. Je n'irai pas. D'abord ce sauvetage, et maintenant cela ! Cela ! (Elle était hors d'elle. Elle se leva et, de son pied nu, donna un coup dans le coffre.) Emportez ces vêtements, jetez-les à la mer. Je ne les porterai pas, m'entendez-vous !

Si tout cela ne cessait pas, elle allait perdre la raison.

— Belle, je vous en prie ! murmura le Capitaine, comme s'il craignait d'élever la voix. Ne comprenez-vous pas ? C'est vous-même, que l'on nous a envoyés sauver des griffes du Sultan. Votre père et votre mère sont les plus proches alliés de la Reine. Ils ont aussitôt appris votre enlèvement, et ils ont été outragés que la Reine ait permis que l'on vous enlève ainsi, au-delà des mers. Ils ont exigé que l'on vous ramène. Si nous avons aussi ramené Tristan, c'est seulement parce que Nicolas le désirait. Et il en est de même pour Laurent : nous ne l'avons emmené que parce que nous en avions l'occasion, et parce que la Reine a indiqué qu'il devrait être repris à seule fin de purger son châtiment de fugitif. Mais le véritable objet de cette mission, c'était vous. Et maintenant votre père et votre mère demandent que l'on vous fasse grâce de tout service, en raison de votre infortune.

— Quelle infortune ! cria la Belle.

— La Reine n'a guère d'autre choix que de s'y plier, car elle a honte que l'on ait pu vous enlever et vous emmener loin de cette terre. (Il laissa retomber sa tête.) On va vous épouser, sur-le-champ, bredouilla-t-il. C'est ce que j'ai entendu dire.

— Non ! cria encore la Belle de sa voix perçante. Je n'irai pas ! sanglota-t-elle en serrant les poings. Je n'irai pas, vous dis-je ! Mais le Capitaine se contenta de se retourner et quitta tristement la cabine.

— Je vous en prie, Princesse. Habillez-vous, fit-il à travers la porte close. Nous n'avons pas de femmes de chambre pour vous aider.

C'était presque le jour. La Belle était couchée, nue, et pleurait encore, après avoir pleuré la nuit durant. Elle ne pouvait se résoudre à regarder ce coffre plein de vêtements.

Lorsqu'elle entendit la porte, elle ne leva pas les yeux. Laurent entra silencieusement dans la cabine et se pencha sur elle. Jamais auparavant elle ne l'avait vu dans cette petite pièce et, sous ce plafond bas, il avait l'air d'un géant. Elle ne pouvait supporter de le regarder, de voir ces membres puissants qu'il ne lui serait plus jamais donné de toucher, ou son visage d'une patience et d'une sagesse étranges.

Il tendit la main vers elle, et la souleva du coussin.

— Allons, il faut vous habiller, annonça-t-il. Je vais vous aider.

Et, du coffre, il retira la brosse à manche d'argent et la passa dans ses longs cheveux, tandis qu'elle pleurait toujours. Alors, avec un mouchoir frais, il lui essuya les yeux et les joues.

Puis il choisit pour elle une robe d'un violet foncé, une couleur que seules portaient les Princesses. Et la Belle songea, quand elle vit cette étoffe, à Inanna, ce qui la fit sangloter plus misérablement encore. Palais, village, château — tout cela défilait devant elle, et elle débordait de chagrin.

L'étoffe était d'un contact chaud, emprisonnant. Et, tandis que Laurent lui laçait la robe dans le dos, elle eut le sentiment d'être réduite à un esclavage d'une espèce nouvelle. Les pantoufles, lorsqu'elle les enfila, lui blessèrent les pieds. Elle ne pouvait supporter sur sa tête le poids de ce haut couvre-chef en forme de cône, et ces voiles, tout autour d'elle, la troublaient, la démangeaient, la contrariaient.

— Oh, c'est répugnant, grommela-t-elle enfin.

— Je suis désolé, Belle, fit-il, et sa voix se nappa d'une tendresse qu'elle n'avait jamais perçue auparavant.

Elle plongea son regard dans ces yeux marron et sombres, et il lui sembla que plus jamais elle ne connaîtrait la chaleur et le plaisir, la délicieuse douleur, et l'abandon véritable.

— Laurent, je t'en prie, embrasse-moi, demanda-t-elle en se levant sur le bord du lit, et en l'entourant de ses bras.

— Je ne peux pas, Belle. C'est le matin. Si vous regardez, là, dehors par cette fenêtre, vous verrez, sur le quai, les hommes de votre père, qui vous attendent. Soyez brave, mon amour. En un rien de temps, vous serez mariée et vous oublierez...

— Oh, ne le dites pas !

Il avait l'air triste, sincèrement triste. Comme il se recoiffait pour dégager ses cheveux bruns, en silence, ses yeux s'emplirent de larmes qui les firent miroiter.

— Belle, ma chérie, fit-il. Je comprends, croyez-moi.

Et lorsqu'il s'agenouilla et baisa sa pantoufle, cela lui brisa le cœur.

— Laurent ! gémit-elle, désespérée.

Mais il était parti à la hâte, laissant la porte de la cabine ouverte, à son intention.

Elle se retourna et regarda fixement l'intérieur de

la pièce déserte. Et puis elle fut dans l'escalier, qui conduisait à la lumière du soleil.

Rassemblant ses lourdes jupes de velours, elle gravit les marches, les joues inondées de larmes.

Le jugement de la Reine

Récit de Laurent

Durant un long moment, je restai debout à regarder, à travers les hublots du navire, la Princesse Belle qui s'éloignait à cheval, escortée des hommes de son père. Ils gravirent la colline, puis ils pénétrèrent dans la forêt. Alors, au fond de moi, mon cœur mourut un peu, sans que je comprisse tout à fait pourquoi. Bien des esclaves que j'avais connus avaient été libérés, et beaucoup avaient répandu des larmes, tout comme elle. Mais la Belle ne ressemblait à aucune autre. Durant son esclavage, elle avait brillé d'un éclat si magnifique qu'à mes yeux, elle aurait pu rivaliser avec le soleil. Et à présent, voici qu'on nous l'avait retirée, si brutalement ; comment cela pourrait-il ne pas laisser de cicatrice à son âme sensuelle et sauvage ?

J'étais reconnaissant de n'avoir guère de temps pour ruminer ces sombres pensées. Le voyage était terminé, Tristan, Lexius et moi allions désormais devoir affronter le pire.

Nous n'étions qu'à quelques lieues de ce village tant redouté et du grand château, et mon bienveillant camarade de bord, le Capitaine de la Garde, était désormais redevenu le Commandant des soldats de Sa Majesté. Et ce commandement s'étendait jusqu'à nos propres personnes.

Même le ciel, ici, avait un aspect différent, plus proche, plus menaçant. J'apercevais les sombres forêts qui empiétaient de toutes parts, je sentais la proximité sourde et vibrante des anciennes coutumes : elles avaient fait de moi un esclave, qui aimait à la fois la soumission et la domination.

La Belle, avec son escorte, était hors de vue. J'entendis des pas sur l'échelle qui menait à la cabine où nous nous trouvions ; c'était là que, à l'insu de tous, nous l'avions regardée s'éloigner à travers les hublots. Je rassemblai mes forces, en vue de faire face à ce qui nous attendait.

Pourtant, j'étais encore mal préparé aux manières froides et autoritaires qu'employa le Capitaine de la Garde pour s'adresser à nous lorsqu'il ouvrit la porte, ordonnant à ses soldats de nous ligoter, afin que l'on puisse nous emmener au château, pour y recevoir jugement de la Reine en personne.

Personne n'osa le questionner. Nicolas, le Chroniqueur de la Reine, s'était déjà rendu à terre, n'adressant à Tristan qu'un rapide coup d'œil, en guise d'adieu. Le Capitaine était désormais notre Maître, et ses soldats se mirent aussitôt à l'œuvre.

On nous fit nous allonger sur le plancher, face contre terre, et on nous ramena les bras en arrière, les jambes repliées à hauteur des genoux, de sorte que l'on puisse fermement nous attacher les poignets aux chevilles, par le moyen d'une solide boucle de cuir qui nous liait les quatre membres ensemble. Il n'était nullement question, ici, d'entraves dorées ou incrustées de pierreries. Tout cela fut accompli par le moyen de grossières lanières de peau qui nous maintenaient fort bien, le corps légèrement penché en avant, à cause de la façon dont on nous avait ligotés. Sur quoi nous fûmes bâillonnés avec une longue ceinture de cuir, passée entre nos lèvres écartées, et dont les deux extrémités furent ensuite tirées et solidement assujetties au nœud qui nous liait les chevilles et les poignets. Cette ceinture nous tenait la bouche ouverte, quoique bâillonnée, et nos têtes étaient maintenues de telle sorte que nous regardions droit devant nous.

Pour ce qui est de nos queues, lorsqu'on nous souleva, elles furent laissées libres de se balancer, bien dures, au-dessous de nous.

Et pour être soulevés, nous fûmes soulevés, bel et bien, d'abord par les soldats qui nous portèrent sur le quai. Ensuite chacun de nous fut pendu à une longue perche taillée dans un bois lisse, qui passait par-dessous nos chevilles et nos poignets ligotés, avec un soldat placé à chaque extrémité, pour porter le tout.

Voilà qui m'aurait semblé mieux convenir à des fugitifs qu'à ce que nous étions, me dis-je, troublé par la rudesse du procédé. Mais bientôt je compris, tandis que l'on nous emportait vers le sommet des collines, en direction du village, que nous étions bel et bien des rebelles. Nous nous étions rebellés contre ce sauvetage. Et maintenant il allait falloir en rendre compte.

C'est alors que cette pensée me frappa dans toute sa plénitude : nous avions réellement laissé derrière nous toute la douce élégance du monde du Sultan. Nous étions bons pour le plus rude des châtiments. Les cloches du village sonnaient à toute volée, apparemment en l'honneur des hommes qui étaient parvenus à nous ramener. Et, tandis que l'on nous emportait au petit trot, je me balançais sous la perche de bois, et j'aperçus, loin devant nous, la foule massée là-haut, tout le long des hauts remparts.

Le soldat qui marchait en tête, juste devant moi, jetait de temps à autre un coup d'œil derrière lui. Il devait apprécier le spectacle d'un esclave ficelé comme une volaille se balançant au bout d'une perche. Je ne pouvais voir ni Lexius ni Tristan, parce qu'on les portait derrière moi. Mais je me demandais s'ils ressentaient la même peur inédite que je ressentais moi-même. Comme tout cela allait nous paraître brutal, après le raffinement qu'il nous avait été donné de connaître, quoique si brièvement. Tristan et moi étions redevenus des Princes. Il n'y avait plus rien, ici, de ce doux anonymat dont nous avions tant joui au palais du Sultan.

Naturellement, j'avais surtout peur pour Lexius. Mais il subsistait toujours l'espoir que la Reine le renvoie chez lui. Ou qu'elle le garde au château. Quoi qu'il arrive, j'allais le perdre. Jamais plus je ne sentirais le contact de cette peau si douce. J'y étais préparé.

Notre ignoble procession pénétra dans le village, exactement comme je l'avais redouté. La foule venait à notre rencontre aux portes nord, des gens du commun qui poussaient et se bousculaient afin de pouvoir nous regarder de près. Et lorsqu'on nous porta par les rues étroites et tortueuses, en direction de la place du marché, nous fûmes une fois encore précédés par le battement lent du tambour.

Je revis les pavés familiers défiler au-dessous de moi, les hauts pignons, les souliers de cuir grossier des gens le long des murs, qui, à mesure que nous poursuivions notre laborieuse progression, s'esclaffaient, nous montraient du doigt et se délectaient de la vision assez inhabituelle de ces esclaves ligotés comme du gibier à la broche.

J'avais cette large ceinture de cuir plaquée contre les dents, mais il y avait amplement la place pour que de l'air y passe, même si je savais qu'à chaque profonde inspiration, ma poitrine se soulevait un peu plus. En dépit de ma vision troublée, je n'en soutenais pas moins le regard de ceux qui nous regardaient et, sur leurs visages, je voyais, sans en être surpris, cette même supériorité que je n'avais pas assez vue quand j'avais été fugitif et capturé, ligoté à la Croix du Châtiment.

Comme tout cela était étrange : nous étions chez nous, et pourtant tout était complètement nouveau, car les souvenirs qui me revenaient du palais du Sultan donnaient au village d'inquiétants reflets : mon esprit avait la conscience très nette de chacun des pas qu'effectuaient les soldats, et pourtant, par éclairs étranges et brûlants, ce que je voyais, c'était le jardin du Sultan.

En fin de compte, nous fûmes portés à travers la place du marché, et nous sortîmes par les portes nord. Les hautes tours pointues du château nous dominaient de leur ombre menaçante. Bientôt nous laissâmes derrière nous les cris des villageois, et l'on nous porta jusqu'en haut de la colline, à une allure soutenue, dans le chaud soleil du matin, les étendards du château claquant devant nous sous la brise, comme s'ils nous saluaient.

Durant un petit moment, je restai calme. Après tout, ne savais-je pas à quoi m'attendre ?

Mais, lorsque nous franchîmes le pont-levis, mon cœur se remit à battre à toute vitesse. De part et d'autre de la cour, les soldats s'étaient postés en ligne, pour rendre les honneurs au Capitaine de la Garde. Les portes du château étaient ouvertes. Nous étions environnés par tout l'appareil du pouvoir de la Reine.

Et il y avait là les Seigneurs et les Dames de la Cour, sortis pour assister au spectacle de notre arrivée — tout ce vieil apparat de la monarchie, auquel nous étions accoutumés. Je perçus tout le mordant de ces voix familières, et j'aperçus des visages qui ne me l'étaient pas moins. Et, d'entendre ce langage connu, ces rires du passé, je sentis ma gorge se serrer. L'atmosphère de la Cour reprenait vie. Des Maîtres et des Maîtresses, blasés, nous inspectaient du coin de l'œil — des hommes et des femmes qui auraient pu nous juger amusants si nous n'avions pas été sous le coup d'une telle disgrâce. D'ici une heure, ils seraient retournés à leurs vieilles occupations.

Notre cortège fit son entrée dans la Grande Salle. Je maudissais cette lanière de cuir qui me maintenait la bouche et la tête relevées. J'aurais aimé pouvoir incliner la tête. Mais c'était impossible. Et je ne pouvais me forcer à regarder par terre. Je voyais la Cour assemblée dans toute sa magnificence — ces lourdes robes de velours avec leurs longues manches aux poignets flottants ; les élégants pourpoints des Seigneurs ; le trône lui-même, et sur le trône, Sa Majesté, d'ores et déjà assise, les mains posées sur les accoudoirs, les épaules couvertes d'un manteau ourlé d'hermine, ses longs cheveux noirs et torsadés, tels des serpents, sous un voile blanc, le visage dur comme porcelaine.

En silence, on nous déposa à ses pieds, sur le sol de pierre, les perches auxquelles nous étions suspendus furent retirées, les soldats reculèrent, jusqu'à ce que nous fussions seuls — là, trois esclaves ligotés, reposant sur la poitrine, à terre, trois têtes levées en l'air, dans l'attente de leur jugement.

— Je vois que vous avez bien œuvré. Vous avez accompli votre mission, déclara la Reine, s'adressant, à l'évidence, au Capitaine de la Garde.

Je n'osai pas la regarder. Mais je ne pus me retenir de jeter un coup d'œil, une fois sur ma droite, une fois sur ma gauche, et soudain, je fus bouleversé de découvrir Dame Elvera, debout près du trône, qui me dévisageait. Sa beauté m'effraya, comme elle l'avait toujours fait. Cette beauté paraissait pleinement aller de pair avec sa froideur. Et, tandis que je regardais fixement sa silhouette apprêtée dans une robe étroite de velours abricot, je fus gagné par la sensation de la vie paisible et somptueuse qu'elle menait ici — une vie de laquelle j'avais été rejeté. Je sentis mon cœur cogner dans ma poitrine. Je gémis, sans en avoir eu l'intention. Je sentis la dalle de pierre appuyer contre mon ventre et contre ma queue, et ma vieille honte s'aiguisa en moi, exactement comme elle s'était aiguisée quand je m'étais enfui. Je n'étais plus habilité à baiser les pantoufles de ma Dame ni à être son jouet, au jardin.

— Oui, Votre Majesté, répondit le Capitaine de la Garde, et la Princesse Belle a été renvoyée chez elle, dans son Royaume, pourvue de toutes les récompenses qu'il convient, ainsi que vous l'avez décrété. Son équipage a probablement déjà franchi la frontière.

— Bien, fit la Reine.

En mon for intérieur, je savais que le ton de sa voix en amusait probablement plus d'un dans la Salle du Trône. La Reine avait toujours été jalouse de l'amour du Prince Héritier pour la Princesse Belle. Princesse Belle... Ah, que de confusion. Était-elle réellement désolée de ne pas s'être retrouvée ligotée ici avec nous, de ne pas se retrouver, nue et sans défense, devant cette Cour dédaigneuse d'hommes et de femmes qui, un jour, seraient nos égaux ?

Mais le Capitaine poursuivait. Et peu à peu, je saisis la trame de son récit :

— ... tous ont fait preuve de la plus farouche des ingratitudes, en suppliant, furieux d'avoir été sauvés, qu'on leur permette de rester sur la Terre du Sultan.

— Voilà qui est d'une impertinence absolue ! fit la Reine. (Elle se leva de sa chaise.) Pour cela, ils paieront chèrement. Mais celui-ci, ce brun-là, qui pleurniche si pitoyablement — qui est-il ?

— Lexius, le chef du corps des valets du Sultan, l'éclaira le Capitaine. C'est Laurent qui lui a arraché ses vêtements pour le mettre nu, et Laurent qui l'a forcé à venir avec nous. Mais cet homme aurait pu se sauver. Il a choisi de venir et de se soumettre à la miséricorde de Sa Majesté.

— Voilà qui est fort intéressant, Capitaine, fit la Reine.

Je la vis descendre du haut de son dais, de plusieurs marches. Du coin de l'œil, je vis sa silhouette s'avancer vers le corps ligoté de Lexius, qui se tenait sur ma droite. Je la vis se pencher pour lui toucher les cheveux.

Lexius. Que pensait-il de tout cela ? Cet édifice de pierre disgracieux, cette salle béante, dénuée d'ornements, cette femme si puissante, si différente de ces chères créatures frissonnantes, au harem du Sultan. J'entendis Lexius gémir, et j'entrevis le mouvement qu'il esquissa pour se débattre. Allait-il supplier, pour qu'on le libère, ou afin de servir ?

— Déliez-le, fit la Reine. Et nous allons bien voir de quelle pâte il est fait.

Les liens de cuir furent promptement tranchés. Lexius ramena ses genoux sous lui et appuya son front contre le sol. À bord du navire, je lui avais expliqué quelles étaient les différentes manières, en ces lieux, grâce auxquelles il allait pouvoir témoigner de son respect, manières très semblables à celles dont nous avions témoigné du nôtre, dans son pays. Et, quand je le vis ramper en avant et presser ses lèvres contre la pantoufle de la Reine, une sombre fierté monta en moi.

— Des manières fort charmantes, Capitaine, observa la Reine. Levez la tête, Lexius. (Il obéit.) Et maintenant, dites-moi que vous souhaitez me servir.

— Oui, Votre Majesté, fit-il, de sa voix douce et sonore. Je supplie de pouvoir vous servir.

— C'est moi qui choisis mes esclaves, Lexius, rétorqua-t-elle. Ce n'est pas eux qui choisissent de venir à moi. Mais je verrai si, effectivement, l'on peut user de vous. La première chose que nous allons faire, ce sera de vous extirper cette vanité, cette douceur de mœurs et cette dignité que l'on vous a inculquées dans votre Terre natale.

— Oui, Votre Majesté, répondit-il, non sans inquiétude.

— Descendez-le aux cuisines. Il servira là-bas, comme servent les esclaves punis, en guise d'objet de jeu pour les domestiques, à récurer des casseroles et des poêles posées sur ses genoux, et à pourvoir à leurs besoins quand les gens des cuisines le jugeront bon. Et ensuite, après deux bonnes semaines de ce traitement, faites-le soigneusement baigner et huiler, et amenez-le-moi dans mes appartements.

Derrière mon bâillon, je sursautai. Voilà qui, pour lui, allait se révéler d'une singulière difficulté. Les rires des esclaves aux cuisines, les cuillers en bois avec lesquelles ils allaient l'asticoter, le battoir, qu'ils allaient lui donner à tout propos, pour un oui ou pour un non, le saindoux avec lequel ils allaient le huiler, avant de lui faire exécuter des allées et venues, par terre dans les cuisines, à coups de fouet, tout cela, à titre de simple distraction, à leurs moments perdus de l'après-midi. Pour autant, ce traitement aurait très exactement l'effet que la Reine souhaitait. Tout cela le transformerait en un esclave magnifique. Après tout, personne ici n'ignorait que c'était ainsi qu'elle avait procédé, en personne, à l'apprentissage de son Prince attitré, Alexis ; or, ce spécimen-ci, ce Lexius, était sans commune mesure.

On emmena donc Lexius. Nous n'échangeâmes même pas un regard pour nous dire adieu. Mais j'avais des choses plus importantes en tête.

— Et maintenant, voyons un peu, à propos de ces deux-là, de ces rebelles sans gratitude, s'écria la Reine, en tournant son attention vers Tristan et moi.

— Quand, à la fin, vais-je cesser d'entendre des rapports décourageants sur le compte de Tristan et Laurent ? (Sa voix trahissait une sincère irritation.) Méchants esclaves, esclaves désobéissants, et pleins d'ingratitude, alors que l'on vient les libérer de leur état de servitude auprès du Sultan !

Le sang me montait au visage. Je sentais, posés sur moi, tous les regards de la Cour, les yeux de tous ceux que je connaissais, avec qui j'avais échangé des paroles, et que j'avais servis, par le passé. Comme je m'étais senti plus en sûreté, dans le jardin du Sultan, avec ses rôles préétablis, que dans cette espèce de servitude volontaire, mais toute temporaire. Pourtant, il n'y avait guère moyen d'y échapper ! Cette servitude était aussi absolue que l'avait été l'existence même de ce jardin.

La Reine se rapprocha, et je vis ses jupes, là, juste sous mes yeux. Je ne pouvais esquisser le moindre geste afin de baiser ses pantoufles, sans quoi je l'aurais fait.

— Tristan est un jeune esclave, reprit-elle, mais vous, Laurent, vous avez servi Dame Elvera durant une année entière. Vous êtes bien entraîné, et pourtant, vous désobéissez, espèce de rebelle ! (Et sa voix, soudain, se fit ironique.) Et voilà que, sur une lubie, vous nous ramenez aussi le serviteur du Sultan. Vous avez vraiment décidé de vous distinguer.

En guise de réponse, je m'entendis gémir, ma langue venant tout contre la ceinture de cuir qui recouvrait ma bouche.

Elle se rapprocha encore. Le velours de sa jupe me toucha le visage, et je sentis sa pantoufle contre mon téton. Je me mis à sangloter. Je ne pouvais contenir mes larmes. Tout ce qui m'était arrivé jusqu'alors s'évanouit. Le Maître que j'avais été, ce Maître au caractère implacable, qui s'était livré à l'apprentissage de Lexius à bord du navire était, une fois encore, vaincu, et il ne saurait nullement me venir en aide. Je ne ressentais plus qu'une seule et unique chose, la tension qui, dans sa désapprobation de mes actes, habitait la Reine, et la conscience où j'étais du peu de mérite qui était le mien. Et pourtant, je savais que je me rebellerais encore à la moindre occasion ! J'étais vraiment incorrigible. Rien ne me convenait mieux que le châtiment.

— Pour vous deux, il n'est qu'un seul lieu qui convienne, décréta-t-elle. Un lieu qui imprégnera l'âme incertaine de Tristan et qui, pour ce qui vous concerne, Laurent, réprimera par le menu et de fond en comble votre caractère de forte tête. Nous vous renvoyons au village, mais vous n'y serez pas mis en vente à l'encan. Vous y serez confiés aux Écuries Publiques des Poneys.

Mes larmes redoublèrent. Je ne pouvais les contenir. Et la sangle de cuir ne put davantage en étouffer le bruit.

— Vous y servirez nuit et jour, toute l'année, poursuivit-elle. Et strictement en qualité de poneys — vous y serez loués pour tirer les voitures à cheval et les chariots, et pour y accomplir d'autres tâches de trait. Vous passerez vos heures de veille harnachés, bridés par le mors, avec les phallus qu'il convient en guise de queue de cheval, fourrés au bon endroit, et vous ne connaîtrez pas de sursis, fût-ce pour simplement jouir de l'attention ou de l'affection d'un Maître ou d'une Maîtresse.

Je fermai les yeux. Mon esprit remonta au temps, qui me semblait si lointain, où l'on m'avait ramené au village pour me le faire traverser, juché sur la Croix du Châtiment, quand les poneys humains avaient tiré derrière eux le chariot de ma pénitence, avec Tristan parmi eux. L'image des queues de cheval noires flottant à leur postérieur, leur tête maintenue en l'air par le mors, tout cela, en l'espace d'un instant, vint annuler toute autre pensée. Cela me paraissait infiniment pire que de marcher au pas dans le jardin du Sultan, les mains liées au phallus de bronze. Et ce châtiment ne s'accomplirait pas pour le bénéfice du Sultan et des hôtes royaux, mais pour les gens du village, ces gens qui regardaient tant à la dépense, ces gens du commun.

— Une fois que cette année se sera écoulée et seulement à ce moment-là, alors j'autoriserai que l'on rappelle vos noms à mon attention, annonça la Reine, et je vous donne ma parole que, lorsque votre service en qualité de poneys sera terminé, vous préférerez vous retrouver vendus à l'encan lors de la vente du village, plutôt que d'être à mes pieds.

— Une excellente punition, Votre Majesté, approuva le Capitaine de la Garde, à mi-voix. Et ces esclaves-là sont si forts, si musclés. Tristan a déjà goûté du mors. Quant à Laurent, avec lui, le mors fera des merveilles.

— Je ne veux plus rien entendre à ce sujet, déclara la Reine. Ces Princes ne sont pas taillés pour me servir. Ce sont des montures, qu'il convient de bien besogner et de bien fouetter, au village. Retirez-les de ma vue, sur-le-champ.

Lorsque enfin je pus le voir, le visage de Tristan était écarlate et dégoulinait de larmes. À nouveau, on nous souleva sur nos perches de bois, comme nous l'avions été tout à l'heure, et on nous emporta hors de la Grande Salle, dans la précipitation ; c'est ainsi que nous laissâmes la Cour Royale derrière nous.

Dans la cour qui s'ouvrait devant le pont-levis, on nous accrocha autour du cou de petits écriteaux de grossière facture, gravés d'un seul et unique mot : PONEY.

Là-dessus, on nous fit franchir le pont-levis à la hâte, puis on nous mena jusqu'au bas de la colline, une fois de plus, en direction de ce village tant redouté.

Je tâchais de ne pas me représenter les entraves grâce auxquelles on attelait les poneys. C'était pour moi quelque chose de totalement inconnu. Et mon seul espoir, c'était que mes liens soient bien serrés, et que cette posture d'asservissement où j'allais me retrouver soit maîtrisée, d'une main ferme, par des gardes à la discipline implacable, qui me montreraient volontiers comment en supporter les rigueurs.

Une année... des phallus... des mors... Ces mots tintaient à mes oreilles, tandis que l'on nous portait pour nous faire à nouveau franchir les portes, et pénétrer sur la place du marché, en cette heure de midi, où grouillait la populace.

Nous causâmes un beau remue-ménage et, lorsqu'on sonna de la trompette, avant l'ouverture de la vente aux enchères, la foule se rassembla. Les villageois se rapprochèrent tout près cette fois, en dépit des soldats qui leur ordonnaient de reculer, et des mains me poussèrent, en pesant sur mes bras et mes jambes nus, ce qui me fit me balancer sous ma perche. J'étouffais sous les larmes, tout en m'émerveillant de ce que la parfaite conscience que j'avais de ma situation n'atténuât en rien le caractère dégradant de la chose.

« Mais que signifiait "parfaite conscience"? » me demandai-je. C'était de savoir exactement que je m'étais attiré tout cela de mon seul fait, et que, à chaque étape du jeu, l'humiliation et l'abandon sont inévitables — bien qu'aucun des deux n'apporte sérénité ni protection. Les mains qui tiraient sur mes tétons mis à nu, qui me relevaient les cheveux pour dégager ma figure — ces mains franchissaient toutes les barrières de ces défenses que j'avais pourtant si soigneusement méditées.

Le vaisseau, le Sultan, la séance secrète de domination avec Lexius, tout cela, à n'en pas douter, se trouvait balayé.

— Deux ravissants poneys, s'écria le héraut, qui doivent rejoindre sur-le-champ les écuries de louage du village. Deux beaux coursiers en location, au tarif ordinaire, à qui vous pourrez faire tirer la plus belle voiture ou la plus lourde des carrioles de ferme.

Les soldats hissèrent les perches bien haut. Nous nous balançâmes au-dessus d'une mer de visages, des mains me giflèrent la queue, se glissèrent entre mes jambes pour me pincer les fesses. Le soleil flamboyait sur les mille et une fenêtres qui entouraient la place, sur les girouettes qui tournoyaient au faîte des toits à pignon, sur tout le théâtre de cette scène de village, chaude et poussiéreuse — dans lequel nous venions à nouveau de basculer.

La voix du héraut continuait en exposant à tous et à chacun que, pour une année entière, nous allions servir, que tous devaient rendre grâce à Sa Gracieuse Majesté pour ces coursiers magnifiques que l'on gardait dans le bourg, et pour les prix raisonnables qui étaient demandés en échange de leurs services.

On sonna de nouveau un coup de trompette, et nous fûmes emportés, les perches abaissées, nos deux corps oscillant à nouveau, au ras des pavés. Les villageois retournèrent à leurs tâches, et soudain, les maisons de ces rues paisibles se dressèrent de part et d'autre de notre cortège, tandis que les soldats nous conduisaient sur le chemin mystérieux de notre nouvelle existence.

Première journée chez les poneys

Récit de Laurent

Les écuries étaient gigantesques, semblables à beaucoup d'autres, j'imagine, à ceci près qu'elles n'avaient jamais renfermé de chevaux véritables. Le sol boueux était jonché de sciure et de paille, simplement pour le rendre moelleux et maintenir la poussière à ras du sol. Aux chevrons étaient accrochés des harnais, de cette sorte de harnais, légère et délicate, qui ne convenait qu'aux hommes. Les mors et les rênes pendaient en écheveaux, à des crochets fixés le long des cloisons en bois, tandis que, dans un vaste espace inondé de soleil, dont la lumière se déversait par les portes ouvertes sur la rue, se dressaient en cercle des piloris de bois, inoccupés. Ils étaient assez hauts pour un homme à genoux, avec des orifices ménagés pour le cou et les mains. Et je me dis, en y jetant un rapide coup d'œil, que j'allais savoir pour quoi ils étaient faits, et peut-être plus tôt que je ne l'aurais souhaité.

Ce qui éveillait le plus mon intérêt, c'étaient les stalles situées tout à fait sur la droite. Les hommes nus qui se trouvaient à l'intérieur, à deux ou trois par stalle, avec le postérieur bien marqué de rayures par la sangle, les jambes très robustes fermement plantées sur le sol, le torse incliné au-dessus d'une épaisse solive de bois, les bras ligotés dans le bas du dos ; ils se tenaient là, debout, et c'était tout. À quelques rares exceptions, tous portaient des bottes de cuir, auxquelles on avait fixé des fers et, dans deux des stalles, des valets étaient au travail — de vrais garçons d'écurie, vêtus de cuir et de homespun — qui étrillaient leurs ouailles ou les frictionnaient à l'huile, dans une attitude à la fois désinvolte et affairée.

Cette vision me coupa le souffle. C'était étrangement beau, et absolument anéantissant. Cela me fit comprendre, en un éclair, ce qui nous était échu. Les mots seuls n'avaient pas suffi à me le faire entrevoir.

Après les marbres blancs et les étoffes tissées de fil d'or du palais du Sultan, après les chairs teintées d'or et les chevelures parfumées, voilà qui était d'une réalité frappante, c'était le monde tel qu'en lui-même, oui, le monde auquel on m'avait finalement ramené, pour que j'y reprenne le cours de l'existence à laquelle on m'avait enchaîné, avant que les cavaliers du Sultan n'aient lancé sur nous leur razzia.

Tristan et moi fûmes déposés à terre. On trancha nos liens. Je vis approcher un garçon d'écurie, un jeune homme solidement bâti, aux cheveux blonds, qui n'avait guère plus de vingt ans, avec de légères taches de rousseur sur son visage bruni par le soleil et des yeux verts et rieurs. Il souriait, tout en nous contournant, mains sur les hanches. Tristan et moi, nous étirâmes nos membres, mais nous n'osâmes pas bouger plus que cela.

J'entendis l'un des soldats s'écrier :

— Deux de plus, Gareth. Et tu vas les avoir chez toi une année entière. Étrille-les, nourris-les, et harnache-les sur-le-champ. Ordre du Capitaine.

— Des beautés, messire, des beautés, fit gaiement le garçon. Bon, allez, vous deux. Debout. Jamais été poneys avant ça ? Je veux un hochement de tête, ou juste que vous la secouiez, mais surtout pas de réponse avec des mots. (Il me flanqua une claque sur le derrière et je me levai.) Les bras derrière le dos, repliés, voilà, c'est ça !

Je vis sa main pincer le postérieur de Tristan, qui accusait encore fortement le coup, et inclina la tête, étrangement, avec une allure royale et défaite à la fois — une vision qui, même pour moi, avait de quoi briser le cœur.

— Et mais, qu'est-ce que c'est que ça ? s'écria le garçon, en tirant un mouchoir de lin propre et en essuyant les larmes de Tristan, puis les miennes. (Il avait un visage confondant, un large et beau sourire.) Des larmes, chez une paire de beaux poneys ? fit-il. Allons, on ne peut pas se permettre une chose pareille, n'est-ce pas ? Les poneys sont de fières créatures. Ils pleurent quand ils sont punis. Autrement, ils marchent au pas, la tête levée. C'est cela.

Il m'administra une bonne claque sous le menton, afin de me redresser la tête d'un coup. Tristan, pour sa part, avait déjà relevé la sienne, comme il convenait.

Le garçon nous tourna autour. Ma queue s'était mise à danser comme un bouchon sur la vague, plus follement que jamais. On s'employait à nous infliger une nouvelle forme d'avilissement. Il n'y avait plus, à présent, ni Cour ni villageois pour nous regarder. Nous étions entre les mains de ce jeune domestique mal dégrossi, et le seul fait de jeter un coup d'œil, à la dérobée, sur ses hautes bottes marron et sur ses mains puissantes, qu'il gardait toujours posées à la taille, suffisait à m'exciter.

Mais soudain, une silhouette étendit son ombre

sur l'écurie, et je me rendis compte que mon vieil ami, le Capitaine de la Garde, avait fait son entrée.

— Bonjour, mon Capitaine, fit le garçon. Félicitations pour votre mission. La rumeur a enflammé tout le village.

— Gareth, je suis content que tu sois là, s'exclama le Capitaine. Je veux que tu prennes ces deux-là tout spécialement à ta charge. Tu es le meilleur valet du village.

— C'est trop d'honneur que vous me faites, mon Capitaine. (Le garçon éclata de rire.) Mais je ne pense pas que vous trouverez personne qui aime ce travail plus que moi. Et ces deux-là, quelles montures somptueuses ! Regardez-moi quelle manière ils ont de se tenir ! Ils ont du sang de poney. Ça, je suis déjà bien capable de le voir.

— Attelle-les ensemble, chaque fois que ce sera possible, demanda le Capitaine.

Je vis sa main se lever pour caresser la tête de Tristan. Il emprunta son mouchoir blanc au garçon et, de nouveau, il essuya la figure de Tristan.

— Vous savez, Tristan, vous ne pouviez vous attirer de meilleure punition, fit le Capitaine à mi-voix. Et vous en avez besoin, cela non plus, vous ne l'ignorez pas.

— Oui, Capitaine, chuchota Tristan. Mais je suis effrayé.

— Ne le soyez pas. Vous et Laurent, en un rien de temps, vous serez la fierté de ces écuries. Il va falloir tenir la liste, là sur la porte, des villageois qui désireront vous prendre en louage.

Tristan frissonna.

— Capitaine, ce dont j'ai besoin, c'est de courage, fit-il.

— Non, Tristan, répondit le Capitaine avec gravité. Vous avez besoin du harnais et du mors, et d'une discipline sévère, exactement comme vous en aviez besoin auparavant. Il est une chose qu'il vous faut comprendre, et cette chose tient au fait même d'être un poney. C'est que ce rôle ne constitue pas simplement une nouveauté dans le cadre de votre esclavage. Il s'agit là d'une manière de vivre en soi.

Une manière de vivre en soi. Soit.

Il fit un pas vers moi, et je sentis ma queue se raidir, comme s'il se pouvait qu'elle raidît plus encore. Le garçon d'écurie se tenait en retrait, les bras croisés, surveillant la scène, avec ses cheveux blonds qui lui retombaient légèrement sur le front, et ses taches de rousseur, tout à fait ravissantes à la lumière du soleil. Et de si jolies dents blanches.

— Et vous, Laurent ? Vous, des larmes ? s'écria le Capitaine, en s'adressant à moi sur un ton consolateur. (Il m'essuya de nouveau la figure.) Ne me dites pas que vous avez peur ?

— Je ne sais, Capitaine, reconnus-je.

J'avais envie de lui avouer que je n'en saurais rien, tant que le mors, le harnais et le phallus ne seraient pas en place. Mais cela serait revenu à demander qu'on me les enfile. Et je n'avais pas le courage de demander une telle chose. Cela viendrait bien assez tôt.

— Il y avait de fortes chances, reprit-il, pour que vous vous retrouviez ici, si les soldats du Sultan n'avaient pas lancé leur razzia sur le village. (Il plaça un bras autour de mon épaule, et tout à coup, le temps que nous avions passé en mer, quand nous avions tous deux joué avec Lexius et Tristan, quand nous les avions fouettés, me parut prendre une allure de réalité.) Pour vous, cette situation est la plus parfaite qui soit, m'assura-t-il. Il bat dans vos veines plus de force et de volonté que dans celles de la plupart des esclaves. Et la vie de poney va tout vous simplifier ; elle va, tout à fait, littéralement, et symboliquement, tenir votre force sous la bride.

— Oui, Capitaine, aquiesçai-je. (D'un regard interdit, je fixai la longue rangée de stalles, les arrière-trains des esclaves poneys, leurs bottes ferrées sur cette terre jonchée de paille.) Mais allez-vous... allez-vous... ?

— Oui, Laurent ?

— Allez-vous me faire savoir, de temps à autre, comment les choses suivent leur cours, avec Lexius ? (Mon cher, mon élégant Lexius, qui allait très bientôt se retrouver dans les bras de la Reine.) Et avec la Princesse Belle, si vous en entendez jamais parler.

— Nous n'évoquons jamais le sort de ceux qui quittent le Royaume, répliqua-t-il. Mais s'il court la moindre rumeur, je vous le ferai savoir. (Je pus lire, sur son visage, la tristesse causée par l'absence de la Belle.) Et il en ira de même pour Lexius, je vous dirai comment il se porte. Vous pouvez être assurés, tous les deux, que je viendrai fréquemment vous rendre visite. Si je ne vous aperçois pas trotter, chaque jour dans les rues, je viendrai m'enquérir de vous.

Il me fit tourner le visage vers lui et me baisa, sur la bouche, plutôt rudement. Puis il baisa Tristan, de la même manière, et j'étudiai ces deux visages réunis, mal rasés, l'écheveau de leurs cheveux blonds, leurs yeux, leurs paupières mi-closes. Des hommes qui s'embrassaient. Quel charmant spectacle !

— Montre-toi bien strict avec eux, Gareth, lâcha-t-il, en se détachant de Tristan. Éduque-les bien. Quand tu as le moindre doute, le fouet.

Et là-dessus, il partit. Quant à nous, nous nous retrouvions seuls, avec ce jeune et robuste garçon d'écurie en guise de Maître, pour qui mon cœur battait déjà la chamade.

— Parfait, mes jeunes étalons, fit-il d'une voix aussi pleine d'entrain que tout à l'heure. Gardez donc le menton en l'air et rendons-nous tout au bout de cette rangée, jusqu'à la dernière stalle. Et faites-moi ça comme le font toujours les poneys, d'un pas plein d'allant, les bras bien croisés dans le dos, les genoux levés. Je ne veux plus avoir à vous le rappeler, jamais. Quelles que soient les circonstances, que vous soyez chaussés ou non, que ce soit aux écuries ou dans les rues, vous marcherez avec entrain, avec de la fierté pour la force de votre corps.

Nous obéîmes, en longeant la longue rangée de stalles, et nous arrivâmes à la dernière, qui était vide. Je vis l'auge placée au-dessous de la fenêtre, avec ses écuelles d'eau claire et de nourriture, et les deux solives, larges et plates, qui traversaient la stalle de part en part, et sur lesquelles il était entendu que nous devions nous tenir, courbés en avant, une solive devant servir à nous soutenir la poitrine, et l'autre le ventre. Gareth nous poussa dans le fond de la stalle, de sorte qu'il puisse se tenir debout entre nous, et il nous ordonna de nous casser en deux, en avant ; nous obéîmes, en posant le torse contre les solives, la tête placée juste au-dessus des écuelles de nourriture.

— Maintenant, lapez-moi cette eau, et faites-moi ça avec enthousiasme, exigea-t-il. Ici, je ne veux pas la moindre vanité, pas la moindre retenue. À présent, vous êtes des poneys.

Il n'y avait point ici de longues mains aux doigts de soie ; point non plus d'onguents parfumés ; et pas davantage de voix tendres et douces s'exprimant en arabe, ce langage impénétrable qui semblait si bien aller de pair avec la sensualité.

La brosse à étriller était humide, elle me frappa le postérieur et elle entama sur-le-champ sa vigoureuse besogne, l'eau dégoulinant le long de mes jambes nues. Tandis que je lapais l'eau de mon écuelle, je sentis un afflux de honte. Je détestai cette humidité sur mon visage, mais j'avais soif et, très avide de lui obéir, je fis comme il avait dit, aussi étonnant que cela fût, car j'aimais l'odeur de son pourpoint de cuir, et celle de sa peau tannée par le soleil.

Il m'étrilla bien à fond, en plongeant sous les solives, pour se relever entre les deux, ou devant quand il le fallait, ses mouvements étaient fermes et brusques, et sa voix rassurante, tandis qu'il s'adonnait à sa corvée quotidienne. Et puis il se tourna vers Tristan, juste au moment où l'on nous apportait notre nourriture, une bonne portion d'une épaisse soupe à la viande, qu'il nous demanda de finir entièrement.

Mais je n'en avais pris que quelques morceaux, lorsqu'il m'arrêta.

— Ah, non! Je vois bien que nous avons besoin d'une petite séance d'apprentissage, et sur-le-champ. Je vous ai dit de manger votre soupe, et ce que je veux dire par là, c'est que j'entends que vous la dévoriez, et en vitesse. Je ne veux pas de ces manières hautaines, par ici. Allons, maintenant, faites-moi voir un peu comment vous vous y prenez.

Une fois encore, je rougis de honte, à l'idée d'avoir à attraper ma viande et mes légumes avec ma langue, d'avoir la figure barbouillée de ragoût, mais je n'osai pas lui désobéir. J'éprouvai à son endroit une extraordinaire affection.

— Allons, voilà qui est mieux, approuva-t-il. (Je le vis tapoter l'épaule de Tristan.) Je vais tout de suite vous expliquer ce que cela signifie que d'être un poney. Cela veut dire éprouver de l'orgueil pour ce que vous êtes, et le renoncement de toute fierté déplacée pour ce que vous n'êtes plus. Vous marchez d'un pas plein d'allant, vous gardez la tête haute, la queue dure, et vous témoignez de la gratitude à la moindre gentillesse que l'on vous fera. Vous obéissez à tous les commandements, même au plus simple, avec enthousiasme.

Nous avions terminé notre nourriture, et nous demeurâmes penchés au-dessus de la barre, pendant que l'on nous enfilait nos bottes, que l'on tirait sur nos lacets pour bien les nouer autour de nos chevilles, et les fers, qui pesaient leur poids, vinrent me lester les pieds, de sorte qu'à nouveau les larmes me montèrent aux yeux. Ces bottes ferrées, je les avais connues sur le Sentier de la Bride abattue, au château, quand Dame Elvera m'avait fouetté du haut de son cheval. Mais ce n'était rien, comparé à cela. Ici, nous étions dans un monde de châtiments austères et, submergé par mon propre trouble, je me mis à pleurer, sans faire aucun effort pour arrêter mes larmes. Je savais ce qui m'attendait.

Tandis que je demeurais bien en place, le phallus fut introduit en moi, et je sentis la touffe soyeuse de la queue de cheval, puis j'avalai ma salive, avec le désir d'avoir déjà le mors dans la bouche, de sorte que mes pleurs se fassent moins remarquer, et qu'ils ne suscitent pas la colère de Gareth.

Tristan passait un moment difficile, lui aussi, et cela ne fit que me troubler un peu plus. Lorsque je tournai la tête, et que je jetai un coup d'œil derrière moi pour voir cette queue de cheval bien touffue introduite en lui, cette vision m'envoûta.

Dans le même temps, les harnais furent bouclés : c'étaient de fines lanières, qui nous passaient dans le dos, à partir des épaules, jusque sous les jambes, par un crochet circulaire fixé sur la partie arrière du phallus, et qui remontaient jusqu'à une autre lanière, attachée, elle, autour de la taille. On boucla ces lanières solidement. C'était du bon travail, minutieux, même si je n'en ressentis aucune panique véritable, aucune véritable sensation de vulnérabilité, tout au moins jusqu'à ce que mes bras repliés fussent sanglés bien serrés et rattachés au reste de mon harnachement.

Je savais désormais, et c'était un soulagement, que ma volonté n'avait plus tellement d'importance. Et lorsque l'on m'introduisit entre les dents le mors très rigide, en cuir roulé, et que je sentis les rênes contre mes deux joues, de part et d'autre de mon visage, un sanglot m'échappa.

— Laurent, debout, s'écria Gareth, en tirant sur les rênes, d'un coup sec. Comme je me redressais pour me tenir bien droit et reculer dans mes lourdes bottes ferrées, je sentis qu'il m'attachait aux tétons des pinces lestées de poids, qui frottaient sur la peau de ma poitrine, en tirant sur les tétons. Une marée de larmes me coulait sur la face. Et nous n'étions pas encore sortis des écuries.

Lorsqu'il reçut le même traitement, Tristan gémit et, quand je me retournai pour lancer un coup d'œil vers lui, je sentis mon trouble redoubler. Mais cette fois, Gareth tira fortement sur les rênes et me commanda de regarder droit devant moi, si je ne voulais pas que l'on m'ajoute un joli petit collier pour me contraindre à tenir la tête droite.

— Les poneys, ça ne regarde pas de tous les côtés comme ça, mon garçon ! s'écria-t-il, et il me flanqua une bonne tape, de sa main ouverte, ce qui imprima une secousse au phallus fiché en moi. Et s'ils regardent, on les fouette d'importance et on leur installe des œillères.

Quand, du bout des doigts, il me tripota la queue, en attachant mes couilles tout contre mon membre, au moyen d'un anneau à queue bien serré, je pus à peine supporter la délicatesse de cet attouchement, cette sensation de chaleur.

— Allons, voilà qui est mieux, constata-t-il, en allant et venant devant nous.

Les manches de sa chemise blanche étaient remontées, elles dévoilaient la toison dorée de ses bras bronzés, et ses hanches remuaient d'émoustillante façon sous sa tunique de cuir, suggérant à cet emplacement la présence d'un bâton de dimension respectable.

— Et s'il faut que je supporte ces larmes, ajouta-t-il, je veux voir ces visages tenus relevés bien haut, pour qu'au moins tout le monde puisse en profiter. Si vous devez pleurnicher, alors il faut que vos Maîtres et vos Maîtresses jouissent de ce spectacle. Mais n'essayez pas de m'abuser, tous les deux. Vous êtes des poneys, et rien d'autre. Et vos larmes n'aboutiront qu'à une seule chose : je vous fouetterai d'autant plus fort. Allons, maintenant, marchez jusque sur le devant des écuries !

Nous obtempérâmes tous deux. Je le sentais derrière moi, qui réunissait les rênes dans ses mains, et j'avais le phallus, aussi gros qu'une matraque, introduit de force dans l'anus, et fermement maintenu par le harnais, un phallus aussi dur et inflexible que l'avait été le phallus de bronze au palais du Sultan. Les poids me tiraient sur les tétons. En fait, il me semblait que l'on n'avait laissé en paix aucune partie de mon corps, avec cet anneau à queue qui me serrait le membre, les bottes, qui m'allaient comme un gant, et qui, à ma grande honte, ne faisaient qu'accentuer la nudité du reste de ma personne. Le harnais me donnait l'impression de me gouverner, de me contenir, de concentrer un millier de sensations et de tourments.

Soudain, alors que je commençais à me dissoudre

dans ce flot de sensations, s'abattit le premier coup de la lanière de cuir de Gareth, qui s'écrasa sur mon postérieur avec fracas. Un autre coup résonna, et j'entendis Tristan tressaillir sous son mors. Nous marchâmes au pas pour dépasser les piloris et nous franchîmes une autre porte à deux battants, pour accéder à une grande cour d'écurie, où des chariots et des voitures à cheval attendaient, dans leur stalle. Il y avait aussi une porte, maintenue ouverte, qui menait à la route, sur le côté est du village.

Je fus à nouveau pris de peur panique, peur panique que l'on nous conduise au-dehors, que l'on nous voie dans ce nouveau rôle ignoble ; plus j'étais secoué de sanglots, la respiration oppressée, plus le harnais me gênait, tout comme les poids qui dansaient, suspendus à mes tétons.

Gareth vint se porter à ma hauteur et me passa promptement un coup de peigne dans les cheveux.

— Allons, Laurent, me fit-il, sur un ton de réprimande. Qu'y a-t-il donc là qui vous effraie ? (Il me tapota sur le derrière, là où il m'avait fouetté quelques instants auparavant.) Mais non, je ne suis pas en train de vous mettre à la torture, m'assura-t-il. Je prends cela beaucoup trop au sérieux. Laissez-moi vous dire quelque chose, à propos de la peur : la peur n'est bonne que lorsque vous avez le choix des choses.

Il secoua un peu le phallus en lui donnant quelques coups secs, pour s'assurer qu'il avait bien pénétré à fond. J'eus l'impression que l'objet s'agrippait encore mieux à moi, plus profondément, et mon anus me démangeait, et palpitait tout autour. Je ne pouvais me retenir de pleurer.

— Mais avez-vous le choix des choses ? me demanda-t-il, sur le ton de la franchise. Réfléchissez-y. Avez-vous le choix ?

Je secouai la tête pour admettre que je n'avais pas ce choix.

— Non, ce n'est pas comme cela que répondent les poneys, me fit-il avec gentillesse. Je veux un franc mouvement de la tête. C'est ça. Encore. C'est ça.

J'obéis, et chaque secousse de ma tête ne faisait que resserrer mon harnachement, remuer les poids, et faire vibrer le phallus. Il me toucha la nuque, avec une gentillesse proprement affolante. J'avais envie de me tourner vers lui, de pleurer contre son épaule.

— Alors, comme je disais donc... poursuivit-il. Et vous aussi, Tristan, écoutez-moi un peu ça : la peur n'a d'importance que lorsque vous avez le choix. Ou une certaine maîtrise sur les choses. Vous n'en avez aucune. Dans quelques instants, le Seigneur Maire sera ici, avec sa carriole de ferme. Il va nous ramener l'équipage qui aura déjà servi, et vous allez faire partie de l'équipage frais, qui ramènera la carriole au manoir, pour le chargement de l'après-midi, et en cela, vous n'avez pas le moindre choix. On va vous faire sortir d'ici au pas, attelés à la carriole, et vous allez la tirer tout l'après-midi ; chemin faisant, vous serez fouettés d'importance. Et il n'est absolument rien que vous puissiez faire pour vous éviter cela. Alors, quand vous y réfléchissez bien, de quoi avez-vous donc peur ? Pendant une année, voilà ce à quoi vous serez employés, et vous ne pourrez rien y changer. Vous me comprenez, vous savez que vous me comprenez. Maintenant, je veux un signe de la tête.

Tristan et moi, nous hochâmes la tête de concert. Et, à ma grande surprise, j'étais un peu plus calme, la peur semblait diminuer, devenir autre chose, quelque chose qui ne portait pas de nom. Il était difficile de l'expliquer — peut-être impossible —, cette sensation d'une nouvelle vie qui débutait... Toutes les routes que j'avais suivies m'avaient conduit en ce lieu, à cette porte, à ce début.

Gareth prit un peu d'huile entre ses mains, dans une cruche qui se trouvait à proximité, et il m'en enduisit les couilles, en me murmurant que cela les ferait « reluire », et là-dessus il lustra ma queue de la même manière. C'était tout juste si je pouvais supporter cette stimulation, des frissons me parcouraient la peau, et comme il riait, en me pinçant le postérieur, je me détournai de sa main, intimidé.

— Quand ces larmes vont-elles cesser de couler? fit-il en me baisant l'oreille. Mâchez donc un bon coup votre mors, quand vous pleurez. Mâchez-le un bon coup. C'est pas bon, ce cuir mou, entre vos dents? Les poneys, ça aime ça.

C'était bon, en effet. Il avait raison. Cela aidait, de mâcher le cuir, de faire tourner entre mes mâchoires ce rouleau de cuir rigide. Cela avait bon goût et m'aidait à réprimer mes larmes.

Du coin de l'œil, je le regardai lustrer Tristan, tout en me disant : « D'un instant à l'autre, nous allons nous retrouver dehors, sur la route; nous allons marcher au pas, et des centaines de gens vont nous voir — s'ils prennent seulement la peine de lever le nez et de nous remarquer. »

Gareth, de nouveau, se tourna vers moi. Il fixa une petite boucle de cuir noir juste au-dessous de mon gland, et l'agrémenta d'une clochette qui, à chacun de mes mouvements, émettait un petit tintement sourd et cuivré. Insupportable avilissement. Un objet à ce point insignifiant.

Des souvenirs des ornements exquis que j'avais connus dans l'univers du Sultan vinrent me submerger — bijoux, or, tapis multicolores jetés sur l'herbe tendre et verte du jardin, et ces délicates menottes de cuir —, et les larmes ruisselèrent sur mon visage. Pourtant, je n'avais pas envie de me retrouver là-bas ! C'était tout simplement que ce changement de situation, tellement radical, avait pour effet d'intensifier toutes choses.

Tristan, lui aussi, fut contraint de porter cette clochette, et chacun des mouvements de nos queues déclenchait un bruit atterrant, à cause de ces petits objets-là. Nous finirions par nous accoutumer, je le savais. D'ici un mois, tout cela nous semblerait naturel !

J'observai Gareth, qui alla retirer d'un crochet dans le mur une longue mèche, munie d'un long manche, que je n'avais jamais vue auparavant. C'était comme un faisceau, composé de lanières d'un cuir flexible, une espèce de chat à neuf queues, et au moyen de cet instrument, il nous corrigea tous les deux, avec brutalité.

Cela ne faisait pas aussi mal que les raclées administrées à coups de sangle, mais ces lanières pesaient leur poids et, à chacun de leurs coups cinglants, elles couvraient facilement toute la surface de nos chairs. Elles étaient presque caressantes, elles enveloppaient la peau nue d'innombrables piqûres, épines et éraflures.

Gareth reprit les rênes et nous fit marcher au pas, en direction du portail. J'avais le cœur au bord des lèvres. Je regardai au-dehors, au-delà de la grande route, vers le mur d'enceinte du village, dans le lointain. Au sommet de ce mur, les soldats allaient et venaient d'un pas nonchalant, de simples silhouettes qui se détachaient sur un ciel ensoleillé. L'un d'eux suspendit ses allées et venues et adressa un signe de la main à Gareth, qui lui répondit de même. Une voiture fit son apparition vers le sud, et elle se rapprochait à vive allure, tirée par huit coursiers humains, chacun d'eux harnaché, et bridé par le mors, exactement comme nous. Je fixai cette apparition du regard, interdit.

— Vous avez vu ça ? questionna Gareth. (Je donnai un coup de tête aussi vigoureux que je le pus.) Maintenant, rappelez-vous, tout en marchant, que c'est de cela que vous avez l'air. Et que vous appartenez à ceux qui vous voient. Marchez jambes hautes, fièrement. Je peux vous pardonner certaines fautes, mais le manque de caractère ne saurait être du nombre.

Dans un fracas de tonnerre, deux autres voitures nous dépassèrent, avec leurs esclaves caracolant, leurs fers sonnant sur le pavé ; j'en eus le souffle coupé, et je restai pétrifié.

Pendant une année, voilà ce à quoi nous allions être employés, voilà ce qu'allaient être nos vies. Et, d'ici quelques secondes, le premier examen de passage, épouvantable, allait débuter pour de bon.

Mes larmes dégoulinaient, sans retenue aucune, comme toujours, mais je ravalai mes sanglots, en mâchant le mors de cuir, et j'en aimais la sensation, comme me l'avait annoncé Gareth. Quand je fléchissais les muscles, j'appréciais la traction du harnais, et qui plus est, la conscience que j'avais d'être trop bien ligoté pour pouvoir me rebeller achevait de rendre la situation tout à fait inédite.

Quelques instants plus tard, la carriole du Maire fit son apparition, elle cahota en franchissant le portail et elle bloqua tous les véhicules qui se trouvaient derrière elle. Elle était chargée d'un empilement de lin, de meubles et d'autres marchandises, qui provenaient du marché et qu'il fallait apparemment emporter au manoir. Des garçons d'écurie retirèrent prestement leur harnais aux six poneys esclaves, couverts de poussière et ébouriffés par le vent, qui l'avaient tractée. Quatre poneys frais furent sortis des écuries et harnachés aux places de devant, pendant que nous attendions.

Je me demandai si j'avais jamais connu pareille tension, une telle sensation de terreur et de faiblesse. Bien sûr que oui, et mille fois, mais quelle importance cela avait-il ? Le passé ne me serait d'aucune aide. Je me trouvai sur le fil tranchant du présent. La main de Gareth se referma sur mon épaule. Les autres garçons d'écurie se rapprochèrent pour le seconder. Tristan et moi fûmes vivement installés à notre place, derrière les deux autres paires de montures, avec une certaine brutalité.

Je sentis que l'on me passait des sangles, en boucle, au-dessous et tout autour des bras, pour les enfiler ensuite dans l'anneau qui était attaché à mon phallus. Derrière moi, on releva les rênes.

Or, avant que je pusse me résigner à la chose, ou tout au moins y préparer mon esprit, on tira sur les rênes et le harnais, le phallus me souleva les pieds de terre, et l'équipage, tout à coup, partit au galop.

Pas un moment pour implorer miséricorde, pour observer un temps d'arrêt, pour recevoir un dernier encouragement de la bouche de Gareth. Non. Nous levions les genoux, nous progressions à vive allure sur les pavés de la route, nous nous coulions dans le flot de ces véhicules que nous avions étudiés du regard, dans un mélange d'appréhension et d'horreur.

Et je me rendis compte, lors de ces pénibles moments, que le harnais et le mors, les bottes et le phallus, ne ressemblaient à aucun autre des instruments auxquels je m'étais jamais trouvé assujetti. Ces instruments, un but clair et utile ! Ils n'étaient pas faits purement et simplement pour nous mettre à la torture, pour nous humilier et nous rendre malléables, à seule fin de divertir autrui. Ils étaient également faits pour que ce chariot dispose, sur la route, d'un moyen de traction simple et efficace. Nous étions, comme l'avait annoncé la Reine, des chevaux de trait.

Était-il moins avilissant de nous mettre à la tâche et de canaliser nos penchants d'esclaves de façon si judicieuse et experte, ou l'était-ce davantage ? Je n'en savais rien. Je ne savais qu'une seule chose, au moment où nous nous élançâmes sur la route, c'est que j'étais noyé d'une honte qui grandissait à chaque pas. Pourtant, au cœur même du châtiment, je ressentais ce que j'avais toujours ressenti : une tranquillité, une plage de calme au milieu de l'agitation, où je pouvais abdiquer tout ce qui composait mon être.

La mèche du conducteur vint me cingler les jambes avec un claquement puissant. La vision des poneys devant moi me laissa abasourdi. Leurs queues de cheval, noires et touffues, se balançaient et dansaient sur leurs arrière-trains écarlates. Leurs jambes arpentaient le sol, leur chevelure chatoyait sur leurs épaules.

Et quant à nous, nous composions le même tableau, à ceci près que la longue mèche du conducteur nous frappait, sans relâche, encore et encore. Et ce n'était plus les menues piqûres, à vous rendre fou, des badines du Sultan. C'était un bon coup, chaque fois que le cuir nous fouettait. Nous poursuivions notre chemin dans un fracas assourdissant de bottes ferrées, d'autres voitures nous dépassant. Le ciel, qui scintillait au-dessus de nos têtes, ressemblait à celui de mille autres chaudes journées d'été.

Je ne peux pas dire que cette route en rase campagne ait été plus praticable que la route du village. En tout cas, elle était plus fréquentée. Il y avait là des esclaves au travail dans les champs, de petits chariots qui passaient en brinquebalant, une file d'esclaves ligotés à une clôture, dont un maître en colère fouettait les postérieurs avec brutalité.

Lorsque nous nous arrêtâmes, sur le chemin de la ferme, c'est à peine si notre bref repos, sous le harnais, nous permit d'échapper à notre nouvelle posture. Les esclaves de la ferme, nus et maculés de poussière, passèrent devant nous avec indifférence, déchargèrent le chariot, puis y entassèrent un monceau de fruits et de légumes, qui devaient être livrés au marché. À la porte des communs, une fille de cuisine nous regardait d'un air oisif.

Les poneys les plus chevronnés raclaient le sol avec leurs bottes ferrées ; de temps à autre, lorsque les mouches venaient leur voler autour, ils remuaient la tête ; ils étiraient leurs muscles, comme si leur propre état de nudité leur plaisait.

Mais Tristan et moi, nous nous tenions plutôt tranquilles, et j'avais l'impression que le moindre changement dans ce paysage de campagne me privait un peu plus de mon enveloppe mentale, et creusait en moi la sensation de la solitude. Même les oies qui picoraient tout près de nos pieds me semblaient faire partie d'un monde qui nous avait condamnés à être des bêtes grossières, et qui nous maintiendrait dans cet état.

Si jamais quiconque se réjouit à la vue de nos queues durcies, de nos tétons soumis à la torture, il ne nous en fut rien révélé. Le conducteur du chariot, qui faisait les cent pas, nous donnait de grands coups de sa sangle doublée, plus par ennui que par penchant véritable.

Et, lorsque deux autres poneys se frottèrent l'un contre l'autre, le conducteur les punit avec un air de mécontentement, empreint de dureté et de froideur.

— Hé là, on ne se touche pas, lança-t-il.

Et la fille de cuisine se leva, avec lenteur, pour aller lui chercher un battoir en bois. Il vint se poster face à nous, et il se mit à son aise pour punir les contrevenants, en faisant volte-face, à plusieurs reprises, entre ces deux arrière-trains, en secouant le phallus un bon coup par le crochet, de la main gauche, tout en cognant ferme sur le postérieur et les cuisses, au moyen du battoir.

Tristan et moi, nous regardions la scène, pétrifiés, et les poneys gémissaient sous la brutalité des coups, les muscles de leurs fesses se contractaient et se relâchaient irrépressiblement. Je savais à présent que je ne devais en aucun cas commettre cette erreur de me frotter contre un autre corps harnaché. Pourtant, je sentais, avec certitude, qu'un jour je le ferais.

Enfin, on nous fit sortir. Nous trottions vite, les muscles nous cuisaient, nos derrières sursautaient sous la mèche, les mors nous tiraient en arrière sans ménagement, l'allure était un rien trop rapide pour nous, à tel point que bientôt nous versâmes des larmes.

Conduits sur la place du marché, nous eûmes à nouveau l'autorisation de nous reposer, et la foule de midi nous remarqua à peine plus que tout à l'heure les domestiques de la ferme : parfois, quelqu'un s'arrêtait, ici pour flatter une croupe, là pour gifler une queue, et les poneys que l'on touchait secouaient la tête, frappaient du pied, comme s'ils aimaient ça ! Je sus, lorsqu'un passant, enfin, me toucha, que j'allais en faire autant. Et tout à coup, voilà, ce fut mon tour, je m'y suis mis, à secouer la tête et à mâcher mon mors, lorsqu'un jeune garçon, un sac basculé sur l'épaule, fit halte pour s'exclamer que nous étions de beaux destriers, et pour jouer avec les poids qui pendaient à nos tétons.

« Tout cela va finir par s'imposer à nous, songeai-je. Cela va finir par nous composer comme une seconde nature. »

Et, à mesure que l'après-midi s'écoulait, en une succession de voyages tous semblables, ce n'était point tant que je m'y accoutumais, mais c'était plutôt que, profondément, je m'y résignais. Pourtant, je savais que je ne commencerais à posséder la conscience véritable de ce qu'était la vie de poney, à véritablement l'apprécier qu'à mesure que les jours, puis les semaines, s'écouleraient. J'étais incapable de concevoir dans quelle disposition d'esprit je serais dans les six mois à venir. Voilà qui, le moment venu, constituerait pour moi une révélation intéressante.

À la tombée de la nuit, nous effectuâmes notre dernier voyage, attelés cette fois à la charrette de ramassage des détritus, qui sillonnait la place du marché pour charger les ordures. Nous avancions mollement, à mesure que la charrette se remplissait — tels des esclaves nus menés à la tâche par des surveillants rustauds et peu enclins à la patience.

Les villageois, vêtus à présent pour le soir, passaient devant les échoppes et les étalages désertés, en direction de la Place du Châtiment Public voisine. Et nous pouvions entendre les battoirs et les sangles qui œuvraient là-bas, les vivats et les cris de la foule, tout le vacarme d'une fête. De cela aussi, pour le meilleur ou pour le pire, nous étions exclus.

Ce qui nous était réservé, c'était l'univers des écuries, les jeunes valets vigoureux qui nous retiraient nos harnais avec des mots simples :

« Doucement, là », « Du calme » et « Levez la tête, voilà, ça, c'est un bon garçon », tout en nous fouettant pour que nous rejoignions nos stalles, afin de nous faire pencher par-dessus les poutres de bois pour manger et boire.

Cela faisait du bien de sentir que l'on nous retirait nos bottes, de sentir le contact de la plante des pieds sur le sol doux et légèrement humide, de sentir la brosse à récurer qui faisait mousser l'eau sur la peau, jusque dans les moindres recoins du corps. On me délia les bras et on me permit de les étirer un moment, avant que je ne sois contraint de les replier à nouveau dans le dos.

Cette fois, personne n'avait besoin de nous dire de manger ou de boire avec enthousiasme : nous avions faim ! Mais nous étions également torturés de désir. Et, alors que je m'étais allongé sur les poutres, que le garçon d'écurie me faisait relever la tête pour me nettoyer le visage et les dents, je sentais ma queue comme une hampe dardée à force d'être affamée. En aucun cas, elle ne pouvait se soulager contre la pièce de bois brut qui supportait mon poids. Nos garçons d'écurie étaient bien trop malins pour cela. Et je savais ce qu'il advenait de ceux qui, entre eux, essayaient de se livrer à des attouchements.

Contre toute attente, j'espérais un minimum de soulagement. Assurément, on nous en octroierait un peu. Mais, lorsque les écuelles d'eau et de nourriture nous furent retirées, un grand oreiller de duvet fut jeté dans l'abreuvoir, et on m'appuya sur la tête pour que je l'y repose. Ce geste eut sur moi un effet remarquable. Nous allions dormir de cette façon, c'est ce que je compris, le poids de notre corps reposant sur la poutre, et la tête sur l'oreiller. Nous pouvions étendre les jambes si nous le désirions, ou nous contenter de poser les pieds par terre. C'était une bonne position, complètement dégradante. Je tournai la tête vers Tristan. Il me regardait. Si je tendais la main et si je lui touchais la queue, qui le verrait ? Je pouvais fort bien le faire. Ses yeux étaient deux globes, miroitants dans la pénombre.

Entre-temps, on faisait entrer et sortir des poneys, au pas. Je pouvais entendre le bruit des montures que l'on harnachait, et que l'on déharnachait, les voix des villageois dans la cour, qui demandaient telle monture, ou telle autre. L'écurie était plus sombre mais pas plus calme qu'elle ne l'avait été ce matin. Les garçons d'écurie sifflotaient, tout en s'affairant à la tâche. De temps à autre, ils taquinaient un poney, de leurs voix fortes et affectueuses.

Je ne cessais pas de dévisager Tristan, incapable, à cause des traverses de bois, de voir sa queue. Il était déjà bien assez rude comme cela de voir son beau visage contre l'oreiller. Combien de temps leur faudrait-il pour me maîtriser si je le montais, si je plongeais ma queue bien profond et... Mais il se pouvait qu'ils disposent de moyens de nous punir auxquels je n'avais pas songé...

Soudain, Gareth fit son apparition. J'entendis sa voix au moment même où je sentis sa main caresser mon derrière endolori.

— Eh bien, avec vous deux, les conducteurs ont pu faire leur travail à la perfection, nous annonça-t-il. Et, à ce qu'on m'a rapporté, vous êtes de bons poneys. Je suis fier de vous.

L'afflux de plaisir que je ressentis ne m'apporta rien d'autre qu'une extraordinaire humiliation.

— Maintenant, debout, tous les deux, les bras repliés fermement dans le dos, et la tête haute, comme si vous portiez le mors. Et puis, dehors, avancez, en vitesse.

Il nous fit aller au pas jusque dans la cour aux carrioles, et je vis une autre porte à deux battants, sur le côté de l'écurie. Une poutre, en guise de verrou, était couchée en travers de la porte, engagée jusqu'à la moitié de sa longueur. S'il voulait passer outre, un homme devrait plonger au-dessous, ou l'escalader, cette dernière solution paraissant de loin la plus commode.

— Nous sommes ici dans la cour de récréation, et vous allez y rester durant une heure, annonça Gareth. Maintenant, par terre, à quatre pattes, et tant que vous serez dans la cour, veillez à rester à terre. Aucun poney ne marche debout, sauf s'il marche aux ordres de son Maître, ou s'il trotte sous le harnais. Désobéissez, et je vous enchaînerai les coudes aux genoux, de sorte que vous ne puissiez vous lever. Ne me forcez pas à le faire.

Nous nous mîmes à quatre pattes, et il nous frappa le postérieur de ses deux mains bien à plat, de manière à nous faire franchir le seuil.

Immédiatement, nous entrâmes dans une cour en terre battue, proprement balayée, éclairée de torches et de lanternes, avec de grands arbres centenaires le long du mur du fond, et des poneys nus, assis, ou qui folâtraient à quatre pattes un peu partout. Il régnait là une atmosphère paisible — jusqu'à ce que les autres étalons nous voient et s'approchent de nous.

Je compris ce qui allait se passer. Et je n'essayai ni de me défendre ni de m'enfuir. Où que je regarde, je voyais des flancs nus, de longues boucles de cheveux en désordre, des visages souriants. Juste en face de moi, un jeune et beau poney, les cheveux blonds et les yeux gris, me sourit en tendant la main vers moi pour me caresser le visage et m'ouvrir la bouche avec son pouce.

J'attendis, sans vraiment savoir jusqu'où j'allais laisser aller les choses, lorsque j'en sentis un autre derrière moi, avec sa queue qui, sans tarder, poussait à l'intérieur de mon anus, et puis voici que, déjà, un autre m'avait passé un bras par-dessus l'épaule et me tirait sans ménagement sur les tétons. Je m'écartai, je lançai une ruade, ce qui eut pour seul effet de m'enfiler la queue de l'autre plus profondément dans le derrière, et je fus pris de front par le beau spécimen, qui riait en s'asseyant sur ses talons, et qui m'appuyait sur la tête, pour la faire ployer en direction de sa queue, avec vigueur. Un autre poney me tira par les bras, que j'avais gardés repliés sous mon torse, et j'ouvris la bouche sur cette queue, sans même être certain d'en avoir envie. Je gémissais sous l'effet du ramonage sévère que je subissais par l'arrière. Et puis aussi je bouillais d'excitation. J'appréciais ces étalons, si seulement...

Je sentis alors une bouche ferme et mouillée se refermer sur mon propre organe, en le suçant fort, tandis que la langue d'un autre poney me lapait sérieusement les couilles, et je cessai complètement de me soucier de savoir qui prenait les décisions. Je suçais ce joli garçon, et j'étais sucé, et mon derrière se faisait ramoner sévèrement, et j'étais plus heureux que je ne l'avais jamais été dans le jardin du Sultan.

Aussitôt que je jouis, à ce qu'il me sembla, on me bascula sur le dos. Le joli garçon s'était fait assez sucer comme cela, et il avait envie de me prendre. Il se pencha sur moi avec un sourire, tout en m'astiquant encore plus fort que ne l'avait fait le premier poney, et je levai les jambes pour les placer sur ses épaules, tandis que, pour me soulever, il recueillait mes fesses au creux de ses mains.

— Vous êtes un joli spécimen, Laurent, me chuchota-t-il, entre deux halètements.

— Vous n'êtes pas mal non plus, lui chuchotai-je en réponse.

Un autre poney me maintenait la tête, et sa queue dansait juste au-dessus de moi.

— Pas si fort, quand vous parlez, chuchota le joli garçon, et là-dessus, il jouit, le visage injecté de sang, les paupières plissées, tant il les fermait fort. Un autre garçon le tira en arrière pour le faire sortir de moi, avant qu'il en ait fini. Une fois encore, une bouche était sur moi, des bras se nouèrent autour de mes hanches. Quelqu'un m'enfourcha, à la hauteur de la tête, et une queue vint danser juste au-dessus de moi. Je lapai cette queue, je la fis danser plus encore, puis elle descendit, et j'ouvris les lèvres pour la recevoir, en la mordant un petit peu ; je dardai le petit orifice à coups de langue, puis je le suçai.

Je perdis toute notion du nombre de ceux qui usèrent de moi. Mais je gardai un œil sur le joli blondinet. Il se tenait à genoux devant un abreuvoir, il se lavait la queue à l'eau fraîche qui coulait. C'était ainsi qu'on en usait, après l'avoir introduite dans le postérieur de quelqu'un. Vous deviez la nettoyer avant de pouvoir la fourrer dans une autre bouche, voilà ce que je fus en mesure de voir. Et je décidai que j'allais lui rentrer dans le derrière, tout de suite, avant qu'il s'éloigne.

Lorsque je glissai les bras au-dessous des siens, en le tirant pour l'écarter de l'abreuvoir, il éclata d'un rire sonore. Je l'ai lardé à grands coups de mon dard, bien fort, bien dur, et je l'ai soulevé, à cheval sur mon bas-ventre.

— Comme ça, espèce de petit démon ? lui chuchotai-je à l'oreille.

Il en eut le souffle coupé.

— Vas-y doucement !

— Du diable si je vais y aller doucement, me suis-je écrié.

Je lui écrasai les tétons entre le pouce et l'index, tout en lui assenant mes coups de boutoir, à le faire rebondir en l'air.

Je jouis, et après quoi je le balançai en avant, à quatre pattes, et je le claquai durement, encore et encore, du plat de la main, jusqu'à ce qu'il détale sous les arbres. Je me lançai à sa poursuite.

— S'il te plaît, Laurent! Aie un peu de respect pour un destrier qui a plus d'ancienneté que toi! s'exclama-t-il.

Il gisait, allongé sur la terre meuble, le regard levé vers le ciel nocturne, et sa poitrine se soulevait. J'étais étendu à côté de lui, sur un coude.

— Quel est ton nom, mon joli garçon? lui demandai-je.

— Gérard, me répondit-il. (Il me regardait, et le même sourire s'épanouit de nouveau sur son visage. Il était franchement charmant.) Je vous ai vus harnachés de pied en cap ce matin. Je vous ai vus à plusieurs reprises sur la route. Vous êtes, toi et Tristan, les plus belles pièces qui se puissent trouver dans ce cheptel.

— Tu ferais mieux de ne pas l'oublier, lui conseillai-je, en me penchant sur lui, avec un sourire. Et la prochaine fois que nous nous rencontrerons dans cette cour, tu te présenteras à moi comme il convient. Quand tu voudras quelque chose, tu ne te serviras pas sans demander.

Je glissai ma main derrière son épaule et je le balançai en avant, face contre terre. Je pouvais encore distinguer la marque de ma main sur son derrière. Et puis je me reposai sur lui, ma poitrine écrasée sur son dos, et je le fessai aussi fort que je le pus, sans relâche.

Il rit et gémit en même temps, mais son rire mourut, à mesure que ses cris se faisaient de plus en plus forts. Il se débattait et se contorsionnait dans la boue. Son postérieur était si étroit et si menu que, lorsque l'envie me prenait de me reposer, je pouvais en recueillir toute la largeur dans ma main. Mais je n'avais pas une franche envie de me reposer. Je le fessai encore plus fort, probablement, que toutes les sangles dont les conducteurs avaient usé sur lui.

— Laurent, je t'en prie, je t'en prie, répétait-il, haletant.

— Quand tu voudras quelque chose, tu demanderas...

— Je supplierai! Je le jure. Je supplierai! criat-il.

Je me redressai, assis, et je m'adossai contre le tronc de l'arbre. D'autres se reposaient dans la même position. Ce que je voyais bien, c'était qu'il était interdit de se tenir debout.

Gérard leva la tête, les cheveux tout emmêlés, dans les yeux, et il souriait, plutôt courageusement, songeai-je, mais plutôt gentiment aussi. Je l'appréciais. Sa main gauche redescendit timidement jusqu'à son derrière, pour en masser les rougeurs. C'était quelque chose que je n'avais jamais vu auparavant. « C'est agréable de pouvoir jouir d'un temps de repos comme celui-ci, quand on vient de se livrer au genre de petit exercice que nous avons connu », songeai-je. J'étais incapable de me rappeler aucune occasion, ni durant ma vie au château, ni au village, ni au palais du Sultan, où j'avais été en mesure de me frotter le derrière de la sorte, après une séance de fouet.

— Est-ce que ça fait du bien? lui demandai-je.

Il hocha la tête.

— Laurent, tu es un démon! me chuchota-t-il. (Et il se pencha en avant pour me baiser la main, ma main qui reposait dans l'herbe.) Faut-il que tu te montres aussi rude que nos Maîtres?

— J'aperçois un baquet là-bas, à côté de l'abreuvoir, dis-je. Va le chercher entre tes dents, reviens ici, et lave-moi la queue, ensuite tu la laveras encore une fois avec ta bouche. Et dépêche-toi.

Pendant que j'attendais qu'il exécute mes ordres, je jetai un œil alentour. Plusieurs autres poneys, qui se tenaient accroupis sur leur derrière, m'adressaient des sourires. Tristan était enlacé à un gigantesque étalon aux cheveux noirs, qui lui couvrait la poitrine d'assez tendres baisers. Pendant que je les observais, un autre poney se rapprocha d'eux, et l'étalon aux cheveux noirs n'eut qu'à esquisser un geste de menace pour chasser l'intrus.

Je souris. Gérard était de retour. Il me baigna la queue, avec lenteur, avec soin. De nouveau, elle se dressa sous l'action de l'eau chaude.

Tout en jouant avec ses cheveux, je me dis : « C'est le paradis. »

La vie à la Cour dans toute sa gloire

La Belle, vêtue d'une robe et parée de bijoux, comme il convenait, faisait les cent pas dans sa chambre, en croquant une pomme. De temps à autre, elle rejetait en arrière sa longue crinière blonde et soyeuse par-dessus son épaule, tout en lançant des coups d'œil en direction du Prince, jeune et robuste, splendidement vêtu, qui était venu jusqu'au château lugubre de son père pour lui faire la cour.

Un visage tellement innocent, ce Prince.

D'une voix sourde et pleine de ferveur, il prononçait des paroles prévisibles — il adorait la Belle, il serait le plus heureux des hommes de pouvoir faire d'elle sa Reine, leur union mettrait leurs familles au comble de la joie.

Une demi-heure plus tard, la Belle avait interrompu cette diatribe écœurante pour s'enquérir auprès de lui s'il avait jamais entendu évoquer les étranges coutumes de plaisir en vigueur au royaume de la Reine Eléonore.

Il l'avait dévisagée avec de grands yeux.

— Non, ma Dame, avait-il admis.

— C'est fâcheux, avait-elle chuchoté, avec un sourire acide.

Elle se demandait à présent pourquoi elle n'avait

291

pas renvoyé ce Prince. Depuis qu'elle avait regagné la maison de son père, elle n'avait pas cessé d'éconduire des hommes. Mais son père, malgré sa déception et sa lassitude, n'en continuait pas moins à dépêcher des missives, à recevoir sans cesse plus d'invités, à ouvrir sans relâche ses portes à davantage de soupirants.

Une nuit, la Belle était couchée, à pleurer contre son oreiller, à rêver le même rêve dans la veille et dans le sommeil : rêvant à tous les plaisirs perdus qu'elle avait connus par-delà la frontière de la terre de ses parents, un sujet que personne à la Cour n'osait aborder, et qu'elle-même n'évoquait jamais, ni en public ni en privé.

Elle interrompit ses déambulations et scruta le jeune Prince. Elle jeta sa pomme à demi croquée. Quelque chose, dans ce jeune homme, la fascinait. Naturellement, il était bel homme. Elle avait bien fait savoir qu'elle n'épouserait qu'un homme beau. Personne ne jugea cette exigence, de la part d'une Princesse pourvue de tels attributs, comme une extravagance.

Mais il possédait d'autres choses en lui. Il avait des yeux bleu-violet, assez semblables à ceux d'Inanna, ou plus exactement à ceux de Tristan. Comme Tristan, il était blond — des cheveux d'or foncé, épais et touffus, qui lui encadraient le visage, en laissant nue la base de la nuque. « Il est plutôt attirant de voir cette nuque nue », songea la Belle. En outre, le jeune homme était grand, large d'épaules, comme le Capitaine de la Garde, comme Laurent.

Ah, Laurent ! C'était à Laurent qu'elle pensait le plus, lui dont elle se souvenait le plus. Dans ses rêves, le Capitaine de la Garde était une sentinelle sombre et sans visage. Le bruit que faisait sa sangle s'élevait en elle, puis mourait. Mais c'était le visage souriant de Laurent qu'elle voyait, l'énorme queue de Laurent qui lui manquait à en mourir. Laurent !

Dans la chambre, quelque chose avait changé.

Le Prince s'était arrêté de parler. Il la fixait du regard. Son ardeur courtoise s'était muée en un silence rare et sincère. Il se tenait debout, les mains croisées dans le dos, sa cape jetée sur une épaule, et une tristesse l'envahit.

— Vous allez m'éconduire, moi aussi, n'est-il pas, ma Dame ? demanda-t-il calmement. Et après cela, vous allez hanter mes nuits pour l'éternité.

— Ah oui, vraiment ? s'enquit-elle.

Quelque chose en elle se précipita.

La réponse qu'elle venait de faire n'avait rien de sarcastique. Tout à coup, la situation prenait de l'importance.

— J'ai tant le désir de vous plaire, Princesse, chuchota-t-il.

Vous plaire, vous plaire, vous plaire. Ces mots la faisaient sourire. Combien de fois ne les avait-elle pas entendus prononcés, dans le monde du château et du village, désormais si lointain, et dans le monde encore plus lointain, l'univers fantasmagorique du Sultan ! Combien de fois ne les avait-elle pas prononcés elle-même !

— Vraiment, mon cher Prince ? s'enquit-elle avec prévenance.

Elle avait conscience de ce que sa conduite s'était modifiée, et que le Prince s'en était aperçu. Il se tenait là, debout, sans un geste, il la regardait depuis l'autre extrémité de la pièce, le soleil de l'après-midi dardait ses rayons, de larges barreaux de lumière, contre le sol de pierre, entre eux deux. Il miroitait dans sa chevelure, sur ses sourcils.

Elle avança, et elle crut le voir se dérober, elle

crut voir vaciller sur son visage la flamme d'une sensation indéfinie.

— Répondez-moi, Prince, ordonna-t-elle froidement. (Oui, elle avait bien vu. La vague écarlate qui lui montait aux joues le lui confirmait. Il était décontenancé.) Eh bien, verrouillez donc les portes, lâcha-t-elle à voix basse. Toutes les portes.

Il hésita, juste un instant. Quelle allure virginale il avait ! Qu'y avait-il, sous ces hauts-de-chausses ? Elle le scruta, de la tête aux pieds, et encore une fois, elle vit ce mouvement intérieur de dérobade, cette vulnérabilité qui lui conférait une stature et une belle contenance, soudainement irrésistibles.

— Verrouillez les portes, Prince, fit-elle sur un ton de voix menaçant.

Et, avançant comme s'il avançait dans un rêve, il alla pour obéir, non sans lui lancer un timide coup d'œil en arrière.

Il y avait un tabouret dans un coin, un large siège à trois pieds. La femme de chambre de la Belle s'asseyait là, lorsqu'on n'avait pas besoin d'elle.

— Disposez ce tabouret au centre de la pièce, commanda-t-elle et, tout en le regardant lui obéir, elle sentit sa poitrine se serrer.

Il leva brièvement les yeux sur elle avant de se redresser, après avoir posé le tabouret en place, et elle aima tout cela, son corps courbé en avant, son regard levé vers elle, la couleur sur ses joues. Une couleur divine.

Elle croisa les bras et s'appuya contre le montant sculpté de la cheminée. Elle savait que ce n'était pas une position convenable pour une dame. Sa robe de velours la gênait.

— Ôtez vos vêtements, lui chuchota-t-elle. Tous vos vêtements.

Le temps d'un instant, il fut frappé d'une telle stu-

peur qu'il demeura sans réaction. Il la regardait fixement, comme s'il avait mal entendu.

— Allons, défaites-vous-en, répéta-t-elle d'une
voix monocorde. Je veux voir votre corps, je veux
voir à quoi vous ressemblez.

Encore une fois, il hésita, et puis, quand il inclina
la tête pour commencer de délacer son pourpoint, la
rougeur de sa face s'accentua. Ravissants, cette
vision de ses joues en feu, et ce pourpoint qui
s'ouvrait sur sa chemise froncée. Il tira sur les cor-
dons qui laçaient la chemise, et sa poitrine fut nue.
Oui, encore, encore. Oui, défaites vos manches,
dénudez vos bras. Nu, entièrement nu.

De jolis tétons, peut-être juste un soupçon trop
pâles, chacun d'eux encerclé d'un duvet blond, dont
les poils couraient vers le centre de sa poitrine pour
croître et épaissir sur son ventre, en une toison bouclée.

Et voici que ses hauts-de-chausses étaient par
terre, et qu'il quittait ses bottes, en avançant d'un
pas afin de s'en dégager. Jolie queue. Et très dure.
Comme de juste. Quand avait-elle durci ? En ver-
rouillant les portes ? Ou bien quand elle lui avait
ordonné d'ôter ses vêtements ? En vérité, cela
importait peu. Entre ses jambes, son propre sexe
était chaud et mouillé.

Quand il leva de nouveau les yeux sur elle, il était
nu comme un ver — le seul homme nu qu'elle ait vu
depuis qu'elle avait quitté le vaisseau au mouillage
dans le port de la Reine Éléonore, et elle sentit son
propre visage parcouru de fourmillements, et ses
lèvres s'ouvrir sur un sourire, effrontément.

Mais il n'était pas bon de lui sourire si tôt. Elle se
raidit quelque peu. Elle sentit une grande vague de
chaleur dans ses seins. Elle détestait cette robe de
velours qui la couvrait.

— Debout sur le tabouret, Prince, de sorte que je puisse vous voir comme il faut.

Voilà qui était trop, ou du moins c'est l'impression qui la traversa, le temps d'un instant. Il ouvrit la bouche, mais il se contenta d'avaler sa salive. Oh, très élégant. La Reine Eléonore et sa Cour de voluptés l'auraient reçu volontiers. Quel supplice, alors, c'eût été ! Et cette belle peau, qui trahissait tout, comme la peau de Tristan. Mais il n'avait nullement la fourberie d'un Laurent.

Il se tourna et regarda le tabouret. Il était paralysé.

— Debout sur le tabouret, Prince, répéta-t-elle en avançant d'un pas, et placez donc vos mains sur votre nuque. De cette façon, je peux bien vous voir. Vos mains et vos bras n'encombrent pas ma vue.

Il la fixait du regard. Elle le fixa du regard. Et puis il se tourna et, dans un mouvement lent, presque somnolent, grimpa sur le tabouret et plaça ses mains derrière sa nuque, ainsi qu'elle venait de le lui commander. Il paraissait stupéfait de s'être exécuté.

Quand il la regarda de nouveau, son visage était plus écarlate qu'aucun visage qu'elle eût jamais vu, ce qui faisait miroiter ses yeux, et ses cheveux avaient l'aspect de l'or, ce même aspect qu'avaient souvent eu les cheveux de Tristan. Il avala de nouveau sa salive, et il baissa les yeux, mais il est probable qu'il ne vit pas sa queue dressée. Il regardait au-delà, à l'intérieur de son âme nouvellement éveillée, considérant non sans honte qu'il était sans défense.

Mais cela, aux yeux de la Belle, n'importait guère. Elle, c'était cette queue qu'elle regardait. Cela pourrait toujours faire l'affaire. Ce n'était certes pas l'organe de Laurent, mais il est vrai qu'il n'existait pas beaucoup d'organes d'une telle robustesse ! C'était une bonne queue, à la vérité, qui s'incurvait vers le haut, suivant un angle assez aigu, au-dessus du scrotum, et elle était à présent aussi cramoisie que le visage du Prince.

Comme elle se rapprochait, la queue devint encore plus rouge. Elle tendit la main et la toucha du pouce et de l'index. Le Prince se rétracta pour se dérober.

— Tenez-vous tranquille, Prince, ordonna-t-elle. Je veux vous inspecter. Et cela requiert votre paisible acquiescement.

Comme il avait l'air timide, quand elle lui pinça les chairs, tout en levant brièvement les yeux sur lui. Il était incapable de croiser le regard de la Belle. Sa lèvre inférieure tremblait d'exquise manière. Si elle l'avait vu au château, elle aurait été attirée vers lui comme elle l'avait été vers Tristan. Oui, une fois défait de tous ses oripeaux, c'était un jeune et joli spécimen de Prince, qui, c'était aisément prévisible, allait pleinement s'épanouir, au bout d'une laisse.

La laisse. Elle la chercha du regard. La ceinture du Prince, il faudrait bien s'en contenter. Mais elle n'était pas encore prête pour cela, et il allait devoir descendre du tabouret et la lui tendre. Pour l'heure, elle le contournait pour venir se placer derrière lui, afin de lui examiner les fesses. Elle tâta sa peau virginale, et elle sourit en le voyant trembler, de façon très perceptible, et ses cheveux frissonner dans sa nuque dénudée, de manière plutôt touchante.

Elle prit fermement ses fesses dans sa main et les écarta. Voici qui allait presque trop loin. Il frémit, et ses muscles se contractèrent.

— Ouvrez-vous à moi. Je veux vous regarder.

— Princesse ! s'exclama-t-il, haletant.

— Vous m'avez entendue, Prince, fit-elle avec gentillesse, mais non sans autorité. Relâchez-moi ces beaux muscles, afin que je puisse vous examiner.

Il obéit, et elle crut percevoir un petit halètement. Ces chairs bien trempées se firent plus moelleuses, et elle lui écarta les fesses pour examiner son anus entouré de poils. Il était si petit et si rose, froncé, dissimulé. Qui aurait pu penser qu'il serait capable de recevoir un phallus imposant, une queue, un poing gainé de cuir doré ?

Mais pour ce tendre novice, quelque chose de plus petit ferait l'affaire. Voire le premier objet venu, vraiment. Nonchalamment, elle parcourut la pièce du regard. Une bougie s'imposa à elle, avec la dernière évidence ; et il y en avait plein la pièce, dont certaines mesuraient à peine trois centimètres de large.

Lorsqu'elle alla en prendre une sur son support, elle se souvint de quelle manière elle avait transpercé Tristan de la sorte, la fois où ils avaient fait l'amour tous les deux dans la demeure de Nicolas, au village. Ce souvenir la galvanisa. Elle en éprouva une sensation de puissance qui lui était totalement inconnue jusqu'alors.

Lorsqu'elle se retourna, elle leva brièvement les yeux sur lui et vit les larmes qui mouillaient le visage du Prince, ce qui l'excita un peu plus. Le plus surprenant était en fait l'humidité qu'elle sentait entre ses propres jambes.

— Ne soyez pas effrayé, mon chéri, le rassurat-elle. Regardez votre queue. Elle sait ce dont vous avez besoin et ce que vous désirez, elle le sait même mieux que moi-même. Votre queue vous est reconnaissante de m'avoir trouvée.

Elle revint se placer derrière lui et, en l'ouvrant d'une seule main, ses doigts l'écartant bien large, elle inséra lentement le bout de la chandelle, du côté de la mèche. Doucement, avec délicatesse, elle la fit pénétrer, centimètre par centimètre, en ignorant les gémissements âpres du Prince, jusqu'à ce qu'il en tienne pour quinze bons centimètres. La bougie saillait, une vision splendide et humiliante, et chaque fois qu'il recommençait de contracter les fesses, avec des gémissements feutrés, mais sonores et implorants, la chandelle remuait.

Elle recula, cette sensation de le posséder lui tournait la tête. Allons, elle pouvait tout lui faire, n'est-ce pas? En temps et en heure...

— Gardez-la en vous, ordonna-t-elle. Si vous la forcez à ressortir, ou si vous la laissez tomber, j'en serai très désappointée et très en colère contre vous. Elle est là pour vous rappeler que, à compter de maintenant, vous m'appartenez, vous êtes mien. Vous êtes embroché par cette chandelle, et elle sollicite votre obéissance, elle vous tient là, impuissant.

Cela la laissa dans un état de pure et douce stupéfaction, mais, oui, il hocha lentement la tête. Il ne disputait pas la chose avec elle.

— Nous parlons une langue universelle, celle du plaisir, n'est-ce pas, Prince? fit-elle à voix basse.

Là encore, il hocha la tête. Mais cela lui était si difficile, il souffrait tant. Le cœur de la Belle lui était d'ores et déjà tout acquis, mais, à cette compassion de la Princesse, il se mêlait une terrible solitude, une terrible envie. C'était puissant, cette sensation de pouvoir, mais plus puissants encore étaient les souvenirs qu'elle conservait d'avoir été dominée. Mieux valait ne pas songer aux deux simultanément.

— Maintenant, Prince, je veux vous fouetter. Laissez-vous tomber à terre, retirez votre ceinture, et donnez-la-moi.

Comme il amorçait un geste lent, afin d'obéir, ses mains tremblant de manière incontrôlable, la chandelle pointant hors de son postérieur, elle continua de lui parler, de cette voix apaisante.

— Ce n'est pas que vous ayez commis aucune mauvaise action. Je vais vous fouetter, tout simplement parce que j'en ai envie, admit-elle.

Il se tourna vers elle et lui remit la ceinture dans la main, mais une fois qu'elle l'eut en main, il ne s'écarta pas. Il se tenait là, juste devant elle, tout tremblant. Du bout des doigts, elle toucha la toison bouclée de sa poitrine, tira dessus à petits coups secs, fit courir ses doigts autour de son téton gauche.

— Oui, qu'y a-t-il ? demanda-t-elle.

— Princesse..., commença-t-il, d'une voix entre-coupée.

— Parlez, mon cher, le pria-t-elle. Après tout, personne ne vous a dit que vous n'aviez pas le droit de parler.

— Je vous aime, Princesse.

— Bien sûr que vous m'aimez, constata-t-elle. Maintenant remontez sur ce tabouret, et après que je vous aurai fouetté, je vous ferai savoir si vous m'aurez plu ou non. Souvenez-vous, maintenez cette chandelle fermement en place. Maintenant, allons, mon amour. Nous ne devons pas gâcher ces moments intimes.

Elle vint se placer derrière lui, tandis qu'il obéis-sait. Elle le cingla méchamment avec la lanière et, gagnée par la fascination, elle observa que le coup lui laissait une large empreinte rose sur la fesse droite. Elle le frappa de nouveau, en s'émerveillant de ce que la force du coup semble résonner dans tout son corps, jusque dans le frémissement de la cheve-lure, jusque dans ses mains qui tremblaient encore, alors pourtant qu'il n'avait pas cessé de les tenir bien croisées sur la nuque, docilement.

Là-dessus, elle lui assena un troisième coup, plus

fort que les deux autres, en le cueillant sous les fesses, au-dessous de la chandelle qui saillait, et elle apprécia plus que tout cette vision-là, aussi lui administra-t-elle encore quelques coups bien vigoureux, à cet endroit-là, ce qui faisait bouger la chandelle chaque fois qu'il remuait, en le poussant à se dresser sur la plante des pieds quand il se démenait pour se tenir tranquille. Ses gémissements possédaient une étrange éloquence.

— Personne ne vous a-t-il jamais fouetté, Prince ? demanda-t-elle.

— Non, Princesse, admit-il d'une voix âpre et rauque. Exquis, vraiment.

Et, en guise de remerciements, elle œuvra sur ses cuisses et sur ses mollets, sur la chair du creux de ses genoux, et sur ses chevilles, et ses jambes lui donnaient l'impression de remuer, sans bouger toutefois. Quelle maîtrise il possédait. Elle essaya de se rappeler si elle-même avait jamais possédé pareille maîtrise. Quelle importance cela avait-il ? Tout avait cédé la place au présent. Et au lieu du passé, elle jouissait de cet instant et elle évita de repenser aux séances de fouet qu'elle avait endurées, pour songer plutôt aux moments passés en mer, quand elle avait vu Laurent frapper Lexius et Tristan à coups de sangle.

Elle contourna le Prince pour venir se poster en face de lui. Son visage était plus marqué qu'elle ne l'aurait supposé.

— Vous vous comportez magnifiquement, mon chéri, lui annonça-t-elle. Je suis vraiment impressionnée par votre comportement.

— Princesse, je vous adore, chuchota-t-il.

Il avait un don indéniable pour ces regards-là, des regards proprement extraordinaires. Pourquoi ne les avait-elle pas appréciés à leur juste valeur, dès avant cet instant ?

Elle rassembla toute la longueur de la lanière dans sa main, ne laissant qu'une bonne extrémité de celle-ci pendre librement, et c'est avec cette extrémité qu'elle lui fouetta durement la queue, ce qui, clairement, l'effraya et le fit sursauter.

— Princesse ! s'écria-t-il, haletant.

Elle se contenta de lui sourire. Mieux valait fouetter son petit ventre ferme — ce qu'elle fit — puis fouetter sa poitrine, et contempler ces marques qui brillaient, telles des sillages dans l'eau. Elle lui fouetta les tétons.

— Oh, Princesse, je vous en supplie..., chuchota-t-il, entrouvrant à peine les lèvres.

— J'aimerais avoir le temps de vous faire regretter de m'avoir suppliée, lui répliqua-t-elle. Mais je ne dispose pas de ce temps. Descendez, Prince, ici, à quatre pattes. Maintenant, vous allez me satisfaire, me faire plaisir.

Tandis qu'il obéissait, elle défit les dernières agrafes de sa jupe, et son corsage lui tomba à la taille. C'était tout ce qu'il avait besoin de voir d'elle. Elle sentit ses propres fluides fondre le long de ses cuisses. Elle claqua des doigts, à son intention, pour qu'il approche.

— Votre langue, Prince, commanda-t-elle, et alors elle écarta les jambes, et elle sentit son visage, tout contre elle, et sa langue, qui lapait.

Cela faisait si longtemps, si longtemps que c'en était terrible ! Sa langue était puissante, vivace, vorace. Il fourrait son nez en elle, sa chevelure venait repousser sans cesse un peu plus ses jupes de velours, et lui chatouillait le bas-ventre. Elle soupirait et glissa de plusieurs pas en arrière. Il leva la main vers elle, il s'empara d'elle.

— Prenez-moi, Prince, ordonna-t-elle.

Elle ne pouvait plus supporter ses vêtements. Elle

les ouvrit, en les arrachant, elle les laissa tomber par terre. Il l'attira, sur le sol de pierre.

— Ah, ma chérie, ma chérie, haletait-il.

Lorsqu'il vint en elle, il lui repoussa les jambes loin, en les lui écartant bien. Elle tendit la main vers la chandelle, la trouva et, des deux mains, elle l'en besogna. Il grinçait des dents et la menait avec brutalité, tandis qu'elle le menait, elle, à coups de chandelle.

— Plus fort, Prince, plus fort, faute de quoi je vous promets que je fouetterai chaque centimètre de votre corps à coups de lanière ! chuchota-t-elle, en lui mordant l'oreille, et les cheveux du Prince lui recouvrirent la figure.

Et puis enfin, elle jouit, dans une explosion blanche d'extase et d'oubli, à peine consciente des sucs du Prince qui se ruaient en elle, comme une lame de fond.

Quelques instants seulement de demi-sommeil. Elle tira sur la chandelle pour l'extraire du corps du Prince et elle lui baisa la joue. Avait-elle agi de même, voici bien longtemps, avec Tristan ? Oh, d'ailleurs, quelle importance ?

Elle se leva et remit sa robe, en en faisant claquer les agrafes avec impatience. Lui aussi, il se relevait, avec quelque effort.

— Habillez-vous, Prince, lui lança-t-elle, et allez-vous-en. Quittez le Royaume. Je ne vous épouserai pas.

— Mais, Princesse, s'écria-t-il.

Il était encore à genoux, et il se précipita vers elle, en la rattrapant par la jupe.

— Non, Prince. Je vous l'ai dit. Je refuse votre demande en mariage. Laissez-moi.

— Mais, Princesse, je serai votre esclave, votre esclave en secret ! l'implora-t-il. Dans l'intimité de vos appartements...

— Je sais, mon cher. Et vous êtes un bon esclave, sans aucun doute, lui répliqua-t-elle. Mais, voyez-vous, ce que je veux, ce n'est pas vraiment avoir un esclave. Ce que je veux, moi, c'est être une esclave.

Durant un long instant, il la dévisagea. Elle savait quelle torture il endurait. Mais vraiment, ce qu'il pensait ne lui importait guère. Jamais il ne pourrait la maîtriser. Elle le savait, et que lui le sache ou non, cela n'avait aucune importance.

— Habillez-vous ! lui lança-t-elle une fois encore.

Et cette fois-ci, il lui obéit. Mais son visage demeurait écarlate. Il était toujours tremblant, même lorsqu'il fut complètement revêtu de tous ses atours, avec sa cape jetée sur ses épaules.

Durant un long moment, elle l'étudia. Puis elle commença de lui parler, d'une voix feutrée, tout en s'exprimant d'un débit très rapide.

— Si vous voulez être un esclave de plaisir, lui expliqua-t-elle, alors rendez-vous, à l'est de cette terre, tout droit dans le Royaume de la Reine Éléonore. Franchissez la frontière. Et aussitôt que vous serez en vue du village, ôtez vos vêtements, fourrez-les dans votre besace de cuir, et enterrez-les. Ensuite, approchez-vous du village et, quand les villageois vous verront, courez, pour leur échapper. Ils vous prendront pour un esclave fugitif et, assez promptement, ils vous captureront, afin de vous livrer au Capitaine de la Garde, pour votre châtiment. Alors dites-lui la vérité, que vous le suppliez de pouvoir servir la Reine Éléonore. Allez, à présent, mon amour, et croyez en ma parole. Le jeu en vaut la chandelle.

Il la dévisagea, peut-être encore plus interdit par les mots qu'elle venait de prononcer que par tout le reste.

— J'irais volontiers avec vous, si je le pouvais, mais ils se contenteraient de me renvoyer, déplora-t-elle. Ce serait peine perdue. Maintenant, partez. Vous pouvez atteindre la frontière avant la nuit.

Il ne répondit rien. Il se contenta simplement de rajuster un peu son épée, sa ceinture. Puis il se rapprocha d'elle, et plongea son regard dans ses yeux.

Elle se laissa embrasser, et puis elle lui serra la main très fort, un instant.

— Irez-vous ? lui chuchota-t-elle. (Mais elle n'attendit pas de réponse.) Si vous y allez, et si, là-bas, vous voyez le Prince Laurent, dites-lui que je me souviens de lui et que je l'aime. Dites-le à Tristan, également...

Vain message, et trait d'union tout aussi vain avec tout ce qui lui avait été retiré.

Mais il parut peser soigneusement les paroles qu'elle venait de prononcer. Et puis il s'en fut, déjà, il était hors de la chambre, en bas des escaliers. Et, dans la douce lumière du soleil de l'après-midi, de nouveau, elle se retrouva seule.

« Que me reste-t-il à faire ? s'écria-t-elle doucement, pour elle-même. Que me reste-t-il à faire ? » Elle pleura des larmes amères. Elle pensait à Laurent, à la facilité avec laquelle il s'était élevé du rang d'esclave à celui de Maître. Elle, elle était incapable d'en faire autant. Elle était trop jalouse de la souffrance qu'elle infligeait, trop avide de soumission. Elle était incapable de suivre les traces de Laurent. Incapable d'imiter l'exemple de l'implacable Dame Juliana, qui, du rang d'esclave nue, avait accédé à celui de Maîtresse, et apparemment sans ciller. Peut-être ne possédait-elle pas cette dimension de l'esprit qu'avaient Laurent et Juliana.

Mais Laurent avait-il été capable de redevenir un esclave facilement ? Assurément, là-bas, aux écuries, lui et Tristan avaient connu le plus affreux des châtiments. Comment Laurent avait-il supporté cette épreuve ? Si seulement elle le savait. Si seulement elle pouvait connaître une infime parcelle de la discipline qu'il endurait à présent.

La fin de l'après-midi approchant, elle sortit du château. Flanquée d'un cortège de courtisans et de dames de compagnie, elle traversa les rues du village. Des gens faisaient halte pour s'incliner bien bas devant elle. Les épouses sortaient sur le pas de la porte de leur ferme, pour lui témoigner un respect silencieux.

Elle regarda les visages de ceux qui la croisaient. Elle regarda ces solides fermiers, ces trayeuses de vaches, et ces riches bourgeois, en se demandant ce qui se passait dans le tréfonds de leur âme. Chacun d'entre eux ne rêvait-il pas de ces royaumes sensuels où les passions étaient enflammées, jusqu'à être chauffées à blanc, de ces rituels exotiques et exigeants qui mettaient à nu les mystères véritables de l'amour érotique ? Personne, parmi ces gens fort simples, ne mourait-il donc d'envie, au plus secret de son cœur, de posséder des Maîtres ou des esclaves ?

Que cette vie était normale, que cette vie était ordinaire ! Elle se demandait s'il n'y avait pas là des mensonges, camouflés sous l'étoffe, des mensonges qu'il lui serait donné de découvrir, si seulement elle en prenait le risque. Mais, quand elle étudia par le menu cette servante, qui se tenait à la porte de l'Auberge, ou ce soldat qui descendait de sa monture pour s'incliner devant elle, elle ne vit que les masques de l'attitude commune, du commun naturel, tels qu'elle les voyait sur les visages de ses courtisans, de ses femmes de chambre. Tous étaient attachés à témoigner du respect à leur Princesse, mais elle ne pouvait pas descendre de sa tour d'ivoire, attachée à son rang par la coutume et par la loi.

Souffrant en silence, elle se fraya un chemin pour regagner ses appartements solitaires.

Et là, elle s'assit à la fenêtre, elle reposa la tête contre ses bras repliés sur le rebord de pierre, rêvant de Laurent et de tous ceux qu'elle avait laissés derrière elle, rêvant à cette éducation du corps et de l'âme, riche et sans prix, interrompue, et perdue à jamais.

— Cher jeune Prince, soupira-t-elle, en se souvenant de son soupirant éconduit, j'espère que vous êtes parvenu à rejoindre le pays de la Reine. Je n'ai pas même songé à vous demander votre nom.

La vie parmi les poneys

Récit de Laurent

Cette première journée parmi les poneys avait comporté son lot de révélations non dépourvues de sens, mais les véritables leçons de cette nouvelle existence ne vinrent qu'avec le temps, avec la discipline constante de l'écurie, pratiquée au jour le jour, et les maintes petites facettes de cette servitude prolongée qui m'était imposée, en toute rigueur.

J'avais connu plus d'un supplice par le passé, mais aucune épreuve aussi singulière ne s'était prolongée comme celle de cette existence-là. Je mis un certain temps à réaliser ce que signifiait le fait que Tristan et moi avions été condamnés pour une durée de douze mois, et que l'on ne nous ferait pas sortir des écuries en catimini, ni pour nous faire monter sur la Roue Publique ou pour passer une nuit à l'Auberge en compagnie des soldats, ni pour aucune autre espèce de distraction.

Nous faisions un somme, nous travaillions, nous mangions, buvions, rêvions, et nous faisions l'amour, tout cela comme des poneys. Comme le disait Gareth, les poneys sont des bêtes pleines de fierté, et bientôt nous dûmes admettre que nous éprouvions bel et bien cette fierté, mais aussi un profond engouement pour les longues galopades dans l'air frais, pour la sensation d'être retenus avec fermeté par les harnais et les mors, et pour les brefs ébats, en forme de rixe, avec nos compagnons étalons, dans la cour de récréation.

Mais jamais la routine quotidienne ne rendait les choses plus faciles. Jamais la discipline ne s'adoucissait. Chaque jour était une aventure faite de réussites et d'échecs, de bouleversements et d'humiliations, de récompenses et de sévères punitions.

Nous dormions, comme j'en ai fait la description, dans nos stalles, cassés en deux à hauteur de la taille, la tête reposant sur des oreillers. Et cette position, quoique confortable, avait pour effet, tout autant que le reste, de renforcer la sensation d'avoir laissé derrière nous le monde des hommes. À l'aube, on nous donnait promptement à manger et on nous huilait, puis on nous sortait dans la cour, pour nous louer à la populace qui attendait là. Il n'était pas rare que les villageois viennent tâter nos muscles avant de nous choisir, voire même nous essayer, moyennant quelques rossées administrées à coups de sangle, afin de voir si, oui ou non, nous réagissions avec promptitude et dans les règles.

Il ne se passait pas une journée sans que Tristan et moi soyons réclamés une bonne douzaine de fois, et Gérard, qui avait demandé à Gareth de pouvoir jouir de ce privilège, se retrouvait fréquemment attelé au même équipage que nous. Je commençai à m'accoutumer au fait d'avoir Gérard près de moi, exactement comme j'avais l'habitude d'avoir Tristan, et l'habitude aussi de chuchoter des petites gâteries à l'oreille de Gérard.

Aux moments de récréation, Gérard était complètement mien, et personne n'osait me défier, Gérard moins que quiconque. Je lui fouettais l'arrière-train vigoureusement, et il fut bientôt si entraîné qu'il n'attendait même plus que je lui demande d'adopter la position qui convenait pour recevoir le fouet. Il venait se mettre à quatre pattes, en sachant ce qui allait suivre, et après quoi, il me baisait les mains. C'était devenu la plaisanterie de tous, dans les stalles, que de rapporter que je le fouettais plus fort que tous les autres cochers, et que cela le rendait deux fois plus écarlate que tous les autres étalons.

Mais ces petits interludes étaient brefs. Ce qui faisait véritablement la trame de notre existence, c'était la tâche quotidienne. À mesure que les mois passaient, nous finîmes par connaître tous les modèles de chariot, de voiture et de charrette. Nous tirions les équipages chamarrés d'or des Seigneurs, riches propriétaires terriens qui partageaient leur temps entre le château et le manoir. Nous tirions les esclaves fugitifs, sur leurs Croix du Châtiment, en route pour être exposés et châtiés en public. Et, tout aussi fréquemment, nous nous retrouvions à tirer des charrues dans les champs ou, détachés du lot, pour cette corvée solitaire consistant à remorquer un petit chariot de paniers pour le marché.

Ces longues randonnées, quoique physiquement supportables, étaient souvent particulièrement dégradantes. Je finis par découvrir que je détestais être séparé des autres poneys pour me trouver harnaché, tout seul, à un petit chariot. Je détestais tout autant me retrouver ainsi, conduit par un fermier ennuyeux, qui allait à pied et travaillait sans relâche de la sangle, sans égard pour la chaleur torride du jour, et qui me maintenait dans un état permanent de peur et d'agitation. Lorsque je commençai d'être connu personnellement de chaque fermier, cela ne fit qu'aggraver les choses, car ils se mirent à me demander en m'appelant par mon prénom, et par me faire savoir à quel point ils appréciaient ma taille et ma force, et quel plaisir c'était pour eux de me conduire jusqu'au marché, à coups de fouet.

Cela m'était toujours un soulagement que de revenir, en tête d'attelage d'une grosse voiture, aux côtés de Tristan, de Gérard, et des autres, même si je ne me suis jamais habitué à ces villageois qui pointaient du doigt cet élégant équipage, en murmurant leur approbation. Les villageois pouvaient se révéler une véritable torture. Il y avait là des jeunes gens et des jeunes femmes qui n'aimaient rien tant que de découvrir, sur le bord de la route, un attelage harnaché, en attente de son cocher, de son Maître ou de sa Maîtresse. Nous nous retrouvions alors taquinés sans merci, on tiraillait nos queues de cheval, à telle enseigne que les longs poils de ces accessoires nous caressaient et nous chatouillaient les jambes, puis on nous giflait la queue, histoire de faire tinter ces dégradantes petites clochettes.

Mais le pire moment survenait lorsqu'un jeune homme ou une jeune fille déterminés décidaient de venir pomper une grosse queue et de la vider de ses sucs. Peu importait le degré d'amour que les poneys pouvaient se porter mutuellement, car alors, devant la situation critique de la victime, tous les autres poneys, sous leur mors, se laissaient gagner par les rires, sachant fort bien quels efforts la victime déployait pour s'interdire de jouir sous les caresses de ces mains qui jouaient avec lui. Naturellement, jouir et être découvert en train de jouir était chose sévèrement punie. Et les villageois ne l'ignoraient pas. Durant toute la sainte journée, la queue d'un poney se devait d'être dure. Pour cette queue-là, toute espèce de satisfaction était défendue.

La première fois que l'on me joua ce malheureux

tour, nous étions attelés à la voiture du Seigneur Maire, et nous l'avions ramené de la ferme jusqu'à son élégante demeure, située sur la grand-route. Nous étions en train d'attendre au-dehors, que sa femme et lui-même se présentent, quand ces jeunes malotrus m'encerclèrent, et l'un d'eux commença de me besogner la queue, sans merci. En exécutant une sorte de pas de deux, je me rétractai sous le harnais, pour tâcher d'échapper à ses mains — et même, sous le mors, j'implorai, une autre chose qui nous est strictement défendue —, mais la friction finit par être trop importante, et à la fin je jouis dans la main de ce garnement, qui alors me réprimanda comme si j'avais osé faire ce que personne n'osait même évoquer. Et là-dessus, il eut l'effronterie d'appeler le cocher.

Sottement, j'avais pensé que l'on m'autoriserait à prendre la parole, pour ma défense. Mais les poneys ne parlent pas; ce sont des créatures muettes, auxquelles on a passé le mors.

Et lorsque je m'en revins aux stalles, on me retira mon harnais et on m'emmena à l'un des piloris des écuries. À genoux, dans le foin, je me penchai en avant pour que l'on me bloque les mains et la tête en place, dans les trous de la planche de bois, et puis je demeurai dans cette posture, jusqu'à ce que Gareth fasse son apparition, et me punisse avec fureur. Gareth était aussi doué pour la réprimande que pour les témoignages d'affection.

Je suppliai, par mes gémissements et mes larmes, d'être autorisé à m'expliquer. J'aurais dû savoir que cela n'avait aucune espèce d'importance. Gareth prépara une mixture à base de farine et de miel, en se contentant simplement de m'expliquer ce qu'il était en train de faire, et avec cette mixture il me peignit le postérieur, la queue, les tétons et le ventre.

Cette substance se colla à ma peau et, par comparaison avec la beauté du harnais, elle m'enlaidissait de hideuse façon. Gareth acheva son travail en m'inscrivant sur la poitrine, au moyen de cette même substance, la lettre P, ce qui, m'expliqua-t-il, signifiait « punition ».

Et après quoi, je fus attelé au harnais lourd et ancien d'un chariot destiné au balayage des rues, le seul endroit approprié, pour un esclave, dès lors qu'on l'avait marqué de la sorte, et je connus bientôt la réelle signification de cette punition. Même quand je trottais à vive allure, chose rare lorsqu'on tirait pareil chariot de ramassage des ordures, un véhicule bien malcommode en vérité, les mouches se rassemblaient pour venir goûter de ce miel. Elles grouillaient sur mes parties intimes et mon derrière, elles me harcelaient sans merci.

Des heures durant, la punition se poursuivit, et il me semblait que tous les progrès que j'avais réalisés, à force d'abnégation et de sang-froid, se trouvaient ainsi réduits à néant. Quand finalement on me ramena à la maison, je fus remis au pilori, et les esclaves, en chemin pour leur récréation, étaient autorisés à me prendre la bouche de force, ou le derrière, comme bon leur semblait, alors que je demeurais sans défense.

C'était là une odieuse combinaison d'avilissement et d'inconfort, mais le pire aspect de la chose, c'était le sentiment de contrition que j'en éprouvais, le profond déshonneur, pour moi, qu'il y avait à m'être conduit en mauvais poney. En effet, je trouvais là une certaine ironie secrète, ou une certaine jubilation. J'étais un mauvais sujet. Et je fis vœu de ne jamais plus faillir de la sorte, ni d'aucune autre sorte — un but qui, en dépit de toute sa difficulté, n'était pas tout à fait hors de ma portée.

Naturellement, je n'y parvins pas. Il y eut bien des fois, au cours des mois que je passai en cet endroit, où les garçons et les filles du village en usèrent de la sorte avec moi, et où je ne pus me maîtriser. Au moins la moitié du temps, je me faisais prendre, et pour cela j'étais puni.

Mais une punition bien plus sévère était à venir : ce fut lorsque je me fis prendre en train de forniquer avec Tristan et ce, de mon propre gré, par pure complaisance et faiblesse de caractère. Nous étions dans notre stalle, et je pensais qu'assurément personne n'en saurait rien. Mais un garçon d'écurie nous aperçut en passant, et Gareth vint tout aussitôt me passer le mors, me faire reculer hors de la stalle, et me flanquer une raclée avec sa ceinture, sans pitié aucune, je dois le dire.

Quand Gareth exigea de savoir comment j'avais pu me comporter de la sorte, je restai interdit de honte. N'avais-je pas envie de lui complaire ? Je hochai la tête, les larmes m'inondèrent le visage. De toute mon existence, je ne crois pas avoir autant désiré plaire à quelqu'un. Tandis qu'il me harnachait, je me demandais comment il allait me punir. J'eus la réponse assez tôt.

Le phallus que j'allais devoir porter fut tout d'abord trempé dans un épais liquide de couleur ambre, délicieusement parfumé d'épices, ce qui eut pour effet, dès qu'il y fut inséré, de démanger misérablement mon anus. Gareth attendit que je sente convenablement la chose, que je commence à tortiller les hanches et à pleurer.

— Nous gardons fréquemment sous la main une petite quantité de cette mixture, pour les poneys trop indolents, m'expliqua-t-il, tout en me frappant. Cela les ragaillardit instantanément. Tout le long de la route, ils se frottent les hanches, chaque fois qu'ils le peuvent, pour calmer cette démangeaison. Mais vous, mon beau garçon, ce n'est pas pour vous raffermir le caractère que vous en avez besoin. Vous en avez besoin à cause de votre désobéissance. Alors, vous ne commettrez plus ces petits péchés en la compagnie de Tristan.

Il me fit sortir précipitamment de la cour, et il m'attela à une voiture qui était tournée dans la direction des manoirs. Je répandis des larmes déshonorantes, tout en m'efforçant de ne pas tortiller des hanches. Je perdis la bataille. Et, presque immédiatement, les autres poneys se mirent à rire et à chuchoter, sous leur mors : « Ah c'est comme ça, Laurent ? », et : « C'est pas bon, ça, Laurent ? » Je me gardais de leur répondre en employant les paroles de menaces qui me venaient à l'esprit. Dans la cour de récréation, il n'en était pas un qui aurait pu m'échapper, mais quelle sorte de menace était-ce là, puisque, justement, aucun d'eux n'avait l'intention de m'échapper ?

Comme nous sortions au pas, je ne pouvais plus supporter cette tension, je tortillai et je roulai des hanches, pour tâcher de soulager les démangeaisons qui me traversaient tout le corps par vagues et me laissaient palpitant.

Chaque instant, chaque heure, se trouvait comme souligné par cette sensation. La situation n'empirait pas ; elle ne s'améliorait pas non plus. Me contorsionner m'aidait et, dans le même temps, ne m'aidait pas. Et plus d'un villageois se tordait de rire en me voyant, sachant fort bien quelle était la cause de ces mouvements ignominieux. Jamais je n'avais connu semblable flétrissure, torture aussi épuisante.

Lorsque l'on me ramena aux écuries, j'étais éreinté. On me retira le harnais, avec le phallus toujours fermement maintenu en place, je tombai par terre, à quatre pattes, et je geignis aux pieds de Gareth, avec le mors toujours en bouche, et les rênes qui me tiraient.

— Est-ce que tu vas te conduire en bon garçon? me demanda-t-il, les mains sur les hanches.

Je répondis d'un hochement de tête passionné.

— Tiens-toi debout à la porte de cette stalle, ordonna-t-il, et empoigne donc un de ces crochets qui pendent à la poutre là-haut.

J'obéis, en tendant les mains vers les deux crochets, les bras écartés tout grands. Une fois ces crochets en mains, je me dressai sur la pointe des pieds. Lui se tenait derrière moi et, réunissant les rênes qui pendaient du mors que j'avais en bouche, il les noua étroitement derrière ma nuque. Puis je le sentis qui défaisait le phallus, et le simple léger glissement de l'objet provoqua en moi un soulagement exquis qui me parcourut tout le corps. Quand il l'eut sorti, il ouvrit le pot de graisse et en recouvrit prestement le phallus. Je mâchai ferme mon mors, et des gémissements s'échappaient de moi.

Puis je sentis à nouveau l'engin qui s'enfilait en moi, qui passait outre mes chairs brûlées de démangeaisons, et je mourus presque d'extase pure. Dehors, dedans, il m'enfilait, il apaisait la démangeaison, il la vidait de sa substance, et il me conduisait tout droit à un état de frénésie. Je pleurai, comme auparavant, mais de gratitude. Et puis lorsque je cassais les hanches, le phallus me secouait jusqu'au tréfonds, et tout soudain je jouis, avec de grandes saccades habitées d'une irrépressible énergie.

— C'est ça, approuva-t-il, dissolvant aussitôt ma frayeur, c'est ça.

J'appuyai la tête contre mon bras levé. J'étais son esclave dévoué, abandonné, sans réserve. Je lui appartenais, à lui, aux écuries, et au village. Il n'y avait en moi plus aucun partage, et il le savait.

Lorsqu'il me réinstalla sous le pilori, je n'émis guère plus que quelques geignements.

Cette nuit-là, lorsque les autres poneys me prirent, je somnolais à moitié, et j'avais conscience, sans avoir à prononcer le moindre mot pour me manifester, de l'intensité avec laquelle je goûtais leurs petites tapes amicales, la manière dont ils m'ébouriffaient les cheveux, leurs claques sur mon arrière-train. En outre, ils me répétaient sans cesse à quel point j'étais un bon étalon, et comment ils avaient connu, eux aussi, cette épouvantable démangeaison du phallus, et que, tout bien considéré, j'avais fort bien supporté la chose.

De temps à autre, lorsqu'on me violait, le souvenir capiteux de la démangeaison me revenait, mais le peu de liquide parfumé aux épices qui restait encore à l'intérieur de moi ne suffisait apparemment pas à décourager les ardeurs des autres poneys.

« Que se passerait-il, me demandais-je, si l'on enduisait nos queues de ce produit ? Mieux vaut ne pas y penser. »

Tout ce à quoi je réfléchissais, jour après jour, c'était, uniquement, de veiller à améliorer ma forme, à marcher en respectant mieux les allures que les autres poneys, à décider quels cochers je préférais, et quelles voitures j'aimais le mieux tirer. Et quant aux autres poneys, je finis par les aimer, et par comprendre leur état d'esprit.

Dans leur harnais, les poneys se sentaient en sécurité. On pouvait abuser de leur situation, et de toutes sortes de manières, pour autant qu'ils demeuraient confinés dans le rôle qui leur était dévolu. Ce qui les terrifiait plus que tout, c'était l'intimité, la perspective d'être défaits de leur harnais et d'être emmenés dans quelque chambre à coucher du village, où un homme, voire une femme solitaires pourraient leur parler et jouer avec eux, pour la satisfaction de leur cœur. Même la Roue Publique était chose trop intime pour eux. Ils frissonnaient lorsqu'ils voyaient les esclaves montés là-haut, qui recevaient le battoir devant la foule. C'est pourquoi cela leur était une telle torture, chaque fois que les garçons et les filles du village jouaient avec eux. Pourtant, ils n'aimaient rien tant que de tirer les chariots à la course, les jours de foire, sous les yeux attentifs de tout le village. C'était à cela qu'ils étaient « destinés ».

J'en passai par cet état d'esprit, sans pour autant le partager tout à fait. Après tout, j'aimais assez les autres châtiments, également. Mais ces derniers ne me manquaient pas. J'étais plus heureux avec le mors et sous le harnais que sans eux. Et, alors que les autres châtiments, pratiqués dans la vie au château ou au village, tendaient à isoler l'esclave, l'existence de poney, elle, nous réunissait. Et nous parvenions ainsi à amplifier mutuellement nos douleurs et nos plaisirs.

Je finis par m'habituer aussi à tous les garçons d'écurie, à leurs saluts joviaux et à leurs reparties fort gaies. En fait, même quand on nous donnait du battoir ou qu'on nous torturait, nous appartenions tous à une sorte de confrérie. Et, ce n'était un secret pour personne, les poneys aimaient leur travail.

Durant tout ce temps, Tristan avait l'air tout aussi content que je l'étais moi-même et, dans la cour de récréation, il reconnut la chose. Et cependant, pour lui, la situation présentait plus de difficulté ; parce qu'il était plus gentil que moi, par nature.

Mais, en ce qui le concernait, la véritable épreuve et le véritable changement survinrent lorsque son ancien Maître, Nicolas, commença de venir rôder aux alentours.

Au début, nous voyions Nicolas simplement passer, à l'occasion, par la cour des charrettes. Et, tandis que, lors du voyage de retour du Sultanat, il n'avait pas franchement éveillé mon intérêt, je commençai désormais de m'apercevoir que ce jeune homme à la mise aristocratique était tout à fait charmant. Ses cheveux blancs lui conféraient un éclat tout particulier ; et il portait du velours, toujours, comme s'il était un Seigneur ; quant à l'expression qu'on pouvait lire sur son visage, elle semait la terreur parmi les poneys, en particulier chez ceux qui tiraient sa voiture.

Après quelques semaines, durant lesquelles il s'était livré à de paisibles allées et venues, nous commençâmes de le voir à la porte, tous les jours. Dès le matin, il était là, il nous regardait sortir au trot, le soir, à notre retour, il était là de nouveau. Bien qu'il fît mine de regarder ce qui se passait çà et là, ses yeux revenaient sans cesse se poser sur Tristan.

Finalement, un après-midi, il envoya chercher Tristan, afin que ce dernier tire pour son compte un petit chariot jusqu'au marché, exactement le style de corvée qui me glaçait l'âme. J'étais effrayé pour Tristan. Nicolas allait marcher juste à sa hauteur et le mettre à la torture. Je détestais voir Tristan harnaché et attelé au chariot. Nicolas se tenait à ses côtés, il tenait en main une longue mèche rigide, le genre d'instrument qui vous marque vraiment les jambes, et il se contentait d'étudier Tristan pendant qu'on lui passait le mors et qu'on lui ajustait bien tout son harnachement. Puis il fouetta les cuisses de Tristan avec brutalité, pour le faire sortir de la cour.

« Quelle chose terrible pour Tristan, me dis-je, il

est trop doux pour subir pareil traitement. S'il avait le caractère mauvais, comme moi, il saurait comment manier ce scélérat si autoritaire. Mais il ne sait pas. »

Or, il semblait que j'avais tout à fait tort. Pas au sujet du manque de méchanceté dans le caractère de Tristan, mais en croyant que la chose serait si terrible.

Tristan ne fut pas de retour aux écuries avant près de minuit. Et, après qu'il eut été nourri, massé et huilé, il me dit, avec des chuchotements feutrés, ce qu'il lui était arrivé :

— Tu sais combien j'avais peur de lui, me confia-t-il, de son caractère, de la déception qu'il avait conçue à mon endroit.

— Oui, poursuis.

— Eh bien, durant les premières heures de cette journée, il m'a fouetté sans merci, pendant toute la tenue du marché. Et moi, j'ai fait tout mon possible pour rester froid, pour ne penser qu'à une seule chose, me conduire en bon poney, et replacer Nicolas dans l'ordre général de l'univers, telle une étoile dans une constellation. Et pour ne pas penser à qui il était en réalité. Mais je ne pouvais m'empêcher de resonger à l'époque où nous nous aimions, lui et moi. Et pourtant, à l'heure de midi, je savais que j'étais tout simplement reconnaissant de pouvoir me retrouver à côté de lui. Comme tout cela était misérable. Il n'allait pas cesser de me fouetter, et peu importait tous les efforts que je déployais pour bien trotter. Jamais il ne prononçait la moindre parole.

— Et ensuite ? m'enquis-je.

— Eh bien, au milieu de l'après-midi, après que l'on m'eut abreuvé et que je me fus reposé à l'orée de la place du marché, il me conduisit, pour que je remonte la grand-rue, jusqu'à sa porte. Naturellement, je me souvenais de la maison. Je l'avais reconnue chaque fois que nous étions passés devant. Et lorsque je compris qu'il me dételait du chariot, mon cœur s'arrêta de battre. Il me laissa sous le mors et le harnais, et il me fouetta dans le vestibule, et puis une autre fois dans sa chambre.

Je me demandais si la chose était défendue. Mais quelle importance cela avait-il ? Que pouvait faire un poney quand il arrivait de telles choses ?

— Donc, il y avait là le lit dans lequel nous avions fait l'amour, la chambre dans laquelle nous avions conversé. Il m'enjoignit de m'accroupir, très bas sur le sol, face à son secrétaire. Puis il s'assit là, à ce secrétaire, et il me regarda ; moi, j'attendais. Tu peux imaginer comment je me sentais. Cette position était la pire, et je portais encore le harnais, avec les bras liés serrés dans le dos, et le mors, avec les rênes jetées sur les épaules. Et lui, il se saisit de cette satanée plume, pour écrire ! « Lâchez ce mors ! m'ordonna-t-il, et répondez à mes questions exactement comme vous y avez répondu, naguère. » J'agis comme il me l'ordonnait, et puis il commença de m'interroger à propos de tous les aspects de notre existence aux écuries : ce que nous mangions, comment on nous soignait, quelles étaient les pires épreuves que nous subissions. Je répondis à tout, aussi calmement que je le pouvais, mais à la fin j'étais bel et bien en pleurs. J'étais incapable de maîtriser mes larmes. Et tout ce qu'il faisait, c'était écrire les choses que je lui racontais. Peu lui importait que ma voix ait tant changé, ou que je déploie tant d'efforts, il continuait d'écrire. J'avouai aimer la vie de poney, et pourtant, cette vie était dure. J'admis ne pas avoir la force que tu possèdes, toi, Laurent. Je lui annonçai que tu étais mon idole en toutes choses, que tu étais parfait. Mais il n'en restait pas moins que je mourais d'envie d'avoir un Maître sévère, un Maître aimant et sévère. Je lui avouai tout, y compris des choses que j'ignorais même ressentir encore. J'avais envie de lui dire : « Tristan, tu n'avais aucun besoin de les lui confier. Tu aurais pu dissimuler ton âme. Tu aurais pu le railler et l'insulter. » Mais je savais que rien de tout ceci, rien, dans cet ordre de pensée, n'eût convenu à Tristan.

Je gardai le silence et Tristan poursuivit son récit.

— Ensuite, la chose la plus remarquable est survenue, me dit-il. Nicolas a posé la plume. Et, durant un moment, il n'a rien dit, il n'a rien fait, si ce n'est m'enjoindre, par un geste, de me tenir tranquille. Puis il est venu et s'est agenouillé devant moi, il a posé les bras autour de moi, et il s'est épanché. Il m'a déclaré qu'il m'aimait, qu'il n'avait jamais cessé de m'aimer, et que tous ces mois avaient été pour lui un supplice...

— Le pauvre garçon, chuchotai-je.

— Laurent, ne te moque pas. C'est sérieux.

— Je suis désolé, Tristan, continue.

— Il m'a baisé et il m'a étreint. Il m'a dit qu'il m'avait trahi quand nous avions quitté le Sultanat. Qu'il aurait dû me fouetter pour la confusion où j'avais été, à ne pas vouloir être secouru, et qu'il aurait dû me guider dans cette épreuve...

— Il est bien temps qu'il le comprenne.

— Et qu'à présent, il voulait se rattraper. Il n'avait pas la permission de me retirer mon harnais — l'amende que l'on infligeait pour cela était lourde, et il agissait dans le respect de la loi —, mais nous avions latitude de faire l'amour ensemble, m'a-t-il indiqué. Et c'est ce que nous avons fait. Nous nous sommes allongés par terre, tous les deux, comme nous l'avons fait, toi et moi, dans la chambre du Sultan, et j'ai pris sa queue dans ma bouche, tandis que lui prenait la mienne. Laurent, jamais je n'ai connu un tel plaisir. Il est à nouveau mon amant secret, et mon Maître secret.

— Après cela, qu'est-il arrivé ?

— Il m'a reconduit de nouveau par les rues, et ce faisant, il a conservé la main posée sur mon épaule, et quand il m'a fouetté, j'ai su qu'il se donnait du plaisir. Tout était magnifié. J'étais de nouveau en état d'exaltation. Plus tard, dans les bois, près du manoir, nous avons fait l'amour une seconde fois, et avant qu'il ne me remette le mors dans la bouche, il y a déposé un baiser, amoureusement. Et il m'a déclaré que tout cela devait être tenu secret. Que les règles touchant au cheptel des poneys du village étaient très, très strictes. Demain, lorsqu'il se rendra à la campagne, c'est nous qui allons mener son équipage. Nous allons être attelés à sa voiture, cela va durer un certain temps, tous les jours, et lui et moi, nous aurons nos instants secrets, chaque fois que cela nous sera possible.

— Je suis heureux pour toi, Tristan, dis-je.

— Mais cela va devenir d'une telle difficulté, Laurent, d'attendre de pouvoir saisir ces occasions d'être avec lui. Et pourtant, il est excitant, n'est-ce pas, de ne jamais savoir quand ces instants surviendront.

Après cela, jamais plus je ne me fis de souci pour Tristan. Et, si d'autres vinrent à apprendre ce qu'il en était de son regain d'amour avec Nicolas, ils ne semblèrent pas s'en offusquer. Quand le Capitaine de la Garde s'approcha pour me parler, il ne souffla mot à ce sujet, et il traita Tristan avec tout autant d'affection qu'auparavant. Il nous apprit à tous deux que Lexius avait été sorti des cuisines du château, presque immédiatement, et qu'à présent il servait la Reine sur le Sentier de la Bride abattue, tous les jours. Dame Juliana l'implacable s'était, elle aussi, prise d'affection pour lui, et elle participait à son apprentissage. Il était en train de devenir un esclave exceptionnellement accompli.

« Alors, dorénavant, je n'aurai à me soucier ni de Lexius ni de Tristan », songeai-je.

Mais tout ceci me porta à réfléchir de nouveau à l'amour. Avais-je seulement jamais aimé l'un de mes Maîtres ? Ou bien seuls mes esclaves avaient-ils su faire naître ce sentiment en moi ? Assurément, j'avais éprouvé un amour effrayant pour Lexius, quand je l'avais fouetté dans sa chambre. Et, à présent, j'éprouvais de l'amour, un amour profond, pour Gérard. En fait, plus je fouettais Gérard durement, et de ma propre main, plus je l'aimais. Peut-être en serait-il toujours ainsi avec moi. Les moments où mon âme s'abandonnait, où tout composait un dessin d'ensemble, c'étaient les moments où j'avais la maîtrise de la situation.

Mais je relevai, en tout cela, une contradiction étrange, qui me troublait. Il s'agissait de Gareth, mon beau Maître et garçon d'écurie. À mesure que les mois se succédaient, j'en venais à l'aimer trop.

Chaque nuit, Gareth passait un peu de temps dans notre stalle, à pincer mes bleus, à les gratter du bout de l'ongle, tout en me complimentant à propos de ce que j'avais appris, ou pour reconnaître à quel point je m'étais bien comporté, ou bien encore il me rapportait les louanges de quelque généreux villageois.

S'il estimait que Tristan et moi n'avions pas été assez fouettés durant la journée — et c'était chose habituelle quand nous n'étions pas placés aux deux dernières positions de l'équipage —, il nous faisait marcher jusqu'à la cour de dressage, un vaste endroit, situé à l'autre bout des écuries, à l'opposé des autres cours, et là, il nous fouettait tous les deux, en même temps que d'autres poneys que l'on avait négligés, jusqu'à ce que nous soyons mûrs et tout endoloris, à force de courir en rond devant lui.

Tous nos soins, il s'en chargeait personnellement, et dans les moindres détails. Il nous brossait les dents, il nous rasait la barbe, il nous lavait et nous peignait les cheveux. Il nous taillait les ongles. Il entretenait notre toison pubienne et la huilait. Il huilait nos tétons pour les adoucir après les pincements des crochets.

Et quand on nous mit en lice pour les courses des jours de foire, la première fois, ce fut Gareth qui vint nous calmer, lorsque les hurlements et les vivats de la foule nous eurent porté sur les nerfs, et Gareth qui nous attela aux petits chariots que nous devions tirer, et qui nous dit d'être fiers de lutter pour vaincre.

Gareth n'était jamais bien loin.

En quelques rares circonstances, lorsque nous devions recevoir une nouvelle espèce de harnais ou de brides d'attelage, c'était lui, en personne, qui nous les attachait, en nous expliquant de quoi il retournait.

Par exemple, alors que nous étions aux écuries depuis plusieurs mois déjà, on nous présenta de nouveaux colliers, très semblables à ceux que nous avions dans le jardin du Sultan. Ils étaient d'un port plutôt raide, afin de maintenir le menton haut levé, et lorsque nous en portions un, il nous était impossible de tourner la tête, ce que Gareth appréciait grandement. Il trouvait que ces colliers nous donnaient plus fière allure, et qu'ils pourvoyaient en outre à une meilleure discipline.

À mesure que le temps passait, on nous mit ces

colliers de plus en plus souvent. Les rênes de nos mors couraient jusqu'en bas, elles étaient passées par des boucles, de chaque côté du collier, de sorte que notre tête puisse subir des mouvements de traction plus efficaces. Au début, affublés de ces colliers, nous éprouvâmes quelque difficulté à effectuer des virages. Nous ne pouvions tourner la tête, fût-ce un petit peu, comme nous y avions été habitués. Mais bientôt, nous y parvînmes fort bien, à la manière de vrais chevaux.

Par les journées de chaleur aveuglante, on nous fixait des œillères, au moyen de lanières, qui nous masquaient partiellement les yeux, et ne nous permettaient plus de voir qu'une partie de ce qui se trouvait juste devant nous. En un sens, voilà qui était réconfortant. Pourtant nous courions d'une manière plus gauche, à l'aveuglette, car nous étions complètement dépendants, pour nous orienter, des commandements du cocher.

Pour les fêtes et les jours de foire, on nous équipait de harnais d'apparat. Pour l'anniversaire du Couronnement de la Reine, tous les poneys portaient du cuir, ils étaient entièrement chamarrés de boucles de métal, comme des pendeloques, de lourds médaillons de bronze, et de cloches qui tintinnabulaient, et tout cela nous lestait tant et si bien que nous en éprouvions une conscience inédite de notre état de servitude, et c'était tout ce dont nous avions besoin.

Mais, à la vérité, la manière dont on nous attelait était toujours tellement semblable que le moindre changement pouvait être utilisé comme une forme de punition. Si je montrais à Gareth la moindre mollesse ou le moindre trait d'humeur maussade, j'en étais réduit à porter un mors plus long, plus épais, qui me déformait la bouche et me rendait malheureux. On se servait toujours d'un phallus d'une taille et d'un poids hors du commun, et ce, au moins deux fois par semaine, à seule fin de nous rappeler combien nous étions chanceux, le reste du temps, de n'être affublés que de phallus plus petits.

Quant aux poneys ombrageux, difficiles, ils se retrouvaient fréquemment complètement encapuchonnés de cuir, et les oreilles bourrées de coton. Avec seulement le nez et la bouche à découvert, afin de pouvoir respirer, ils trottaient, en silence et dans l'obscurité. Et cela paraissait en effet les calmer à merveille.

Chaque fois que ce traitement me fut infligé, à titre de punition, je trouvais cela tout à fait démoralisant. Je pleurais du matin au soir, terrifié à l'idée de ne pouvoir entendre ou voir, et poussant un geignement chaque fois qu'une main me touchait. Dans cet isolement, à l'aveuglette, j'avais, songeais-je, une conscience encore plus aiguë du tableau que j'offrais aux regards.

Mais, au fil du temps, les punitions s'espaçaient. Quand elles tombaient néanmoins, je les ressentais de plus en plus comme une catastrophe de l'âme, car Gareth ne m'épargnait rien, ni de ses déceptions ni de son humeur. J'étais trop profondément amoureux de lui, et je le savais. J'aimais sa voix, ses manières, sa pure et simple présence silencieuse. C'était pour Gareth que je montrais ma meilleure forme, que je prenais mon meilleur trot, que je supportais les châtiments les plus rigoureux avec une contrition sincère, du fond du cœur, et que j'obéissais avec promptitude et même avec joie.

Gareth me complimentait souvent pour ma manière de m'occuper de Gérard. Il venait dans la cour, pour observer. Il disait que ce supplément de coups de fouet rendait Gérard plus vif, plus fringant. Et je goûtai le compliment.

D'ailleurs, quelle que fût la force de mon amour pour Gareth, mon attachement singulier pour Gérard grandissait tout autant. Je devenais de plus en plus tendre avec ce dernier ; après les séances de battoir, je l'embrassais, je le suçais, je jouais avec lui d'une manière fort peu commune dans la cour de récréation réservée aux poneys. Et, lors des journées où on ne le sortait pas pour le mettre à jouer avec moi, il ne m'était guère difficile de trouver des substituts dociles. Il était surprenant de voir quelle douleur j'étais capable d'infliger, rien qu'avec mes mains nues.

En fait, quelquefois, je m'étonnais de la passion que je mettais à fouetter les autres. J'aimais cela autant que d'être fouetté. Et au plus secret de mon cœur, c'était Gareth que je rêvais de fouetter.

Car je savais que, si je fouettais Gareth, l'amour que j'éprouvais pour lui allait déborder comme l'eau qui bout. Je ne pourrais me contrôler.

Cela n'advint, à proprement parler, jamais.

Malgré tout, j'eus Gareth. Peut-être avait-il eu un amant au cours des mois précédents ; jamais il ne me fut donné de l'apprendre. Mais, à la fin de la première moitié de l'année, il se glissa dans ma stalle, et il s'y attarda, en se comportant de manière agitée, étrange.

— Qu'est-ce qui vous perturbe, Gareth ? lui demandai-je finalement, en rassemblant tout mon courage pour lui chuchoter dans le noir.

Il aurait fort bien pu me fouetter pour lui avoir parlé, mais il n'en fit rien. Il avait déplacé mes mains pour les poser sur ma nuque, afin de pouvoir reposer sa tête sur ses bras croisés, contre mon dos. J'appréciais plutôt cela, lui, qui se reposait là, la sensation que j'avais de sa présence tout contre moi. Il laissait courir paresseusement sa main dans mes cheveux. Et, de temps à autre, son genou venait donner contre ma queue.

— Les poneys ne sont pas les seuls véritables esclaves, murmura-t-il, rêveusement. Je les préfère aux Princes les plus délicats. Les poneys sont magnifiques. Tous les hommes devraient se voir accorder la chance de servir en qualité de poneys, durant une année de leur vie. La Reine devrait avoir une belle écurie dans son château. Les Seigneurs et les Dames le lui ont assez souvent demandé. Ils pourraient sortir pour de petites promenades à cheval dans la campagne avec des poneys splendidement harnachés. Il devrait y avoir une belle académie réservée aux poneys, et dotée de plusieurs espèces, vous ne croyez pas ?

Je ne répondis pas. Je redoutais les courses. J'étais fréquemment vainqueur, mais c'était là une chose aussi effrayante que toutes celles auxquelles j'avais été contraint par le passé. C'était se donner en spectacle pour le divertissement d'autrui, et non pas du travail. Or, j'appréciais la discipline autant que le travail rigoureux.

Encore une fois, il y eut ce genou, qui vint donner contre ma queue.

— Qu'est-ce que tu veux de moi, mon beau garçon ? demandai-je doucement, usant ainsi de la phrase dont il usait souvent avec moi.

— Tu le sais, ce que je veux, non ? chuchota-t-il.

— Non, dis-je. Si je le savais, je ne te l'aurais pas demandé.

— Si je fais ça, me confessa-t-il, les autres vont se moquer de moi. Je suis supposé me servir des poneys, pourvu que ce soit moi qui choisisse, tu le sais...

— Pourquoi n'agis-tu pas à ta guise, au lieu de te soucier des autres ? m'enquis-je.

330

C'était là toute l'incitation dont il avait besoin. Il se laissa tomber à genoux, et il prit ma queue dans sa bouche, et voilà que bientôt, à l'approche de la jouissance, je me mis à rugir, d'un cri de pure béatitude. « C'est Gareth, mon beau Gareth », ne cessais-je de penser. Là-dessus, il n'y eut plus de pensée du tout. Il vint ensuite se fourrer contre moi, en me confiant à quel point j'étais plaisant, et combien il aimait le goût de mes sucs. Quand il glissa sa queue à l'intérieur de mon arrière-train, je parvins à nouveau tout près du paradis.

Et bien que cela se fût déjà souvent produit — qu'il me donnât du plaisir avec sa bouche délicieuse —, il ne s'en comporta pas moins à chaque fois, en Maître très sévère une fois la chose finie ; or, je fus son esclave frissonnant à trois reprises, et ne pouvais m'empêcher de pleurer à la moindre parole de désapprobation. Mais maintenant, quand il était en colère, je ne pensais pas seulement à son beau visage et à sa voix si plaisante, mais aussi à sa bouche en train de me sucer avec opiniâtreté, dans le noir. Et je criais, en proie à la plus grande frénésie, chaque fois qu'il me réprimandait.

Une fois, alors que je tirais un élégant équipage, je trébuchai, et lorsqu'il eut vent de la chose, il me plaqua, membres écartés, contre le mur de la stalle, et me fouetta avec une large sangle de cuir, jusqu'à s'épuiser totalement. Je frissonnai de détresse, sans oser frotter ma queue contre les moellons du mur, par crainte de jouir. Quand il me relâcha, je m'agenouillai à ses pieds et je baisai ses bottes de peau grossière, encore, encore et encore.

— Ne recommencez jamais pareille maladresse, Laurent, me conseilla-t-il. Quand vous vous montrez maladroit, cela me discrédite.

Je pleurai, avec gratitude, quand il me laissa lui baiser les mains.

Lorsque ce fut le retour du printemps, je pus à peine croire que neuf mois avaient passé. Tristan et moi, nous étions allongés tous deux dans la cour de récréation, à nous avouer mutuellement nos peurs.

— Nicolas va se rendre auprès de la Reine, fit Tristan. Il va demander la permission de m'acheter, dès que cette année aura touché à sa fin. Mais son ardeur ne plaît guère à la Reine. Qu'allons-nous faire lorsque les jours que nous vivons arriveront à leur terme ?

— Je ne sais pas. Peut-être serons-nous revendus aux écuries, hasardai-je. Nous sommes de bonnes montures.

Mais cette conversation ressemblait à toutes les autres — ce n'était là que pure spéculation. Tout ce que nous savions, c'était que la Reine allait examiner nos cas à tous deux, à la fin de cette année.

Lorsque je vis le Capitaine de la Garde, quand il vint aux écuries, et m'envoya chercher, il me laissa lui parler : je lui appris que Tristan désespérait de ne point pouvoir retourner auprès de Nicolas, et que, moi, je désespérais de ne point pouvoir demeurer là où j'étais.

Après cette vie de poney, comment pourrais-je supporter quoi que ce soit d'autre ?

Il m'écouta avec une évidente compassion.

— Vous êtes l'honneur de ces écuries, tous les deux, reconnut-il. Vous avez gagné deux fois l'équivalent de votre nourriture, et ce à trois reprises.

« Plus encore que cela », songeai-je, mais je me gardai de n'en rien dire.

— Il se pourrait que la Reine accède au vœu de Nicolas, et qu'il en aille de même pour vous ; que vous soyez cédé pour une autre année, cela serait la chose la plus naturelle. En tout état de cause, la Reine est plus que satisfaite d'entendre que vous

vous êtes tous deux calmés et que vous vous comportez comme il convient. Et puis elle dispose au château de quantité de nouveaux objets de jeux pour la contenter.

— Et Lexius, conserve-t-il toujours sa place auprès d'elle ? m'enquis-je.

— Oui, elle se montre avec lui d'une dureté effrayante, mais c'est justement de cela qu'il a besoin, répondit le Capitaine. Et puis il y a un ravissant jeune Prince qui s'est aventuré sur les Terres de la Reine, et qui est venu se livrer à sa merci. Il a déclaré avoir entendu évoquer les coutumes de la Reine, de la bouche de la Princesse Belle. Imaginez donc un peu. Il a supplié pour qu'on ne le renvoie pas.

— Ah, Belle !

Soudain, je ressentis une douleur, un coup de poignard. Je ne crois pas qu'une journée se soit écoulée sans que j'aie songé à elle, dans sa robe de velours, une fleur dans sa main gantée, les pétales paraissant d'autant plus délicats, par contraste avec le tissu qui gantait la main dans laquelle se trouvait cette fleur. Partie pour toujours vers les rivages de la bienséance, pauvre et chère Belle...

— Pour vous, Laurent, ce sera « Princesse Belle », me corrigea le Capitaine.

— Naturellement, Princesse Belle, fis-je d'une voix feutrée, avec révérence.

— À propos de ce qu'il va advenir de vous, poursuivit encore le Capitaine, revenant à la question dont nous disputions à l'instant, il y a également Dame Elvera, qui demande constamment après vous.

— Capitaine, je suis si heureux ici..., répétai-je.

— Je le sais. Je ferai ce qui est en mon pouvoir. Mais continuez de vous montrer obéissant, Laurent.

Il vous reste encore trois années à servir, ici ou ailleurs : de cela, je suis certain.

— Capitaine, il y a encore une chose, ajoutai-je.

— De quoi s'agit-il ?

— La Princesse Belle... Avez-vous jamais entendu parler d'elle ?

Son visage se para d'une certaine tristesse, d'une sorte de nostalgie.

— Je n'ai entendu dire qu'une seule chose, à savoir qu'elle doit déjà être mariée, à l'heure qu'il est. Les prétendants faisaient le siège de sa porte.

Je détournai le regard loin de lui, car je ne voulais pas lui révéler l'expression de mon visage. La Belle, mariée. En dépit du temps écoulé, elle me manquait toujours cruellement.

— Elle est une grande Princesse, désormais, Laurent, reprit le Capitaine, pour me narguer. Ah ça, mais vous nourrissez des pensées irrespectueuses, je le vois bien !

— Oui, Capitaine, admis-je. (Nous eûmes tous deux un sourire. Mais sourire n'était pas facile.) Capitaine, accordez-moi une faveur. Quand vous entendrez dire, comme une chose certaine, qu'elle est mariée, ne me le répétez pas. Je préférerais ne pas le savoir.

— Cela ne vous ressemble guère, Laurent, fit-il.

— Je sais. Comment l'expliquer ? Il est vrai que je ne l'ai connue que très peu de temps.

Elle et moi, tous deux accouplés, dans la pénombre de la cale du navire, son visage menu, écarlate, lorsqu'elle avait joui dans mes bras, ses hanches allant et venant dans une telle extase, elle était même parvenue à soulever le poids de mon corps avec elle, à le soulever du sol. Naturellement, le Capitaine ignorait cette partie-là des événements. L'ignorait-il vraiment ? je m'efforçai de chasser cette pensée de mon esprit.

Les semaines passèrent. Je ne parvenais même plus à les compter. Je n'avais pas envie de savoir à quelle vitesse le temps s'écoulait.

Puis, une nuit, Tristan me confia, avec des larmes de joie, que la Reine le remettrait aux mains de Nicolas, dès que cette année serait achevée. Il serait le poney personnel de Nicolas, il dormirait à nouveau dans sa chambre. Il était en extase.

— Je suis heureux pour toi, lui répétai-je une fois encore.

Mais qu'allait-il advenir de moi, lorsque viendrait le moment ? Allait-on me faire monter sur l'estrade de la vente aux enchères, allais-je être acheté par un vieux cordonnier malfaisant, qui me contraindrait à balayer son échoppe pendant que les poneys passeraient au trot devant sa porte, dans toute leur magnificence ? Ah ! je n'osais seulement y penser. Et pourtant, je n'arrivais à croire en rien d'autre qu'à cela ! Les jours succédaient aux jours...

Dans la cour de récréation, je dévorais littéralement Gérard, comme si chaque instant devait être pour nous le dernier. Et puis, un soir, au crépuscule, alors que je venais juste d'en finir avec lui, et que je l'attirais justement dans mes bras pour le calmer un peu, en lui fouinant tendrement dans le cou, j'avisai une paire de bottes qui se tenaient toutes droites, juste devant moi. En levant le regard, je m'aperçus qu'il s'agissait du Capitaine de la Garde.

Jamais il ne s'était rendu jusqu'ici. Je pâlis.

— Votre Majesté, fit-il, levez-vous, je vous en prie. Je suis porteur d'un message de la plus haute importance. Il me faut vous demander de bien vouloir me suivre.

— Non ! m'écriai-je. (Je le dévisageai avec horreur, en pensant, follement, que si je pouvais le faire taire, les mots qu'il voulait prononcer ne pourraient accomplir leur sortilège diabolique.) Il ne se peut pas que l'heure soit déjà venue ! Je suis supposé servir encore trois années de plus !

Nous avions tous entendu les cris de la Belle, quand on lui avait annoncé que sa peine avait été commuée. Et moi, en cet instant même, j'avais envie de pousser des rugissements tout aussi puissants.

— J'ai bien peur, pourtant, que ce ne soit la stricte vérité, Votre Majesté ! admit-il.

Et, en allongeant le bras, il m'aida à me lever.

L'atmosphère de malaise qui régnait entre nous était stupéfiante. Ici même, dans ces écuries, des vêtements m'attendaient. Deux jeunes garçons, la tête inclinée pour ne pas voir ma nudité, m'aidèrent à m'habiller.

— Faut-il que nous fassions cela ici ? demandai-je. (J'étais en rage. Mais c'était mon chagrin que je tâchais de dissimuler, l'état de bouleversement total où tout cela me plongeait. Je fixai Gareth du regard, tandis que les jeunes garçons boutonnaient ma tunique et laçaient mes hauts-de-chausses. En proie à une fureur silencieuse, je baissai les yeux sur mes bottes, sur mes gants.) N'auriez-vous pu avoir la décence, quitte à vous livrer à ce petit rituel, de me faire monter jusqu'au château ? Je veux dire par là que jamais je n'ai vu accomplir cela de la sorte, sur un sol jonché de paille !

— Pardonnez-moi, Votre Majesté ! s'écria le Capitaine. Mais ces nouvelles ne pouvaient attendre.

Il lança un coup d'œil en direction de la porte ouverte. Je vis deux des conseillers les plus importants de la Reine — tous deux avaient fort bien profité de moi au château —, et voici que maintenant ils se tenaient là, debout, la tête inclinée. J'étais au bord des larmes. Encore une fois, je regardai Gareth. Lui aussi était sur le point de pleurer.

— Au revoir, mon beau Prince, lança-t-il, puis il s'agenouilla dans la paille et me baisa la main.

— « Prince », ce n'est plus là une manière appropriée de s'adresser à notre gracieux allié, intervint l'un des conseillers, tout en s'avançant. Votre Majesté, je vous apporte de bien tristes nouvelles, car votre père est mort, et vous êtes, désormais, le souverain de votre Royaume. Le Roi est mort, que vive le Roi !

— Allez tous au diable, chuchotai-je. Il a toujours été une parfaite canaille, et voilà le moment qu'il devait choisir pour rendre son dernier souffle !

L'heure de vérité

Récit de Laurent

Il n'était plus temps de s'attarder au château. Il fallait que je regagne mon foyer sur-le-champ. Je savais que mon Royaume se trouvait au bord de l'anarchie. Mes frères étaient deux idiots, l'un comme l'autre, et le Capitaine commandant l'Armée, quoique dévoué à mon père, allait dorénavant tenter de s'approprier le pouvoir.

Ainsi, après une heure d'entrevue avec la Reine, au cours de laquelle nous évoquâmes pour l'essentiel des accords militaires et diplomatiques, je sortis du château, monté sur mon cheval, en emportant avec moi un trésor considérable qu'elle m'avait remis, ainsi que quelques charmantes petites babioles et autres souvenirs de ma vie au château et au village.

Encore tout étonné que ces vêtements lourds et encombrants m'aient suivi partout où j'avais séjourné — il était fâcheux de ne plus être nu —, je dus me résoudre à partir, et lorsque je passai devant les murs d'enceinte du village, je n'y lançai pas même un regard.

Naturellement, un millier de Princes étaient passés par cette épreuve, ils avaient vu soudain com-

muer leur peine, ils avaient connu ce bouleversement brutal que provoquaient tant les vêtements que
la cérémonie, mais peu d'entre eux avaient eu à
prendre les rênes des Royaumes auxquels ils retour-
naient. Il n'était point temps de se lamenter, ni de
s'attarder sur la route dans une auberge de campagne, à boire jusqu'à l'ivresse, alors même que je
tâchais de me réaccoutumer au monde réel.

J'atteignis mon château, au cours de la seconde
nuit d'une rude chevauchée et, dans les trois jours
qui suivirent, j'avais tout remis d'aplomb. Mon père
avait déjà été enterré ; ma mère était morte depuis
belle lurette. Et tout ce dont on avait besoin, c'était
d'une main forte à la barre du gouvernement, aussi
fis-je bientôt savoir à tous et à chacun que cette
main ne saurait être que la mienne.

Je fustigeai les soldats qui avaient abusé de villa-
geoises, au cours de ces quelques journées d'anarchie. Je chapitrai mes frères, et je les assignai à leurs
devoirs en recourant à des menaces susceptibles de
les alarmer. Je fis rassembler l'armée pour une inspection, et je décernai de généreuses récompenses à
tous ceux qui avaient aimé mon père et qui,
aujourd'hui, venaient à moi avec le même amour.

Rien de tout cela ne présenta de difficultés, non,
vraiment, et pourtant je savais que plus d'un
royaume en Europe tombait parce qu'un nouveau
monarque était incapable de remplir les devoirs de
sa charge. Je vis une expression de soulagement se
peindre sur les visages de mes sujets, dès lors qu'ils
comprirent que leur jeune Roi exerçait son autorité
avec aisance et naturel, qu'il prenait en main toutes
les affaires du gouvernement, qu'elles soient grandes ou insignifiantes, avec une vive attention et non
moins de force. Le Seigneur Grand Trésorier fut
reconnaissant d'avoir quelqu'un pour le seconder, et

le Capitaine commandant l'Armée prit son poste avec une énergie renouvelée — car je l'appuyais.

Mais, lorsque les premières semaines d'agitation furent passées, lorsque les choses se furent apaisées au château, lorsque je pus dormir une nuit entière sans être interrompu dans mon sommeil par les serviteurs ou la famille, je me mis à réfléchir à tout ce qui était survenu. Je n'avais plus de marques sur le corps. J'étais tourmenté par un désir sans fin. Et, quand je compris que je ne serais plus jamais un esclave nu, je pus à peine le supporter. Je n'avais pas envie de regarder ce qu'étaient ces babioles que la Reine m'avait données, de voir ces jouets en cuir qui, désormais, ne signifiaient plus rien pour moi.

Mais, après coup, j'éprouvai de la honte.

Ce n'était pas mon destin, comme l'aurait dit Lexius, de continuer à être un esclave. Il me faudrait dorénavant être un souverain bon et puissant et, à la vérité, j'aimais à être un Roi.

Être un Prince, cela avait été redoutable.

Mais être un Roi, voilà qui était tout à fait plaisant.

Lorsque mes conseillers vinrent me trouver pour me dire que je devais prendre femme et engendrer un enfant en vue d'assurer ma succession, je hochai aussitôt la tête en signe d'acquiescement. La vie à la Cour allait me dévorer, et j'allais devoir lui donner tout ce que j'avais. Quant à mon existence ancienne, elle avait aussi peu de substance qu'un rêve.

— Et qui sont les Princesses possibles? demandai-je à mes conseillers. (J'étais occupé à signer quelques lois importantes lorsqu'ils se levèrent et se pressèrent autour de mon secrétaire.) Eh bien? (Je levai les yeux sur eux.) Parlez!

Mais avant même qu'aucun d'eux n'ait dit quoi que ce soit, un nom me vint soudain à l'esprit avec force.

— La Princesse Belle ! chuchotai-je.

Serait-il possible qu'elle ne se soit pas mariée ? Je n'osai le demander.

— Oh, oui, Votre Majesté, s'écria mon Seigneur le Grand Chancelier ! Elle constituerait le choix le plus judicieux, sans aucun doute, mais elle éconduit tous ses prétendants. Son père est au désespoir.

— Les éconduit-elle encore à l'heure qu'il est ? questionnai-je. (Je m'efforçai de dissimuler mon excitation.) Je me demande bien pourquoi elle les éconduit, déclarai-je innocemment. Allez faire seller mon cheval sur-le-champ.

— Mais nous devrions envoyer une lettre officielle à son père...

— Non. Faites seller mon cheval, répétai-je, en me levant de ma table.

Je me rendis dans la chambre à coucher royale afin d'aller m'habiller de mes plus beaux vêtements, et pour réunir également quelques autres petites choses.

J'étais justement sur le point de sortir précipitamment de ma chambre lorsque je m'arrêtai. Je ressentis un coup invisible et soudain, qui me serra la poitrine. Et, très exactement comme si l'on m'avait coupé le souffle en me frappant, je tombai dans mon fauteuil, devant mon bureau.

Belle, ma très chère Belle. Je la revis, dans la cabine du navire, avec ses bras tendus, qui me cherchait. Et je sentis un accès de désir qui me laissa aussi nu que je l'avais jamais été. D'autres folles pensées me revinrent en tête, comment j'avais dominé Lexius, seul dans sa chambre, au cœur du palais du Sultan, comment j'avais tenu Gérard en ma pleine possession, et je songeai à la tendresse qui s'était échappée de moi en ces précieux moments, lorsque je posais le regard sur ces chairs écarlates, là, sous ma main ouverte ; je songeai au dangereux éveil de l'amour, en moi, pour ceux que je punissais sans merci, pour ceux qui étaient miens, oui, miens. Belle !

Il me fallut une somme de courage surprenante pour me relever de mon fauteuil. Et pourtant j'étais si avide ! Je tâtai ma poche, là où j'avais glissé les babioles que je lui apportais. Là-dessus, j'aperçus mon reflet dans le miroir — Sa Majesté en velours pourpre et bottes noires, son manteau orné d'hermine flottant derrière elle — et je clignai de l'œil à l'adresse de mon reflet.

— Laurent, espèce de démon, dis-je avec un sourire espiègle.

Nous atteignîmes le château, sans nous être annoncés, exactement comme je l'avais espéré et, lorsqu'il nous fit entrer dans la Grande Salle, le père de la Belle jubilait. Il n'y avait guère eu beaucoup de prétendants, ces derniers temps. Et il était fort désireux de contracter une alliance avec notre Royaume.

— Mais, Votre Majesté, il me faut vous avertir, me fit-il poliment. Ma fille est fière et d'humeur maussade, et elle ne recevra personne. Elle se tient assise à l'une ou l'autre des fenêtres de ses appartements et, tout au long de la journée, elle rêve.

— Votre Majesté, permettez-moi, si vous le voulez bien, répondis-je. Vous savez que mes intentions sont honorables. Indiquez-moi simplement la porte de son antichambre, et laissez-moi faire le reste.

Elle était assise à la fenêtre, dos à la pièce, elle chantait doucement, toute seule, et ses cheveux, où venait se prendre la lumière du soleil, avaient l'apparence de l'or que l'on file.

Ma douce chérie. La robe qu'elle portait était d'un velours rose orné de feuilles d'argent délicatement

343

brodées. Et comme elle enrobait bien ses épaules, et ses bras menus et magnifiques. Ces bras, aussi savoureux que le reste de sa personne, me dis-je. Si doux à pincer, ces bras menus. Et qu'il me soit permis, je vous en prie, de voir ces seins tout aussitôt... et ces yeux, cet esprit.

Une fois encore, il y eut ce coup dans ma poitrine, invisible, complètement imaginaire.

J'avançai à pas de loup dans son dos et, juste à l'instant où elle sursauta, je plaquai mes mains gantées sur ses yeux.

— Qui ose me faire cela ? chuchota-t-elle.

Sa voix avait un ton de frayeur, d'imploration.

— Du calme, Princesse, dis-je. Votre Seigneur et Maître est ici, le prétendant que vous n'oserez pas éconduire !

— Laurent ! s'écria-t-elle, en tressaillant.

Je la relâchai, et elle se leva, se tourna, et se jeta dans mes bras. Je la baisai un millier de fois, presque jusqu'à lui meurtrir les lèvres. Elle était aussi somptueuse et aussi docile qu'elle l'avait été dans la cale du navire, aussi succulente, fiévreuse et sauvage.

— Laurent, vous n'êtes pas réellement venu pour me faire une offre de mariage, n'est-ce pas ?

— Une offre, Princesse, une offre ? m'écriai-je. Je viens à vous porteur d'un commandement. (Avec ma langue, je forçai ses lèvres à s'ouvrir toutes grandes, mes mains comprimèrent ses seins, à travers le velours, brutalement.) Vous allez m'épouser, Princesse. Vous allez être ma Reine et mon esclave.

— Oh, Laurent, je n'ai jamais osé rêver à cet instant ! confessa-t-elle.

Son visage avait rougi magnifiquement, ses yeux luisaient. Je pouvais sentir la chaleur de son corps au travers de ses jupes, tout contre ma jambe. Et ce fut l'irruption de l'amour, une nouvelle fois, qui submergeait tout, et qui se mêlait à une sensation affolante de possession et de puissance. Sous l'emprise de cette irruption de passion, je la serrai très fort.

— Allez dire à votre père que vous serez mon épouse, que nous allons partir sur-le-champ pour mon Royaume, et cela fait, revenez à moi !

Aussitôt, elle obéit et elle sortit. Lorsqu'elle revint, elle referma la porte derrière elle et me dévisagea, avec un voile d'incertitude dans le regard, en reculant contre le bois de la porte.

— Verrouillez cette porte, lui ordonnai-je. Nous allons quitter ce château à cheval, c'est l'affaire de quelques instants, et ce moment où je vais vous posséder, je vais le réserver à ma couche royale, mais je veux toutefois vous préparer convenablement pour ce voyage. Faites ce que je vous dis.

Elle fit coulisser le verrou en place. Lorsqu'elle approcha, elle était l'image même de la beauté. Je glissai la main dans ma poche et j'en tirai une paire de ces présents que j'avais rapportés avec moi, ceux que je tenais de la Reine Éléonore, deux petites pinces en or. La Belle leva le dos de sa main pour la porter à ses lèvres. Un geste charmant, mais vain. Je souris.

— Ne me dites pas que je vais devoir recommencer tout votre apprentissage depuis le début, dis-je, en lui clignant de l'œil, et en la baisant promptement.

Je glissai ma main dans son étroit corsage et j'y crochetai fermement un téton. Puis je crochetai l'autre. Un frisson lui traversa le torse, jusqu'à sa bouche ouverte. Quel somptueux désarroi !

Je retirai de ma poche une autre paire de ces pinces.

— Écartez les jambes, ordonnai-je.

...n'agenouillai et je retroussai sa jupe pour passer ... main dessous et atteindre son petit sexe humide et nu. Comme il était affamé, comme il était prêt. Oh, elle était une splendide et chère créature, et il suffisait d'un coup d'œil sur son visage radieux qui me scrutait, les yeux baissés sur moi, pour que j'en devienne fou. J'appliquai les pinces avec précaution, sur ces lèvres humides et secrètes.

— Laurent, chuchota-t-elle. Vous êtes sans pitié.

Elle était déjà dans l'état de détresse qui convenait, à demi effrayée, à demi médusée. Je pouvais à peine trouver la force de lui résister.

À présent, je tirai de ma poche une petite fiole d'un liquide couleur d'ambre, l'un des présents les plus remarquables de la Reine Éléonore. J'ouvris la fiole et j'en savourai l'arôme épicé. Mais je devais en user avec parcimonie. Après tout, ma tendre petite créature chérie n'était pas de ces poneys robustes et musclés, accoutumés à cette sorte de médication.

— Qu'est cela ?

— Chut ! (Je posai l'index sur ses lèvres.) Ne me poussez pas à vous donner le fouet, pas avant que je vous aie dans ma chambre à coucher et que je puisse le faire convenablement. Restez tranquille.

Je penchai la fiole et je versai un peu de son contenu sur mon doigt ganté, et puis je relevai une fois encore la jupe de la Belle, et j'oignis son petit clitoris de ce fluide, ainsi que ses lèvres tremblantes.

— Ah, Laurent, c'est...

Elle vola jusque dans mes bras et je la tins serrée. Comme elle souffrait, à essayer de ne pas presser ses deux jambes l'une contre l'autre, toute frissonnante.

— Oui, acquiesçai-je, en la tenant serrée dans mes bras. (Tout cela n'était que pure douceur.) Cette onction vous démangera de la sorte sur toute la route qui doit nous mener à mon château, et lorsque nous y serons, je vous en libérerai en la léchant, jusqu'à la dernière goutte, et je vous prendrai, ainsi que vous le méritez.

Elle gémit, ses hanches se tordaient malgré elle, tandis que la potion irritante remplissait son office, et ses seins se frottaient contre ma poitrine comme si j'avais pu, d'une manière ou d'une autre, la sauver, sa bouche collée contre la mienne.

— Laurent, je ne puis supporter cela, me glissat-elle, en me soufflant ces mots dans ses baisers. Laurent, je suis en train de mourir pour vous. Ne me faites pas souffrir trop longtemps, je vous en prie, Laurent, vous ne devez pas...

— Chut, cela ne repose pas entre vos mains, lui rappelai-je avec amour.

Une fois encore, je glissai la main dans mes poches, et j'en tirai une délicat petit harnais, muni d'un phallus. Pendant que je déployais ce phallus, elle porta les mains à ses lèvres et, de panique, ses sourcils se froncèrent. Mais elle ne résista pas, lorsque je m'agenouillai pour enfiler le phallus dans son petit derrière, et pour l'ajuster bien au fond de son anus, avant de sangler ce harnais autour de ses cuisses et de sa taille. Naturellement, j'aurais pu enduire ce phallus de liquide irritant, mais cela eût été trop rude. Et puis, ce n'était qu'un commencement, n'était-il pas vrai ? Le temps ne manquerait pas, pour en arriver là.

— Allons, ma chère, partons, dis-je en me levant.

Elle était rayonnante et d'une totale docilité. Je la pris dans mes bras et je la portai hors de son antichambre et jusqu'au bas des escaliers, dans la cour, où son cheval attendait, avec sa selle d'amazone ornementée, déjà en place. Mais je ne l'installai pas sur son cheval.

Je l'assis sur ma monture, devant moi et, tandis que nous pénétrions à cheval dans la forêt, je glissai ma main sous ses jupes pour la laisser remonter jusqu'aux sangles de son petit harnais, et cette menue partie d'elle-même qui était humide, qui était mienne désormais, tout à fait mienne, munie de ses pinces, ce lieu intime qui la démangeait de désir et qui était prêt pour moi. Je savais que je possédais une esclave que ni la Reine ni aucun Seigneur ni aucune Dame ni aucun Capitaine de la Garde ne pourraient jamais plus m'enlever.

Ainsi donc, c'était enfin le monde véritable — la Belle et moi, libres de nous posséder l'un l'autre, et tous les autres s'étaient évanouis. Il n'y aurait plus que nous deux, dans ma chambre à coucher, là où j'envelopperais son âme mise à nu de rituels et de supplices qui iraient au-delà de nos expériences passées, de nos rêves. Personne ne la sauverait plus de moi. Personne ne me sauverait plus d'elle. Mon esclave, ma douce esclave sans défense...

Soudain, je fis halte. Ce coup, une fois encore, dans ma poitrine. Je savais que j'étais devenu tout pâle.

— Qu'est-ce qui ne va pas, Laurent? me demanda-t-elle, alarmée.

Elle se retint fermement à moi.

— La peur, chuchotai-je.

— Non! tressaillit-elle.

— Oh, n'ayez crainte, mon tendre amour. Je vais vous battre avec suffisamment de brutalité, dès que nous serons arrivés chez nous, et j'adore cela, vous le savez. Je vous ferai oublier le Capitaine de la Garde et le Prince Héritier et tous ceux qui vous ont possédée, qui ont usé de vous, qui vous ont comblée. Mais c'est simplement... simplement que je vais finir par tant vous aimer.

348

Je regardai son visage levé vers moi, ses yeux farouches, son joli corps qui se tortillait sous sa robe opulente.

— Oui, je sais, acquiesça-t-elle d'une voix frissonnante. (Et puis elle scella sa bouche à la mienne. Et ensuite, dans un chuchotement doux et chaud, elle me fit doucement, toute pensive :) Je suis à vous, Laurent. Et pourtant, je ne connais même pas encore le sens de ces mots. Apprenez-moi leur sens ! Ce n'est que le commencement. De toutes les captivités, cela sera la pire et la plus dénuée d'espoir.

Si je ne cessais pas de la baiser, jamais nous n'atteindrions le château. Et les bois semblaient si sombres et si plaisants... et elle souffrait, ma douce précieuse...

— Et nous vivrons éternellement heureux, susurrai-je, au milieu de mes baisers, comme l'on dit dans les contes de fées.

— Oui, heureux, à compter de ce jour, me répondit-elle, et plus heureux encore, je le crois, que quiconque pourrait jamais y songer.

Achevé d'imprimer en juillet 2000
sur les presses de l'Imprimerie Bussière
à Saint-Amand (Cher)

POCKET - 12, avenue d'Italie - 75627 Paris Cedex 13
Tél. : 01-44-16-05-00

— N° d'imp. 1717. —
Dépôt légal : novembre 1999.

Imprimé en France